1er juillet 2010

A Lisa-Marie
Tendresse,
Papa et maman
xxx
xxx

UNE FEMME TROP FRAGILE

DU MÊME AUTEUR

De père inconnu, L'Archipel, 2004

LESLEY PEARSE

UNE FEMME TROP FRAGILE

Traduit de l'anglais
par Isabelle Vassart

belfond
12, avenue d'Italie
75013 Paris

Titre original :
TILL WE MEET AGAIN
publié par Michael Joseph, Londres.

Si vous souhaitez recevoir notre catalogue
et être tenu au courant de nos publications,
vous pouvez consulter notre site internet :
www.belfond.fr
ou envoyer vos nom et adresse, en citant ce livre,
aux Éditions Belfond,
12, avenue d'Italie, 75013 Paris.
Et, pour le Canada,
à Interforum Canada Inc.,
1055, bd René-Lévesque-Est,
Bureau 1100,
Montréal, Québec, H2L 4S5.

ISBN 2-7144-4197-1

Ce livre est dédié aux parents qui ont perdu un enfant de la méningite. Je suis de tout cœur avec vous.

1

Octobre 1995

La porte d'entrée s'ouvrit et Pamela Parks leva les yeux du carnet de rendez-vous. Il était dix heures moins le quart, un jeudi matin, et la salle d'attente était pleine à craquer. À son grand étonnement, elle reconnut la femme négligée qui passait ses journées sur un banc de la place, en face du centre médical.

Pamela n'était pas tolérante. À quarante-cinq ans, mère de deux adolescents, elle était fière de sa minceur, de son élégance et de son efficacité. Elle n'avait pas de temps à consacrer à des gens qui ne partageaient pas ses valeurs. Une infirmière du centre avait surnommé cette femme Vinnie, car on la voyait souvent boire une piquette à même la bouteille, et le bruit courait qu'il s'agissait d'une ancienne malade mentale que l'on avait fait sortir sans un suivi approprié.

Il pleuvait à verse, et Vinnie s'arrêta sur le seuil, repoussant ses cheveux trempés de son visage rouge et rebondi. Vêtue d'un imperméable déchiré en plastique transparent passé sur un manteau court, elle était chaussée de vieilles tennis.

Indignée, Pamela fit coulisser la vitre du bureau de la réception.

— Vous ne pouvez pas entrer ici pour vous abriter ou utiliser les toilettes ! s'écria-t-elle. Sortez immédiatement, sinon j'appelle la police.

Vinnie ne tint aucun compte de cette interdiction. Elle enleva son imperméable et l'accrocha à une patère près de la porte. Outrée, Pamela se pencha par-dessus le comptoir pour voir ce qu'elle manigançait. Elle retirait un objet de la poche de son manteau.

— Vous ne pouvez pas entrer ici, répéta-t-elle.

Elle se mit à paniquer. Une dizaine de personnes attendaient, deux médecins avaient pris du retard à cause d'urgences, et Muriel, la réceptionniste plus âgée, se trouvait dans une autre pièce, occupée à réunir des informations dans les dossiers des patients.

— Je suis venue vous voir, déclara Vinnie en se dirigeant posément vers elle.

Pamela recula, effrayée par les yeux de la femme. Ils étaient d'un bleu-vert pâle, froids et très durs. De près, elle n'était pas aussi vieille que Pamela l'avait supposé ; en fait, elle avait probablement son âge.

— Vous ne vous souvenez pas de moi ? poursuivit la femme, un petit sourire narquois aux lèvres. C'est vrai, j'ai beaucoup changé. Ce n'est pas votre cas, vous êtes toujours aussi désagréable et impitoyable.

Soudain, cette voix réveilla la mémoire de Pamela. Mais avant qu'elle ne puisse prononcer un mot, le bras de la femme s'éleva au-dessus du bureau de la réception. Elle tenait un revolver dans la main et le pointait sur elle.

— Ne soyez pas ridicule, souffla Pamela, terrorisée.

Elle n'avait aucune possibilité de s'échapper. Le coup partit, et une douleur fulgurante lui déchira la poitrine.

Dans le réduit voisin, Muriel Olding avait entendu la conversation. Bien que choquée par la brusquerie de sa collègue, et curieuse de savoir à qui elle s'adressait, Muriel était coincée par des dossiers tenus en équilibre instable sur le tiroir ouvert d'un classeur.

Cependant, lorsque la femme déclara calmement : « Vous ne vous souvenez pas de moi ? » au lieu d'insulter Pamela, la curiosité l'emporta et Muriel posa la pile à plat. Elle ouvrait la porte quand un bruit assourdissant retentit.

Muriel ne pensa pas à un coup de feu. Elle crut à un pétard car, en cette fin d'octobre, les jeunes en faisaient éclater à longueur de journée autour du centre médical. Lorsqu'elle découvrit Vinnie un revolver à la main et qu'elle sentit l'odeur forte et âcre de la poudre, la stupéfaction la cloua sur place.

L'espace d'une seconde, leurs regards se croisèrent. Le Dr Wetherall surgit alors de son cabinet et Vinnie se tourna doucement vers lui.

— Qu'est-ce qui se passe ? rugit le médecin.

La femme tira de nouveau et le toucha en pleine poitrine.

Muriel n'en crut pas ses yeux. Le sang jaillit, le docteur émit un râle atroce en portant les mains à sa blessure, avant de reculer en titubant vers son cabinet.

Instinctivement, Muriel se précipita dans le réduit dont elle verrouilla la porte. Quand elle se rendit compte qu'elle n'était pas la seule à crier, mais que tous les patients de la salle d'attente hurlaient de concert, elle prit conscience que cette vision cauchemardesque n'était autre que la réalité.

Puis elle vit Pamela. Elle était étendue par terre, bras et jambes écartés, et le sang coulait à flots d'un trou béant dans sa poitrine.

Muriel bondit sur le téléphone et, cachée derrière le bureau, composa fébrilement le 999.

Quatre heures plus tard, l'inspecteur principal Roy Longhurst s'entretenait avec Muriel. Enveloppée dans une couverture, elle était étendue sur le lit d'une des salles de consultation du premier étage. Au rez-de-chaussée, l'équipe médico-légale et les photographes de la police effectuaient leur travail. À l'arrivée de Longhurst, le personnel et les patients étaient en état de choc mais comme ils n'avaient rien vu, on les avait raccompagnés chez eux. En revanche, Muriel avait assisté à toute la scène et l'inspecteur s'inquiétait à son sujet. Elle approchait de la soixantaine et, avec ses cheveux gris et son visage ridé, elle lui rappelait sa mère.

Il prit ses mains qu'il frotta doucement.

— Madame Olding, prenez votre temps et essayez de me dire exactement ce que vous avez vu et entendu ce matin.

Âgé de quarante-cinq ans, Longhurst mesurait environ un mètre quatre-vingt-dix et pesait plus de cent kilos, uniquement de muscles. Même en vêtements civils ou sur un terrain de rugby, on devinait sa profession, ce qui amusait sa mère : elle avait en effet toujours affirmé qu'il était fait pour être policier.

Roy n'était pas beau mais ses cheveux bruns ondulés, sa peau mate et ses yeux noirs expressifs lui conféraient beaucoup de charme. D'une honnêteté scrupuleuse, il appartenait à la vieille école et avait des idées bien arrêtées. Sans aucune patience envers les voyous qui invoquaient une enfance difficile – la sienne l'avait été également et il s'en était sorti sans recourir à la malhonnêteté –, il aurait volontiers rétabli la pendaison et les châtiments corporels. Il estimait aussi que les prisons devraient être bien plus dures. Cette façon de penser ne l'empêchait pas de se montrer compatissant, mais il réservait sa sympathie aux victimes. Mme Olding n'était pas blessée ; cependant, pour lui, c'était une victime puisque le drame dont elle avait été témoin l'avait anéantie.

Située dans le quartier de Hotwells à Bristol, la place Dowry avait été construite dans les années 1800 pour de riches marchands désireux de vivre loin de la puanteur des docks. Mais, contrairement à Clifton, le quartier limitrophe qui demeurait chic depuis deux siècles, Hotwells avait été défiguré par un réseau routier comprenant un échangeur gigantesque qui l'avait transformé en une zone peu attractive depuis plusieurs décennies. Il avait fallu attendre les années 80 et la construction d'immeubles de grand standing et de villas le long de la rivière pour y voir une amélioration.

La maison qui abritait le centre médical reflétait ces changements : belle demeure bourgeoise à l'origine, elle était devenue une pension de famille louche, et renfermait à présent des cabinets de consultation. La clientèle allait des SDF jusqu'à des propriétaires de biens surestimés à un demi-million de livres, avec entre les deux des étudiants, les occupants de logements sociaux, de vieux hippies et de jeunes yuppies.

Le centre avait conservé le charme de l'ancienne bâtisse avec la salle d'attente, les cabinets de consultation et les salles de soins disposés autour de l'entrée. Des cabinets supplémentaires avaient été aménagés au premier étage. Du bureau de la réception aux vitres coulissantes jusqu'à la porte d'entrée, il y avait une distance de cinq mètres.

Quand les policiers étaient arrivés dans la matinée, ils savaient que deux personnes étaient mortes et qu'il y avait une dizaine de patients dans la salle d'attente, plus les médecins et les infirmières. S'attendant à une prise d'otages, ils étaient très tendus car ils pensaient que le meurtrier était un homme, drogué de surcroît.

Lorsque Longhurst se présenta un peu plus tard, ils l'informèrent qu'ils avaient trouvé la porte grande ouverte et une femme assise par terre dans l'entrée. Ils avaient supposé que le criminel avait filé et que cette femme était trop choquée pour bouger ou parler. Mais après avoir longuement dévisagé un policier, elle avait déclaré : « C'est moi qui les ai tués », en indiquant le revolver au sol, en partie dissimulé par son manteau.

Le policier lui ordonna de s'éloigner de l'arme, ce qu'elle fit. Quand ils eurent récupéré le revolver, elle se leva en indiquant où étaient les deux victimes. On lui demanda pourquoi elle les avait abattues, et elle répondit de manière laconique : « Ils le savent. »

Longhurst s'était occupé de son arrestation avant qu'on l'emmène au commissariat de Bridewell. Il n'avait passé qu'une dizaine de minutes avec elle, mais il l'avait trouvée étrange. Elle n'avait aucune réaction face à l'agitation qui l'entourait, et elle avait de nouveau reconnu avoir tué les deux personnes, tout en refusant de donner son nom et son adresse. De plus, son apparence de SDF ne cadrait pas avec sa voix douce et son maintien très digne. Le revolver, d'après l'un des policiers, était une relique datant de la Seconde Guerre mondiale.

— Je ne l'ai pas vue entrer, expliqua Muriel d'une voix chevrotante. Je cherchais des dossiers dans le réduit et il n'a pas de fenêtre. J'ai entendu Pam élever la voix. Elle a dit : « Vous ne pouvez pas rentrer ici pour vous abriter de la pluie ou utiliser les toilettes ! Sortez immédiatement, sinon j'appelle la police. »

— À votre avis, à qui parlait-elle ? questionna Longhurst.

— Je n'y ai pas vraiment réfléchi, admit Muriel en haussant les épaules. Mais j'ai pensé que ce n'était pas une façon de s'adresser à qui que ce soit. Puis une femme a répondu : « Vous ne vous souvenez pas de moi ? » d'une voix plutôt aimable. Poussée par la curiosité, j'ai ouvert la porte. Juste à cet instant, j'ai entendu la détonation. J'ai cru qu'il s'agissait d'un pétard.

— Qu'avez-vous vu ?

— J'ai vu Vinnie – c'est comme ça qu'on l'appelle.

— Alors, vous la connaissez ?

— Oui. Depuis au moins dix-huit mois, elle est souvent assise sur un banc de la place, le matin.

Muriel ajouta qu'elle s'était précipitée dans le réduit pour avertir la police, et elle conclut tout en se remettant à pleurer :

— J'étais morte de peur. Je travaille ici depuis quinze ans, et c'est la première fois qu'il arrive une chose aussi monstrueuse.

Les policiers avaient découvert Muriel tapie derrière son bureau, tout près du corps de la victime. Terrorisée, elle avait honte de ne pas s'être occupée des patients de la salle d'attente.

On eut beau lui répéter qu'en téléphonant immédiatement au commissariat et en se protégeant elle avait agi au mieux, et que de plus les infirmières avaient mis les clients à l'abri dans la salle de soins, Muriel était convaincue de n'avoir pas fait son devoir.

— Depuis combien de temps Pamela Parks travaillait-elle ici ? s'enquit Longhurst.

— Environ huit ans, déclara-t-elle tandis que de nouvelles larmes lui montaient aux yeux. Et son mari ! Et ses enfants ! Les pauvres, que vont-ils devenir ?

Longhurst lui tapota la main et attendit que ses larmes s'apaisent.

— Vous étiez amies ? Je veux dire, en dehors du travail ?

— Pas vraiment, répondit-elle, les yeux brillants. Nous avions peu de points communs. Elle était très moderne et élégante.

Une infirmière avait déjà raconté à Longhurst qu'il y

avait des frictions entre Muriel et Pamela. Selon elle, la première avait été mise sur la touche par la seconde, qui s'y connaissait mieux en informatique. L'infirmière avait expliqué que Pamela faisait du zèle, car elle voulait rentabiliser le centre au maximum.

L'inspecteur avait vu son corps avant qu'on ne l'emporte. Âgée d'une quarantaine d'années, elle était très séduisante avec ses cheveux blonds méchés et ses ongles soignés. Elle habitait une villa luxueuse dans le quartier de Clifton, conduisait une BMW, et son mari, Roland Parks, était un homme d'affaires prospère. Muriel, à l'inverse, affichait une cinquantaine tout en rondeurs.

— Vinnie était une patiente ?

— Je ne crois pas. Elle figure peut-être dans nos fichiers, mais beaucoup de personnes qui y sont inscrites ne consultent pas. On ne connaît que les habitués.

— Dites-moi, quand vous la voyiez sur la place, que pensiez-vous d'elle ?

— Pas grand-chose, reconnut-elle avec un haussement d'épaules. Je me demandais seulement pourquoi cette pauvre femme s'asseyait là tous les jours. Parfois, elle buvait, mais elle ne s'est jamais donnée en spectacle.

— Pamela faisait des commentaires sur elle ?

— Oui, elle était assez dure, répondit Muriel avec un soupir. À ses yeux, cette femme était bonne pour l'asile. Finalement, elle avait raison.

— À votre avis, Pamela aurait pu avoir eu une prise de bec avec elle ?

Muriel réfléchit, les sourcils froncés.

— Je ne pense pas. Elle n'en a jamais parlé. Mais si c'était le cas, pourquoi la femme aurait-elle aussi tué le Dr Wetherall ?

— Peut-être parce qu'il a quitté son cabinet, suggéra Longhurst.

— Je suis sortie du réduit et elle ne m'a pas tuée.

L'inspecteur avait déjà médité sur cette question. Il n'arrivait pas à décider si Muriel avait eu de la chance ou si la femme s'était fixé des cibles.

— Racontez-moi ce que vous savez de Pamela, demanda-t-il avec douceur. Tout ce qui vous passe par la tête. Comment elle se comportait avec les gens ; avec vous, les docteurs, ses centres d'intérêt...

— Je vous l'ai dit, elle était élégante et raffinée. Elle portait des vêtements coûteux, et allait chez le coiffeur et la manucure une fois par semaine. Elle n'avait pas besoin de travailler, elle le faisait pour le plaisir. Elle partait en vacances avec sa famille en Afrique ou au Japon, vivait dans une maison de riche. À part la cuisine, je ne connaissais pas ses centres d'intérêt. Elle donnait des réceptions sans arrêt et elle parlait de trucs bizarres – de tomates séchées au soleil, par exemple... comme si j'étais censée savoir ce que c'était !

Manifestement, Muriel considérait que Pamela et elle se trouvaient aux deux extrémités de l'échelle sociale.

— Parlez-moi de vous, alors.

— Je suis totalement différente, déclara-t-elle d'un ton maussade. Avec mon mari, nous habitons dans une barre de HLM à Ashton. Stan bosse aux chemins de fer. Nous ne sommes partis qu'une fois à l'étranger, en Espagne. Aucun de mes quatre enfants n'a eu le bac, ils ne risquent pas d'étudier à l'université comme ceux de Pam.

— Mais je suppose que vous êtes plus compréhensive qu'elle ne l'était avec les patients, avança Longhurst pour l'encourager à se confier.

— En tout cas, je m'y efforce. Je sais ce qu'on ressent quand un enfant est malade : on veut voir un docteur tout de suite. Pamela pouvait se montrer un peu cassante avec les gens, surtout avec les pauvres et les personnes âgées... Mais elle désirait que ce centre soit le plus performant de Bristol ; elle est parvenue à éliminer les clients qui font perdre du temps et à éconduire ceux qui n'ont pas vraiment besoin d'une visite à domicile. Elle faisait du bon boulot.

Longhurst remarqua le teint terreux de Muriel et les tremblements dont elle était encore agitée malgré la couverture qui l'enveloppait. Elle n'était pas en état de répondre à d'autres questions pour le moment.

— On va vous raccompagner chez vous. Je viendrai prendre votre déposition demain ou après-demain. Peut-être vous rappellerez-vous d'autres détails quand vous serez remise du choc.

— Ça m'étonnerait que je m'en remette, répliqua Muriel avec tristesse. J'ai vu cet endroit démarrer avec deux docteurs et se transformer en un centre agréable, très animé. Je m'y suis toujours sentie en sécurité. Je n'aurais jamais imaginé assister à une chose pareille ! D'habitude, ce genre d'horreurs arrivent en Amérique, non ?

2

Une pluie torrentielle fouettait les vitres des bureaux de Tarbuck, Stone et Aldridge, le cabinet d'avocats, tandis que Beth Powell, assise à son bureau, dictait des lettres au magnétophone. À quatre heures de l'après-midi, il faisait presque nuit, et la lampe diffusait un halo doré sur ses papiers et ses dossiers.

« Saisissante », c'était ainsi qu'on décrivait Beth. Jeune fille, elle avait détesté cet adjectif car, selon elle, les gens l'employaient pour dire de façon détournée qu'elle avait un physique étrange. Elle mesurait presque un mètre quatre-vingts, avait des yeux verts, une grande bouche, et son teint très pâle formait un contraste étonnant avec les boucles noires de son abondante chevelure retenue dans un chignon lâche. Elle savait aussi qu'on la trouvait froide et hautaine. Mais, à quarante-quatre ans, elle ne se souciait plus des jugements portés sur elle. De toute façon, mieux valait être saisissante qu'insignifiante, et une avocate ne devait pas plus ressembler à une mère qu'à une vamp.

Dans son for intérieur, elle était plutôt satisfaite de son apparence. Sa taille lui donnait de l'allure, elle avait appris à apprécier le contraste entre la couleur de ses cheveux et celle de sa peau. Parfois, quand elle contemplait sa grande bouche sensuelle dans la glace, elle la détestait ; mais, d'un tempérament réaliste, elle s'y était résignée.

Elle acceptait aussi que la plupart de ses clients soient coupables, et le fait que si elle réussissait à gagner leur procès, ils récidiveraient à la première occasion. Elle adorait le droit criminel, les défis permanents, la diversité des affaires et les personnalités atypiques qu'elle rencontrait quotidiennement.

Beth n'était à Bristol que depuis un an. Elle avait passé la majeure partie de sa vie à Londres et, les douze années précédentes, elle avait travaillé dans un cabinet d'avocats de Chancery Lane.

Suite à trois cambriolages successifs dans son appartement de Fulham, elle avait eu envie de quitter la capitale. Comme elle n'avait pas les moyens d'acheter dans un quartier plus sûr de Londres, elle avait postulé pour un emploi dans plusieurs villes, en espérant qu'un changement de décor donnerait un nouvel élan à sa vie privée. Parmi les opportunités qui se présentèrent à elle, Beth choisit Bristol parce que les bureaux de Tarbuck, Stone et Aldridge se trouvaient dans un superbe immeuble géorgien, sur la place Berkeley à Clifton, le quartier le plus chic. C'était le printemps, et les jonquilles resplendissaient dans les parterres du square. L'intérieur du bâtiment était très austère mais elle ne s'y sentait pas claustrophobe comme dans les locaux de Londres. De plus, l'immobilier à Bristol était très abordable. Elle avait acheté un appartement au troisième étage d'un immeuble sécurisé, à cinq minutes à pied de son travail, avec une splendide vue panoramique sur la ville.

Bristol s'était avérée beaucoup plus fascinante et cosmopolite que prévu. L'histoire pittoresque de son port, aussi important que celui de Londres à une époque, lui avait laissé en héritage des bâtiments anciens qui lui conféraient un certain attrait. La ville n'avait pas oublié son passé maritime, et Beth éprouvait beaucoup de plaisir à se promener dans le quartier rénové des docks, avec son musée, sa galerie d'art et ses nombreux bars et restaurants.

Le secteur commerçant offrait tout ce dont on pouvait rêver, et à Clifton il y avait un nombre impressionnant de petites boutiques attirantes et excentriques qui surpassaient souvent celles de Londres. Par ailleurs, loin d'être une jungle de béton redoutable, Bristol offrait de l'espace, des parcs, ainsi qu'une campagne toute proche. D'après les clients de Beth et les conversations entendues au bureau, la vie nocturne était trépidante. Pourtant elle ne l'avait pas explorée. Elle se disait qu'elle n'avait plus l'âge d'aller en discothèque et qu'elle n'avait pas envie d'essayer les restaurants, les pubs et les bars à vin. Mais la vérité, c'était qu'on a besoin d'amis pour sortir, et Beth n'en avait pas.

« Les amis, tu t'en passes très bien, tu es heureuse comme tu es », marmonna-t-elle entre ses dents, comme elle le faisait toujours quand cette pensée se présentait.

Soudain, la porte s'ouvrit et Steven Smythe, un collègue, fit irruption dans son bureau. Son visage rayonnait d'excitation et il était tout rouge d'avoir monté l'escalier en courant.

— Vous êtes convoquée au commissariat de Bridewell, lança-t-il, essoufflé. Avocat commis d'office.

Cela signifiait qu'on l'avait désignée comme conseiller juridique auprès d'une personne en état d'arrestation. Si le prévenu n'avait pas de défenseur, la police consultait la liste de service. Cette fois, c'était tombé sur Beth.

— Vous faites office de garçon de courses, aujourd'hui ? s'enquit-elle d'un ton sarcastique.

La réceptionniste du rez-de-chaussée aurait pu lui téléphoner pour l'en informer. Mais Steven trouvait n'importe quel prétexte pour lui parler. Pourquoi ? se demandait-elle, car elle se montrait toujours cassante avec lui.

Il semblait rechercher son amitié. Peu après son arrivée au cabinet, il lui avait fait remarquer qu'ils avaient beaucoup de points communs : le même âge, la même passion pour le droit criminel et le même milieu social ; mais Beth n'aimait pas la façon dont il buvait ses paroles. Et comme il était marié et père de deux petites filles, elle n'avait pas l'intention de l'encourager.

Par ailleurs, elle avait du mal à le situer : il n'était pas vraiment dragueur, ni fêtard. À l'école, elle l'imaginait bien en premier de la classe. Grand et bien bâti, il avait un physique agréable. Son menton carré et ses yeux bleus ne manquaient pas de charme ; néanmoins, il avait toujours l'air négligé avec ses vêtements froissés et ses cheveux trop longs.

— Je suis venu vous le dire parce qu'il s'agit de la femme qui a abattu les deux personnes à Hotwells ce matin.

Beth éprouva aussitôt une excitation identique à celle qui avait poussé Steven à monter trois étages en courant pour l'avertir. Mais elle se garda bien de la manifester.

— Vraiment, articula-t-elle posément en se levant pour prendre son porte-documents.

Les avocats du cabinet avaient appris le double meurtre à midi et, choqués par la nouvelle, ils s'étaient perdus en conjectures. À Bristol, c'était la première fois qu'une femme était inculpée pour meurtres ; et il paraissait incroyable que ceux-ci aient été perpétrés dans un centre médical.

— Je pense qu'elle est folle, dit Steven. Elle refuse de donner son nom et elle n'a pas prononcé un mot depuis son arrestation.

— Eh bien, même les folles ont droit à un avocat, rétorqua sèchement Beth, désireuse de le voir s'en aller pour pouvoir l'imiter.

— Vous avez déjà défendu un meurtrier ?

— Oui, Steven, lâcha-t-elle d'un air pincé. À présent, il faut que je me sauve. À demain.

Beth s'arrêta dans le hall d'entrée pour mettre son imperméable et prendre son parapluie. Durant la journée, elle laissait sa voiture dans le garage souterrain de son immeuble, le commissariat de police et le tribunal n'étant qu'à une quinzaine de minutes à pied. Mais comme il pleuvait des cordes, elle envisagea de trouver un taxi. Elle n'y croyait pas trop car à Bristol, ils étaient rares.

Beth échangea quelques mots avec le sergent de service, puis s'arrêta devant la salle d'interrogatoire où l'on détenait l'accusée afin de l'observer à travers la petite fenêtre de la porte.

Elle était affalée sur une chaise. Un bref instant, Beth eut l'impression de la connaître, mais, après un examen attentif, se dit que c'était probablement parce qu'elle était très quelconque : petite et boulotte, le visage rond et rouge encadré de cheveux bruns emmêlés, elle portait un vieux pantalon en polyester bleu marine et un pull informe. Elle ne se distinguait pas des innombrables femmes usées qui attendaient le bus, remplissaient leur caddie au supermarché ou filaient faire le ménage dans les bureaux. Beth pensa qu'elle était de son âge et paraissait incapable d'abattre deux personnes de sang-froid.

Le sergent déverrouilla la porte et elle pénétra dans la pièce.

— Je suis Beth Powell, l'avocate commise d'office, lança-t-elle sèchement, j'ai été convoquée pour vous informer de vos droits.

La femme redressa la tête brusquement, son regard stupéfait déconcerta Beth pendant quelques secondes.

— Nous nous sommes déjà rencontrées ? demanda-t-elle en examinant de nouveau le visage de l'inculpée.

Elle n'arrivait vraiment pas à le situer, et la femme fit non de la tête. Beth attribua donc sa surprise au fait d'avoir droit à un avocat. Peut-être n'avait-elle pas encore pris conscience des conséquences de son geste ?

Après s'être assise à la table, Beth résuma les informations fournies par l'officier de police : l'accusée avait avoué, mais, depuis, refusait de parler – et si ce silence n'avait rien d'inhabituel, de nombreuses personnes en état d'arrestation se comportant ainsi, il était étrange d'avouer puis de se taire. La police s'efforçait à présent de découvrir son nom et son adresse, étant donné que rien sur elle ne permettait de l'identifier. Enfin, le revolver dont elle s'était servie était l'un des aspects les plus curieux de l'affaire : il s'agissait d'une arme ancienne entretenue avec soin.

— À vous, maintenant, ajouta Beth d'un ton impatient. J'ai besoin de connaître votre nom. Je ne peux pas vous aider si je ne sais rien sur vous.

Les yeux d'un bleu très clair tirant sur le vert demeurèrent sans expression, et la femme répondit :

— Je ne veux pas d'aide.

— Vous aurez besoin qu'on vous défende au tribunal, répliqua Beth en songeant que cette femme devait être stupide. Vous avez tué deux personnes. Vous risquez de passer le reste de votre vie en prison.

Une brève lueur traversa les yeux de la prisonnière.

— Cela en valait la peine, lâcha-t-elle.

Beth tressaillit : cette voix aussi lui semblait familière. Cependant elle ne parvint à l'associer à aucune des femmes qu'elle avait interrogées ou croisées au bureau.

— D'accord. Vous vous moquez d'être condamnée à perpétuité, mais cela ne vous empêche pas de me dire qui vous êtes, d'où vous venez ni pourquoi vous avez tué ces deux innocents, remarqua-t-elle avec aigreur.

— Ils n'étaient pas innocents. Ils méritaient de mourir.

— Pourquoi ? Qu'est-ce qu'ils vous ont fait ?

— Allez-vous-en, lança la femme en tournant la tête vers le mur. Je n'ai rien d'autre à déclarer. Ils savent pourquoi, c'est le plus important.

Beth garda le silence en se demandant quelle attitude adopter. Elle avait défendu toutes sortes de criminels. En général, ils clamaient leur innocence, même quand leur culpabilité sautait aux yeux. Elle avait appris à en aimer certains malgré l'horreur de leur crime, d'autres étaient si désagréables qu'elle se réjouissait presque de perdre leur procès. Elle pensait avoir une solide connaissance des criminels et du système judiciaire. Elle avait déjà été confrontée à une personne qui avouait sans manifester de remords, mais c'était la première fois qu'un client ne désirait pas s'expliquer ou n'essayait pas de la convaincre qu'il avait eu raison d'agir comme il l'avait fait.

Un policier avait soutenu que la femme était une ivrogne. Son visage rougeaud semblait le confirmer ; mais on ne l'avait jamais arrêtée pour trouble à l'ordre public. Ses ongles étaient rongés jusqu'au sang, et ses cheveux n'avaient pas vu un peigne depuis des lustres ; en revanche, elle ne sentait pas mauvais et n'avait pas l'air d'une SDF...

Il y avait aussi le problème du revolver. Comment s'était-elle procuré une arme datant de la dernière guerre ?

Par ailleurs, Beth savait que si une femme était capable de tirer pour protéger un être aimé, il était très rare qu'elle le fasse de sang-froid.

Repensant à la voix de l'inculpée, Beth se dit que si elle lui avait paru familière c'était parce qu'elle était semblable à la sienne : modulée et sans trace d'accent régional. Cette femme s'exprimait bien et venait probablement de la classe moyenne.

Beth n'était pas du genre à implorer. Pour un autre délit, elle se serait levée et serait partie en déclarant qu'elle verrait son client lors de sa comparution au tribunal. Mais, poussée par la curiosité, elle était prête à lâcher du lest.

— Je vous en prie, donnez-moi au moins votre nom. La police ne tardera pas à le trouver, de toute façon, mais je veux le connaître afin de m'adresser à vous en tant que personne. S'il vous plaît !

La femme garda la tête baissée, et un long moment s'écoula avant qu'elle ne prenne la parole.

— D'accord. Je m'appelle Fellows, Susan Fellows. Je ne vous en dirai pas plus. Je sais que vous êtes pleine de bonnes intentions, mais il est normal que je sois condamnée. Je suis coupable, ils me puniront. Il n'y a rien d'autre à ajouter.

Sa droiture toucha Beth de façon inattendue. Depuis son arrivée à Bristol, elle avait défendu des voleuses, des prostituées et des droguées. Elle n'avait jamais tenté de s'identifier à ses clientes et avait rarement sympathisé avec elles, même si la vie les avait traitées durement. C'était la raison pour laquelle elle pensait être une excellente avocate à la défense : elle était capable de considérer les affaires de façon impartiale et de planifier sa stratégie afin de gagner leur procès. Mais, pour la première fois, elle ne savait comment s'y prendre.

Sur le point de quitter la pièce, Beth posa sa main sur l'épaule de la femme.

— Demain, vous comparaîtrez au tribunal, Susan. Après, la police mènera une enquête à votre sujet. Vous retournerez au tribunal. Ensuite, vous irez en prison. Vous y passerez beaucoup de temps avant d'être jugée. Le docteur que vous avez tué a laissé une femme et quatre enfants ; la réceptionniste, un mari et deux enfants. Ces personnes ont le droit de savoir pourquoi vous avez supprimé leur conjoint. Et puis, il y a moi : vous me devez aussi des explications afin de bénéficier d'un procès équitable. Je veux que vous y réfléchissiez cette nuit. Je reviendrai vous voir demain.

Si le visage de Susan resta de marbre, elle hocha la tête – mais sans que Beth sache si c'était pour marquer son accord ou simplement pour montrer qu'elle avait entendu sa requête.

Beth quitta la salle d'interrogatoire, très abattue. Les médias allaient exiger des informations sur les meurtres qui défrayaient déjà la chronique, et elle se trouverait bientôt sous les feux des projecteurs. Elle devait en savoir plus sur cette femme pour ne pas mettre sa carrière en danger.

C'est alors qu'elle pensa à l'inspecteur principal Roy Longhurst. C'était lui qui avait arrêté sa cliente, et elle l'avait rencontré brièvement à deux reprises. Peut-être lui communiquerait-il des éléments qu'elle pourrait utiliser pour persuader Susan Fellows de se confier.

À l'accueil du commissariat, elle demanda si l'inspecteur était encore de service, et la jeune policière offrit d'appeler son bureau pour le vérifier.

Quand, l'ayant trouvé, elle tendit le combiné à Beth, cette dernière réfléchit à toute vitesse.

— Beth Powell à l'appareil, déclara-t-elle en espérant qu'il ne l'avait pas oubliée. Je suis l'avocate commise d'office pour la femme inculpée de meurtres.

— J'espère qu'elle a été plus bavarde avec vous qu'avec moi, répondit-il d'une voix lasse.

— Malheureusement non. Elle m'a juste dit son nom : Susan Fellows.

— C'est un début.

— Accepteriez-vous de prendre un verre avec moi ?

— Voilà la meilleure proposition qu'on m'ait faite aujourd'hui, lança-t-il d'un ton plus enjoué. Je descends.

Il arriva en souriant.

— Ce n'est pas seulement mon charme ? s'enquit-il, les yeux pétillants. Vous voulez me soutirer des informations sur les meurtres, c'est ça ?

— Je ne peux pas vous mentir, admit-elle avec un large

sourire. Mais c'est votre charme qui m'a poussée à oser vous le demander.

— J'en suis ravi. Après la journée que je viens de passer, je vendrais mon âme pour une bière.

Ils marchèrent jusqu'aux Assises, un pub fréquenté par les avocats à l'heure du déjeuner. En soirée, l'atmosphère était beaucoup plus calme.

Beth avait fait la connaissance de Longhurst à la cour d'assises de Bristol. Ils avaient eu une brève conversation sur les criminels en général, et elle avait été frappée qu'il soit du genre « pendez-les haut et court ». Il lui avait raconté l'histoire de deux jeunes gens tués dans un accident de voiture alors qu'ils rentraient chez eux après avoir cambriolé la maison d'un retraité. Longhurst s'était réjoui qu'ils ne soient plus de ce monde pour terroriser d'autres victimes.

Aucune personne sensée n'aurait déploré la perte de ces deux brutes, mais Beth n'avait pas rencontré beaucoup de gens prêts à l'admettre ouvertement. Longhurst lui avait rapporté cette affaire de façon très humoristique et elle avait beaucoup apprécié son côté politiquement incorrect.

Ces derniers mois, des clients lui avaient parlé de l'inspecteur principal. Il était intéressant de constater que, malgré la peur qu'il leur inspirait, ils l'admiraient pour son honnêteté. Un récidiviste avait même confié à Beth qu'il préférait être appréhendé par Longhurst parce que ce dernier ne fabriquait pas de preuves.

Devant une bière, Roy Longhurst donna son point de vue sur les événements de la matinée.

— Je ne suis pas facilement choqué, dit-il en fronçant les sourcils. Mais une ivrogne qui abat deux personnes en laissant six orphelins, ça me met en rogne. J'aurais bien aimé que la brigade d'intervention la descende. Maintenant, il va falloir la juger et elle restera en prison aux frais du contribuable. Je vous demande bien pourquoi : elle ne vaut rien.

— Je ne pense pas que ce soit une ivrogne, intervint Beth avec vivacité. Elle a sans doute des griefs valables pour en être arrivée là.

— Épargnez-moi le côté âme sensible ! s'exclama-t-il sur un ton cinglant. Elle est folle et sort probablement d'un hôpital psychiatrique. Quand on a un différend avec un cabinet de médecins, on porte plainte en passant par la filière officielle.

En se rendant au commissariat, les pensées de Beth avaient suivi la même direction. Mais malgré le mutisme de Susan, elle devait assurer sa défense ; aussi lui cherchait-elle automatiquement des circonstances atténuantes.

— Peut-être a-t-elle porté plainte sans obtenir de résultat, rétorqua-t-elle. Vous ne la jugez que sur son apparence. Je suis convaincue que nous découvrirons un mobile à ces meurtres.

Il se contenta de rire. Beth poursuivit :

— Je n'ai jamais rencontré un criminel qui n'exprime pas sa rancœur lors de son arrestation. En général, ils vous en parlent en long, en large et en travers. Susan Fellows n'a pas desserré les dents, et elle n'a même pas pleuré.

Ils discutèrent à bâtons rompus et au grand étonnement de Beth, elle trouva l'inspecteur aussi drôle que sectaire. Selon lui, il fallait couper les mains des voleurs, castrer les pédophiles et fouetter les jeunes délinquants. Face à certains clients, Beth avait pensé la même chose. Comme Roy émettait de tels jugements avec beaucoup d'humour, elle cessa d'argumenter et prit le parti d'en rire avec lui.

— Concernant Susan Fellows, déclara-t-elle cependant, permettez-moi d'insister. À mon avis, elle n'est pas cinglée. Elle me paraît un peu stupide mais en dépit de son apparence négligée, elle est bien élevée... C'est étrange, j'ai l'impression de l'avoir déjà rencontrée.

— Vraiment ? s'écria Longhurst, surpris. Où ça ?

— Je n'en ai pas la moindre idée, avoua-t-elle. Mais c'est sans doute à cause de sa manière de parler. Je suis entourée de personnes à l'accent du Sud-Ouest ; comme elle ne l'a pas, ça a dû me frapper.

— Pour ce qui est du revolver, je pense qu'il lui appartient. Elle l'a hérité de son père ou une histoire de ce genre... De plus, elle a tiré à bout portant et ne risquait donc pas de les rater, mais j'ai le sentiment qu'elle sait se servir d'une arme.

— Et les victimes ? demanda Beth. Que savez-vous d'elles ? Ou dois-je attendre demain pour l'apprendre par les journaux ?

— On ne peut pas trouver plus réglo et ils font partie du dessus du panier. Le Dr Wetherall avait cinquante-six ans ; il vivait à Long Ashton, jouait au golf ; bon père de famille et bon mari. La réceptionniste avait le même profil : une maison agréable, deux enfants à l'université. Seul point négatif recueilli à son sujet, c'était un dragon – sèche avec les patients et autoritaire avec le personnel. Je ne crois pas qu'on l'appréciait beaucoup au travail. Mais ce n'est pas une raison pour la tuer, il y a souvent un dragon dans un centre médical.

Longhurst n'avait pas grand-chose de plus à lui révéler. Il offrit à Beth un second verre et lui demanda comment elle se sentait à Bristol – lors de leur première rencontre, elle venait à peine d'emménager.

— Plutôt bien. La ville est calme, les paysages superbes et c'est génial de ne plus avoir à prendre le métro. Si je pouvais trouver une personne de confiance pour effectuer des travaux dans mon appartement, ce serait parfait.

— Vous n'avez pas d'homme, alors ?

Beth se hérissa. Cette question l'exaspérait toujours.

— Vous pensez qu'une femme a besoin d'un homme pour ça ? rétorqua-t-elle. Juste pour monter des étagères et faire des placards ? C'est la raison pour laquelle votre femme vous apprécie ?

— Je n'ai pas de femme, répondit-il en haussant les épaules. Du moins, je n'en ai plus. Et je ne suis pas bricoleur.

— Excusez-moi. Comme je suis célibataire, j'ai souvent droit à ce genre de réflexions et ça m'agace. Je croyais aussi que vous étiez marié.

— Je ne voulais pas paraître condescendant, affirma-t-il, l'air penaud. J'étais persuadé qu'intelligente et séduisante comme vous l'êtes, vous aviez un compagnon. Je me suis trompé. Mais, au risque de me faire tuer, puis-je vous demander si vous êtes seule par choix ou pour une simple raison de circonstances ?

Il s'aventurait sur un terrain glissant mais Beth, qui s'était détendue, ne prit pas la mouche.

— Un peu des deux, je suppose. Les hommes estiment que je m'implique trop dans mon travail.

— C'est le prétexte dont s'est servie ma femme pour me quitter, constata-t-il en lui souriant.

Et elle lui sourit en retour.

Deux heures plus tard, Beth rentra à son domicile. Roy – il avait insisté pour qu'elle l'appelle ainsi – lui avait proposé de la raccompagner, mais elle avait prétexté qu'elle irait plus vite à pied. Ce n'était pas vraiment le cas, et marcher de nuit sous la pluie n'avait rien d'agréable ; toutefois, elle acceptait rarement qu'un homme lui rende service. Elle avait appris à ses dépens que se faire raccompagner ou offrir un café conduisait souvent les hommes à penser qu'elle leur était redevable.

Mais peut-être avait-elle été stupide d'éconduire Roy. Après tout, elle avait beaucoup apprécié de boire un verre et discuter avec lui. C'était le premier homme qui l'intriguait depuis longtemps. Il était le stéréotype du policier macho, aux opinions très arrêtées – plus à l'aise avec les hommes qu'avec les femmes – toutefois, à certains moments, il avait laissé transparaître un côté plus doux et prévenant. Elle aimait aussi son sens de l'humour.

Mais à quoi bon ! songea-t-elle. Les hommes lui avaient toujours créé des problèmes. Si elle espérait encore qu'il en existait un aussi indépendant, affectueux et sensible qu'elle, intelligent et ne traînant pas un lourd passé, elle était trop lasse pour y croire vraiment. De plus, elle ne souffrait pas de la solitude et appréciait sa liberté.

En pénétrant chez elle, elle retrouva avec plaisir la vue spectaculaire, les lumières de la ville. L'appartement en lui-même, de forme cubique, était plutôt quelconque, mais cette vue panoramique l'avait complètement emballée.

Elle avait transformé les lieux en un petit nid douillet. Les tons crème qui dominaient dans toutes les pièces agrandissaient l'espace. Les seules notes de couleur vive provenaient de sa collection de tableaux d'artistes contemporains peu connus, achetés dans des galeries ou à des expositions-ventes d'artisanat un peu partout en Angleterre. Son préféré représentait une part de tarte aux cerises nappée de crème anglaise. Cela l'amusait d'imaginer ce que son père en penserait : ce snob était attaché aux croûtes héritées de son grand-père parce qu'il était convaincu que leur ancienneté leur conférait une grande valeur. Il ne comprendrait jamais qu'on puisse aimer un tableau sans se soucier de son prix.

Après avoir enlevé ses chaussures et pendu son manteau trempé à la porte d'entrée pour le faire sécher, Beth s'effondra sur le canapé et repensa à Susan Fellows. Avait-elle déjà passé une nuit dans une cellule ? Lui parlerait-elle, le lendemain ?

Il était frustrant de tout ignorer à son sujet mais l'idée qu'elle la connaissait continuait de lui trotter dans la tête. Qu'était-il arrivé à Susan pour qu'elle vienne s'asseoir devant ce centre médical par tous les temps ? Et comment s'était-elle transformée en assassin ?

Beth se rappela une femme qu'elle avait défendue deux ans auparavant à Londres. Pendant des années, elle avait eu une liaison avec un homme marié qui l'avait bercée de fausses espérances en lui promettant de quitter son épouse. Une nuit, elle l'avait poignardé dans le dos au moment où il sortait d'un pub. Lors de son arrestation, elle avait déclaré qu'elle l'avait vu dans la journée acheter des rideaux avec sa femme.

Cette explication avait semblé idiote et complètement irrationnelle, mais après un entretien avec sa cliente, Beth en avait compris le sens. Les rideaux, avait souligné la meurtrière, étaient un article qu'une femme achetait habituellement seule. Le fait que son mari l'accompagne, et s'absorbe dans le choix du tissu, prouvait qu'ils formaient un couple et partageaient tout. Elle en avait déduit que l'amant n'avait nullement l'intention de plaquer son épouse.

Beth doutait que Susan ait été la maîtresse du médecin ou l'amante de la réceptionniste. Alors, de quoi s'agissait-il ?

Peut-être avait-on refusé de la soigner ? À moins que le Dr Wetherall ne l'ait fait interner contre son gré ?

Mais Roy lui avait dit que Susan n'était pas une patiente du centre. Et s'ils avaient commis une erreur médicale concernant un proche ?

Est-ce que les deux victimes avaient une liaison et que l'un des conjoints était un ami ou un parent de Susan ? C'était une possibilité : ils étaient tous les deux séduisants, élégants, et ils se voyaient tous les jours.

Beth alluma le téléviseur pour regarder les nouvelles. Ils parleraient sans doute des crimes, et un journaliste pouvait fort bien avoir découvert des éléments que la police et elle-même ignoraient.

3

Pendant que Beth essayait de comprendre pourquoi une femme avait tué deux personnes de sang-froid, Susan Fellows, étendue sur la couchette de sa cellule, tentait de faire le vide dans son esprit. C'était sa façon à elle de traverser les périodes difficiles de sa vie, et l'austérité du lieu était susceptible de l'y aider. La cellule impersonnelle ne comportait qu'une cuvette de W-C et un petit lavabo. Curieusement, les murs d'un vert brillant n'étaient pas couverts de graffitis.

Mais cette couleur lui rappelait les yeux de Beth Powell.

Elle aurait aimé se convaincre que l'avocate portait le même nom que son amie d'enfance par pure coïncidence. Après tout, elle ne l'avait pas reconnue. Le destin ne pouvait pas lui jouer un tour aussi cruel !

Pourtant, à dix ans déjà, Beth était très grande, et ses yeux verts, ses cheveux noirs et son teint pâle la rendaient très remarquable. Si Susan avait osé enlever la barrette de l'avocate, elle aurait vu ces boucles si souvent enviées cascader sur ses épaules, elle le savait. Il s'agissait bien de sa Beth. Mais pourquoi celle-ci ne l'avait-elle pas reconnue ? Et que faisait-elle à Bristol ?

Encore tremblante du choc provoqué par cette rencontre, Susan revint trente-quatre ans en arrière, le jour où elle avait fait la connaissance de Beth. C'était par un après-midi torride d'août 1961, elle avait dix ans. Son père était rentré déjeuner à la maison et lui avait proposé de la déposer à Stratford-upon-Avon afin qu'elle aille à la bibliothèque et regarde les magasins.

Accablée par la chaleur étouffante, Susan se lassa vite de faire les boutiques. Elle préféra se rendre à la rivière et s'assit sur l'herbe pour observer les vacanciers qui se promenaient en bateau. Autour d'elle, des familles et des personnes âgées ainsi que de nombreux touristes pique-niquaient ou somnolaient au soleil. À cette époque, elle ne savait pas grand-chose de William Shakespeare et elle était étonnée que des gens viennent du monde entier visiter son lieu de naissance. Un jour, elle avait demandé à son père s'il était comme Jésus et il avait hurlé de rire.

Susan était assise depuis un bon moment quand elle remarqua une autre fille, debout sous un arbre, qui la regardait. D'une timidité maladive, elle pensa que, pour qu'on la dévisage ainsi, quelque chose clochait en elle. Elle crut aussi que cette fille était beaucoup plus âgée parce qu'elle était grande et lui envia ses cheveux noirs bouclés, son short blanc et son chemisier rose. Susan portait toujours des tenues confectionnées par sa mère, et certaines de ses camarades d'école se moquaient de ses robes enfantines à smocks avec des manches bouffantes.

— Tu sais où vont ces bateaux ? demanda soudain la fille.

— Nulle part, ils montent et descendent la rivière, répondit Susan.

— Tu en as déjà pris un ?

— Ils sont juste pour les vacanciers et les touristes.

— Je suis ici en vacances mais je n'en ai jamais pris, déclara la fille avec une pointe d'indignation dans la voix. Je peux m'asseoir à côté de toi ? J'en ai marre d'être toute seule.

Susan connaissait bien la solitude. Elle n'avait pas d'amie parce qu'elle ne pouvait inviter personne chez elle du fait que sa grand-mère était malade. Elle fut enchantée que cette fille désire se lier avec elle.

— Je m'appelle Beth Powell. J'ai dix ans et je suis venue du Sussex avec ma mère pour rendre visite à ma tante Rose. Nous sommes arrivées samedi après-midi.

— Suzie Wright, se présenta Susan, car à cette époque tout le monde l'appelait ainsi, même à l'école. J'ai dix ans aussi et nous habitons Luddington, un village un peu plus haut sur la rivière. J'attends mon père, il viendra me chercher quand il sortira du bureau.

Susan ne se souvenait pas vraiment de leur conversation, mais le temps était passé à toute vitesse. Elle avait dû raconter que son père dirigeait une compagnie d'assurances, que sa grand-mère vivait avec eux et que son frère Martin était parti à l'université. En revanche, elle se revoyait enlever ses chaussettes et ses sandales comme Beth pour tremper ses pieds dans l'eau froide et verte, et pouffer de rire à propos de tout et de rien.

Elle avait dit que Beth ressemblait à Blanche-Neige, avec ses cheveux noirs et sa peau blanche, et Beth avait semblé ravie. D'habitude, lui avait-elle confié, on la trouvait trop grande et maigre. Elle aurait aimé être petite comme Suzie et avoir ses belles joues roses.

Susan ignorait alors que Beth allait illuminer son adolescence et que cette amitié deviendrait très importante pour elle. Ce jour-là, elles avaient découvert leur goût commun pour la bicyclette, leur passion pour les livres d'Enid Blyton, et Beth avait paru beaucoup apprécier la compagnie de Suzie.

Elle passa cinq étés avec Beth. De longues journées ensoleillés à explorer la campagne à bicyclette, à construire des barrages sur des ruisseaux dans les bois, à aller au cinéma les jours de pluie et à écouter les dix premiers tubes du hit-parade chez Woolworth. Susan chérissait chaque souvenir comme un trésor. C'était horrible quand le mois d'août s'achevait et que Beth retournait dans le Sussex. Elles pleuraient et s'étreignaient en jurant de s'écrire et d'être amies pour toujours.

Elles avaient échangé des centaines de lettres, partagé tant d'espoirs et de rêves ! Elles croyaient tout savoir l'une de l'autre. À présent, Susan réalisait que c'était une illusion : elle avait caché beaucoup de choses à son amie, et Beth avait certainement agi de même.

En 1966, à quinze ans, elles vécurent leurs dernières vacances ensemble, peut-être les plus mémorables, car elles s'intéressaient au maquillage, aux garçons et aux sorties.

« Faire tapisserie », murmura Susan en se rappelant leur première soirée à Stratford, avec tous les ballons suspendus au plafond dans un filet. Elle avait acheté une robe rouge qui déplaisait à sa mère et elle l'avait mise chez Rose, la tante de Beth. Dans le magasin, cette robe avait semblé parfaite, raffinée, moulante et osée. Mais lorsqu'elles arrivèrent à la soirée et qu'elle vit les autres filles habillées à la mode avec de longues jupes droites, des chemisiers à col montant et des bottines, Susan avait trouvé sa robe trop suggestive et s'était sentie très mal à l'aise.

Tante Rose leur avait expliqué que le meilleur moyen d'éviter de faire tapisserie était de regarder les garçons dans les yeux et de sourire. Par ailleurs, elles ne devaient pas s'asseoir mais danser ensemble si personne ne les invitait. De cette façon, elles auraient l'air de se ficher des garçons et de n'être venues que pour s'amuser.

Elles suivirent ses conseils et furent stupéfaites d'avoir autant de cavaliers. Susan se demanda si Beth se souvenait des deux frères qui les avaient raccompagnées à la maison. Ils étaient maigres et boutonneux mais comme l'avait dit Beth, ils feraient l'affaire pour un premier flirt.

« Avec un peu de chance, elle t'a oubliée, marmonna Susan entre ses dents. Elle a toujours été plus jolie, plus intelligente et plus extravertie que toi. Sa vie est sans doute trop remplie pour qu'elle s'attarde sur le passé. »

Susan ne désirait pas non plus s'y attarder. Bien des années auparavant, elle avait appris qu'il était préférable de vivre dans le présent, car ressasser les problèmes n'apportait que de la souffrance. Sa situation actuelle était désastreuse. Beth risquait de la reconnaître, et Susan serait alors obligée d'expliquer comment elle en était arrivée là. Elle devait absolument faire le vide dans son esprit.

Penser à la mer était d'ordinaire sa meilleure façon de tout oublier. Une plage de galets déserte, avec d'énormes rouleaux gris-vert qui venaient se fracasser sur le rivage... Elle s'imaginait pieds nus, reculant très vite chaque fois qu'une vague allait se briser. Parfois, la vague lui léchait les chevilles, et elle avait la sensation d'être aspirée par la mer avec le reflux.

Pourtant, au lieu de voir la crête d'écume qui couronnait les rouleaux et d'entendre le roulement des galets, elle se revit au début de l'été 1967. Elle allait avoir seize ans, elle était déjà ronde mais ses cheveux brillaient, ses yeux pétillaient et elle avait un teint éclatant.

Elle passait les vacances avec ses parents à Lyme Regis, dans le Dorset. C'était leurs premières vraies vacances depuis des années et, même si personne ne le reconnaissait ouvertement, ils fêtaient la mort de sa grand-mère.

Pour Susan, la vie de famille avait toujours été dominée par la vieille femme, car celle-ci s'était installée chez eux quand elle était bébé. Elle la revoyait assise dans la cuisine sur une chaise à haut dossier, un châle sur les épaules, occupée à se plaindre. Le froid, la chaleur, la nourriture, ses médicaments, ses jambes, ses problèmes d'estomac, tout était prétexte à ronchonner. Susan ne l'avait jamais entendue rire.

Son frère Martin soutenait qu'elle était un démon envoyé sur terre pour gâcher la vie des autres. Il se plaçait derrière sa chaise, et imitait ses lèvres pincées et le doigt qu'elle agitait d'un air désapprobateur. Mais Martin avait eu la chance de partir à l'université de Nottingham quand leur grand-mère était devenue gâteuse.

Susan avait neuf ans lorsque son état s'aggrava. Elle devait relayer ses parents pour la surveiller : elle risquait à tout moment de se brûler à la cuisinière, de faire déborder la baignoire ou de tomber dans la rivière au bout du jardin.

C'était comme si une chape de plomb était tombée sur leur maison. Les sorties en famille avaient cessé et sa mère, surmenée, vivait sur les nerfs. Son père prit l'habitude de se replier dans son bureau ou son atelier, et Susan se sentait souvent très seule. Inviter des camarades était maintenant totalement hors de question, car ses parents tenaient à cacher la sénilité de l'aïeule.

Sans son père qui l'emmenait chasser le week-end, Susan n'aurait eu aucune distraction. Elle n'avait pas une passion pour la chasse, qu'elle trouvait cruelle, mais elle était une excellente tireuse et elle aimait entendre son père vanter cette qualité auprès de ses amis.

Voilà pourquoi Beth avait pris autant d'importance. Lui écrire et penser à elle remplissait le vide laissé par sa mère, qui n'avait plus le temps de s'occuper d'elle ou de lui apprendre à coudre et à cuisiner. Quant aux filles de l'école, elles l'excluaient de leurs jeux sous prétexte qu'elle ne les invitait jamais chez elle. Susan se disait qu'elles seraient vertes de jalousie si elles apprenaient l'existence de Beth.

La démence de sa grand-mère s'accéléra rapidement et elle perdit la mémoire. Elle se mit à errer la nuit en hurlant ; elle jetait la nourriture par terre et parlait un charabia incompréhensible. Puis elle devint incontinente. La semaine, le père de Susan restait de plus en plus tard à son bureau ; le week-end, il ne l'emmenait plus à la chasse pour qu'elle reste à aider sa mère. À treize ans, Susan faisait les courses, le ménage et le repassage. Elle détestait cette grand-mère qui empoisonnait leur vie.

À présent, Susan savait que la vieille dame avait souffert d'un Alzheimer. Mais, dans les années 60, on ignorait qu'il s'agissait d'une maladie et on n'en connaissait pas l'évolution. On enfermait dans un asile les personnes qui en étaient atteintes ou on les cachait chez soi.

Dépourvue de toute explication, Susan ressentait du dégoût et de la colère envers cette vieille femme qui créait autant de ravages. En rentrant de l'école, les mauvaises odeurs qui imprégnaient la maison lui soulevaient le cœur. Elle était révoltée de voir sa grand-mère recracher la nourriture donnée patiemment par sa mère à la cuillère. Pourquoi n'acceptait-elle pas de la mettre dans une maison de santé, comme son père l'en suppliait souvent ?

Martin, quant à lui, déclarait avoir mieux à faire que de passer les week-ends dans un asile d'aliénés. Venant de lui, ce n'était pas étonnant : il faisait preuve d'une grande méchanceté à l'égard de sa sœur depuis l'enfance ; mais Susan avait été choquée qu'il dise une chose aussi cruelle à leur mère. Après tout, celle-ci n'y était pour rien. Toutefois, Susan comprenait son frère : elle aurait elle-même donné n'importe quoi pour être expédiée en pension afin d'échapper à cette atmosphère.

À partir de quatorze ans, Susan n'eut plus la possibilité de fréquenter la bibliothèque ou de se promener : sitôt rentrée de l'école, elle n'avait plus une minute à elle. Le week-end, c'était pire. Parfois, quand sa mère ne supportait pas l'idée d'affronter une nouvelle journée seule avec sa grand-mère, Susan n'allait pas en classe.

Elle se souvenait d'un après-midi où elle était assise auprès de la vieille dame tandis que sa mère prenait rapidement un bain. Sa grand-mère se balançait d'avant en arrière sur sa chaise, en produisant des bruits terrifiants, et Susan se demandait comment elle arriverait à voir Beth pendant l'été. Elle aurait aimé la mettre au courant, mais ses parents demeuraient inflexibles : ça ne devait pas sortir de la famille.

Cependant, sa mère avait compris l'importance de l'amitié qui liait les deux jeunes filles, et elle parvint à persuader son père de prendre une infirmière quelques heures par jour de façon à libérer Susan. C'était un exploit car son père était très avare ; mais, pour une fois, sa mère lui tint tête. Elle insista sur le fait que Susan devait se détendre afin d'aborder la rentrée scolaire en pleine forme.

Quand, en février 1967, sa grand-mère mourut subitement, la tristesse, l'anxiété et les mauvaises odeurs se volatilisèrent. Susan aida son père à porter dans le jardin deux fauteuils et un matelas souillés pour les brûler. Ils restèrent à plaisanter autour du feu malgré la journée venteuse et froide, pendant que la mère de Susan jetait des tas de vêtements dans les flammes.

— Nous ne devrions pas être aussi gais, lança-t-elle d'un air penaud. Ma mère n'y pouvait rien.

Susan se remémorait cette journée comme si c'était la veille. Petite et grassouillette, les cheveux gris, sa mère, Margaret, portait un pantalon bleu marine et un pull tricoté à la main, avec un foulard à pois bleus et blancs noué autour du cou. Le matin même, Susan lui avait dit combien elle la trouvait jolie, sans le tablier qu'elle ne quittait auparavant jamais. Margaret avait éclaté de rire en déclarant que plus personne ne lui en ferait porter, et elle avait ajouté qu'elle profiterait de son temps libre pour aller chez le coiffeur.

Charles, le père de Susan, était très distingué avec son mètre quatre-vingts, ses yeux noirs perçants et ses sourcils broussailleux. Il avait la ligne, et ses cheveux épais restaient bruns malgré ses cinquante-huit ans. Occupé à tisonner le feu avec enthousiasme, il faisait très jeune à cet instant.

On disait souvent dans la famille de Susan qu'elle était la copie conforme de sa mère au même âge, et elle en avait confirmation quand elle regardait la photo de mariage sur le buffet : Margaret y avait de longs cheveux bruns, des fossettes de gamine et des lèvres pulpeuses. Mais comme, à sa naissance, elle avait quarante ans et était déjà ronde et grisonnante, Susan avait du mal à faire le lien entre la jolie fille de la photo et sa mère.

Ses parents s'étaient mariés au début de la guerre, en 1939, et Charles avait fière allure dans son uniforme de capitaine. Martin était né en 1941. Susan s'était souvent interrogée sur l'intervalle de dix ans entre sa naissance et celle de son frère. Mais elle n'avait jamais posé de questions à ce sujet.

Jusqu'à l'été 1967, la vie fut merveilleuse. C'était génial de pouvoir aller au cinéma, se promener en famille, et ne plus avoir à marcher à pas de loup dans la maison de peur de réveiller la grand-mère. Susan avait écrit à Beth pour lui proposer d'habiter chez elle pendant les vacances au lieu de rester chez sa tante.

Elle ne parla jamais à son amie de leur nouvelle joie de vivre : sa mère poussait le volume de la radio au maximum pour écouter son émission favorite du dimanche matin ; la maison résonnait du rire de son père ; et quand Margaret la chatouillait, elles se poursuivaient dans le jardin comme des enfants... Beth ne comprendrait pas puisqu'elle ignorait à quel point l'atmosphère avait été sinistre avant.

Pendant quelques mois, tout fut sans dessus dessous : comme Margaret voulait faire un grand ménage de printemps et changer la décoration, ils entassèrent les meubles sur le palier du premier étage et des odeurs d'encaustique et de peinture envahirent la maison. Charles apportait du poisson et des frites pour le dîner et ils mangeaient devant la télévision, une grande nouveauté pour la famille.

C'est à cette époque que Susan remarqua à quel point leur maison était belle. Très ancienne, elle avait dû être construite pour une personne éminente, au vu de l'escalier sculpté en chêne et des boiseries de l'entrée. Margaret déclarait souvent en plaisantant qu'elle allait lui faire retrouver « sa splendeur passée ». Jusque-là, Susan avait toujours souhaité vivre dans un ravissant cottage au toit de chaume, style Tudor, du village, ou même dans une villa moderne sur la route de Luddington, car les gens disaient que leur propriété, « Les Corbeaux », donnait la chair de poule avec le rideau d'arbres qui la dissimulait. Elle se surprit pourtant à la regarder d'un œil neuf, et à admirer les briques rouges patinées, les fenêtres à treillis et les hautes cheminées. Quel plaisir c'était, en plus, de courir au bout du jardin pour observer les bateaux sortant de l'écluse et voir la brume matinale s'élever au-dessus du barrage ! Elle attendait avec impatience l'arrivée de Beth, convaincue que son amie trouverait l'endroit magique.

La maison n'avait jamais paru aussi vaste du vivant de sa grand-mère ; les quatre chambres étaient alors occupées, et les deux pièces mansardées remplies de vieilleries. À présent qu'ils s'étaient débarrassés du fauteuil roulant, des malles et des meubles apportés par la vieille dame, il y avait soudain beaucoup d'espace.

« Je n'ai jamais voulu de tout ce bazar, avait expliqué sa mère un jour qu'elle ajoutait deux chaises affreuses à une pile de meubles pour une vente de charité. Mais elle a insisté, même s'ils n'avaient aucune valeur. C'est agréable de les voir partir. »

En plus de la cuisine, le rez-de-chaussée comportait trois grandes pièces. Il y avait d'abord le salon, où trois portes-fenêtres donnaient sur le jardin qui descendait vers la rivière Avon et l'écluse. Susan adorait ce jardin, avec ses nombreux arbres fruitiers, ses bosquets de fleurs, ses sentiers sinueux où elle jouait à la marelle, et la petite mare toujours pleine de grenouilles. Elle revoyait le salon, les après-midi ensoleillés : les fauteuils et les canapés recouverts de chintz à fleurs, le tapis à motifs roses et verts et à la frange crème qui devait être brossé bien droit. La collection de figurines en porcelaine de Worcester de sa mère était présentée dans une vitrine, et un paravent brodé cachait la cheminée pendant l'été.

Dans la salle à manger, qu'ils utilisaient rarement, les meubles anciens provenaient de sa famille paternelle. Susan aimait effleurer du bout des doigts la belle table en bois de rose, avec son pourtour festonné, contempler l'imposant vaisselier et les chaises élégantes. D'après son père, ils avaient beaucoup de valeur.

Enfin, la troisième pièce, tapissée de livres, avec un énorme bureau en chêne sous la fenêtre, était le domaine de Charles. Susan y avait fait ses devoirs jusqu'à ce qu'ils installent le chauffage central, en 1964. Sa mère allumait un feu dans la grande cheminée en pierre juste avant son retour de l'école car elle trouvait que ce lieu calme et agréable se prêtait à l'étude. Elle n'avait jamais su que Susan y passait la majeure partie de son temps dans le fauteuil en cuir de son père à regarder le feu, heureuse d'être au chaud et seule, loin de sa grand-mère.

Susan sourit. C'était il y avait si longtemps et tant de choses s'étaient passées depuis ! Mais cela restait un bon souvenir.

Au cours des quatre mois qui avaient suivi le décès de la vieille dame, elle était sortie de sa tristesse en se rendant compte qu'elle bénéficiait de nombreux avantages : non seulement elle vivait dans une belle maison et un joli village, mais ses parents étaient gentils avec elle et ils s'entendaient très bien. Elle s'était mise à échafauder des projets. L'été précédent, avec Beth, elles avaient envisagé de partager un appartement à Londres. Maintenant, c'était possible. Elle irait dans une école de secrétariat, apprendrait à danser et se trouverait un petit ami. Elle surmonterait sa timidité et s'affirmerait !

Des mois auparavant, quand tout allait de travers à cause de sa grand-mère, Susan avait surpris une conversation à l'école entre deux professeurs, et avait compris, horrifiée, que la fille quelconque, empotée et « ennuyeuse comme la pluie » dont ils parlaient, c'était elle. Mais à présent, la joie et le sentiment de libération qui l'habitaient lui redonnaient espoir. Elle décida qu'on ne dirait plus jamais cela d'elle.

En juin, ils partirent donc en vacances. Susan venait de passer son bac, et ses parents l'autorisèrent à manquer la fin de l'année scolaire. Heureusement, Martin ne put venir : âgé de vingt-six ans, il travaillait à Londres. Lors de ses rares visites, il se montrait toujours aussi désagréable avec Susan ; mais, à cette époque, celle-ci pensait que tous les frères se comportaient ainsi avec leur sœur.

Susan et ses parents séjournèrent à Lyme Regis, dans un hôtel dont les chambres donnaient sur la mer. Le temps était froid, humide et un vent terrible soufflait mais cela ne gâcha pas leurs vacances car l'hôtel était chaud et confortable. Ils mirent leur imperméable et firent de longues promenades. La seule fois où sa mère se plaignit du mauvais temps, son père se moqua d'elle : « Imagine un peu si mamie était avec nous ! » s'écria-t-il en la câlinant.

Le dernier jour, le soleil apparut et ils restèrent du matin au soir sur la plage. Charles alla chercher des fossiles le long des falaises, Margaret s'endormit sur sa serviette et Susan barbota dans la mer.

Elle éprouvait encore les sensations de cette journée : ses jambes et ses bras irrités par les coups de soleil, le froid glacial de l'eau, les galets tranchants sous ses pieds nus. On aurait dit que sa famille avait été propulsée dans un nouveau royaume où il était permis de rire, s'amuser, et aller où on le souhaitait en toute liberté.

Susan s'assit brusquement sur la couchette de sa cellule. Elle ne voulait pas penser à ce qui s'était passé par la suite. C'était si cruel et injuste !

La nuit de leur retour, deux jours avant les seize ans de Susan, sa mère eut une attaque.

En entrant dans la maison, elle déclara se sentir bizarre et Susan alla à la cuisine pour lui préparer une tasse de thé. Mais quand elle revint dans le salon, sa mère était affaissée sur le canapé et son père appelait une ambulance.

Elle ne conservait que des images floues de l'hospitalisation de Margaret, qui dura des mois. Les visages très pâles de vieilles femmes alitées, les longs couloirs au sol brillant, les fleurs sur la table de chevet et les odeurs déplaisantes qui lui rappelaient sa grand-mère. Malgré sa répugnance, elle s'y rendait presque tous les après-midi en priant intérieurement pour que sa mère se rétablisse.

Elle écrivit à Beth qu'elle ne pouvait pas l'accueillir chez elle, en fait. Mais Beth répondit que de toute façon elle annulait ses vacances à Stratford : elle avait trouvé un job dans un magasin de chaussures à Hastings. Susan n'en crut pas un mot ; elle pensa que Beth avait rencontré là-bas des amies plus amusantes et que ce travail n'était qu'un prétexte pour revenir sur ses engagements.

L'état de Margaret ne s'améliora pas : elle restait allongée, le visage tordu, incapable de parler ou de bouger. Mais Charles ne cessait de répéter que sa femme voyait, entendait, et qu'elle avait toute sa tête. Il soutenait qu'elle allait récupérer et qu'il fallait être patient.

Il lui rendait visite tous les soirs en rentrant du travail et guettait le moindre signe d'amélioration. Il semblait comprendre la signification de ses grognements, et lui demandait de cligner des yeux pour répondre à ses questions. Sa confiance donnait de l'espoir à Susan.

D'après lui, c'était le relâchement soudain de la tension, après le décès de sa mère, qui avait provoqué l'attaque parce que toutes ces années passées à s'inquiéter et s'occuper d'elle, expliqua-t-il à Susan, avaient sapé ses forces.

Sur le moment, Susan ne comprit pas. Après tout, sa grand-mère était morte depuis quatre mois, la maison était splendide, les soucis de sa mère étaient terminés. Mais à présent, elle voyait ce qu'il avait voulu dire. Elle avait tué ces deux personnes pour libérer la tension qui l'étouffait.

En repensant à cette année 1967, elle se rendait compte que sa vie aurait été bien différente si elle avait montré moins d'esprit de sacrifice. Son frère Martin, lui, s'était arrangé pour que l'attaque de sa mère ne contrecarre ni sa carrière ni ses ambitions. Quant à son père, il s'était réfugié dans le travail, continuant à pratiquer le golf et à aller à la chasse.

Si Susan avait eu deux ans de plus, elle aurait eu un emploi. Mais elle venait juste de passer son bac et l'école professionnelle de Stratford-upon-Avon ne commençait qu'en septembre. Rien ne pouvait la dispenser d'accomplir les tâches ménagères.

Cet été-là, elle fut très seule. Lorsqu'elle se rappelait les bons moments passés avec Beth les années précédentes, elle finissait par éclater en sanglots. Parfois, elle contemplait les bateaux de plaisance dans l'écluse, et les vacanciers qui s'amusaient la renvoyaient à sa solitude.

En août, elle reçut les résultats du baccalauréat. À sa grande honte, elle avait raté toutes les épreuves, sauf celles de géographie et d'arts ménagers. Elle se sentit complètement nulle. Après, la fin des vacances parut bien longue sans la perspective de rentrer dans une école. À la maison, comme seule visite, il y avait le voisin bizarre qui déposait des fruits ou des fleurs pour sa mère et si, dans le bus qui la ramenait de l'hôpital, elle croisait des filles de sa classe, elle n'avait pas le courage de leur parler ni de les inviter chez elle, bien qu'elle en mourût d'envie.

Elle occupait donc ses journées à nettoyer, laver, repasser et tondre la pelouse, en s'efforçant d'être aussi efficace que sa mère. Elle entreprit aussi de faire des conserves de prunes, de mûres et de pommes. Pendant des années, elle avait aidé Margaret à les mettre en bocaux, un rituel qu'elles aimaient d'autant plus partager que les arbres du jardin donnaient beaucoup de fruits. Cette année-là, il lui semblait encore plus impératif d'accomplir ces tâches pour montrer qu'elle était adulte.

Tôt le matin, Susan allait dans le jardin ramasser les fruits qui étaient par terre avant que les guêpes et d'autres insectes ne s'y attaquent. Elle secouait les arbres pour faire tomber les fruits mûrs et commençait les conserves dès le départ de son père. La récolte de prunes étant exceptionnelle, il fut extrêmement gratifiant d'aligner les bocaux sur les étagères du cellier.

Sa mère allait mieux. Elle pouvait bouger son bras droit, lentement, et sa main avait juste la force nécessaire pour tenir un stylo et griffonner des questions. Susan rayonnait de fierté quand elle lui annonça qu'elle venait de terminer vingt bocaux de prunes et dix autres de mûres et de pommes. « Tu es une bonne petite », écrivit sa mère un jour, et Susan revint à la maison, flottant littéralement sur un petit nuage.

Ses qualités de femme d'intérieur décidèrent de son sort. Si elle s'était brûlée ou avait fait exploser les bocaux, son père l'aurait considérée différemment.

Mais quand il ramena Margaret à la maison et demanda à Susan si elle estimait pouvoir s'en occuper, elle ne se donna pas le temps de la réflexion. À seize ans, comment aurait-elle su prévoir ou deviner qu'une fois lancée sur cette voie il n'y aurait plus d'échappatoire ? Susan aimait ses parents, elle tenait à leur faire plaisir et répugnait à ce qu'une étrangère vienne vivre chez eux. Elle n'avait qu'une ambition : se marier et avoir des enfants.

De plus, son père rendit son offre alléchante. Il lui verserait un salaire, et une infirmière passerait une heure par jour l'aider à faire la toilette de sa mère et à pratiquer des massages. Elle aurait ses dimanches libres pour sortir.

« Tu ne peux pas leur en vouloir, dit Susan à voix haute. Personne ne t'a forcée. »

Pourtant, ses parents auraient dû penser à son avenir. Ils savaient qu'elle avait accepté par peur du monde extérieur.

Deux ans plus tard, Martin déclara de façon sarcastique qu'elle l'avait bien cherché. Il ajouta que leur père avait les moyens de payer du personnel qualifié, et que leur mère n'aurait pas eu d'attaque si leur grand-mère avait été envoyée dans une maison de santé.

Martin avait raison sur les deux derniers points, Susan l'avait déjà compris et elle n'avait jamais espéré que son frère prenne sa défense car il l'avait toujours méprisée. Mais comment pouvait-elle savoir que sa mère ne se rétablirait jamais complètement ? Son père avait toujours soutenu le contraire.

4

Le lendemain soir, Beth venait juste de rentrer de son bureau quand le téléphone sonna.

Dans l'après-midi, Susan Follows avait fait un bref passage au tribunal de Bristol, et la police avait demandé que sa garde à vue soit prolongée en attendant un complément d'enquête. Beth avait espéré qu'une nuit en cellule l'inciterait à parler mais cela n'avait donné aucun résultat : Susan s'était montrée encore moins coopérative. Elle avait refusé obstinément de répondre aux questions et n'avait même pas adressé un regard à Beth.

— Allô, répondit-elle d'une voix lasse, qui s'anima un peu lorsqu'elle réalisa qu'il s'agissait de Roy.

Elle lui avait communiqué son numéro de téléphone personnel au cas où, ayant obtenu des informations sur Susan, il ne parviendrait pas à la joindre au cabinet.

— Vous semblez à plat, dit-il gentiment. Vous avez eu une mauvaise journée ?

— Elle a été très frustrante, reconnut-elle. Susan Fellows refuse toujours de me parler. Pourtant, avec tout le pays à dos, elle devrait se réjouir que quelqu'un soit prêt à défendre sa cause.

Les meurtres avaient été longuement commentés aux informations télévisées la veille au soir et ils figuraient à la une des journaux du matin. À Bristol, l'affaire était au cœur de toutes les discussions.

— Je pense que mes nouvelles vont vous remonter le moral. Elle n'a pas de casier judiciaire et nous avons découvert où elle habitait. Mes hommes étaient sur place cet après-midi.

— Super ! s'écria Beth, enthousiaste. Où est-ce ? Avez-vous découvert quelque chose d'intéressant ?

Son enthousiasme le fit rire.

— C'est juste une chambre à Clifton Wood. Pratiquement vide.

— Et puis ? Comment vivait-elle ? Est-ce une porcherie pleine de bouteilles vides ? Donnez-moi des pistes !

— La pièce est très spartiate, lança-t-il d'une voix enjouée. Je vous téléphone parce que j'ai pensé que vous aimeriez la voir.

Cette proposition déconcerta Beth. La police n'invitait jamais les avocats de la défense ou de l'accusation sur les lieux du crime ou au domicile des prévenus, à moins qu'une raison très particulière ne les y contraigne.

— Je ne demande pas mieux. Mais cela ne va pas vous causer d'ennuis ?

— Pas si vous le gardez pour vous, répliqua-t-il en gloussant. Sachez que si vous en parlez, je nierai, d'accord ?

— Bien sûr, répondit Beth, perplexe. Mais pourquoi êtes-vous prêt à faire une entorse au règlement pour moi ?

— Je crois que vous avez besoin de voir cette pièce. Vous comprendrez pourquoi quand nous y serons.

— O.K., fit-elle, très excitée.

— Je passe vous prendre dans une dizaine de minutes. Attendez-moi devant votre immeuble.

En chemin, Roy lui expliqua que « Belle Vue » était un ensemble de maisons mitoyennes de style géorgien. Des années auparavant, des promoteurs immobiliers avaient acheté des baraques délabrées qu'ils avaient converties en appartements de grand standing.

— Mais certaines sont encore en mauvais état, poursuivit Roy en se glissant dans la seule place de parking disponible de la rue. Susan Fellows habitait dans l'une d'elles.

Au-dessus du numéro 30, le lampadaire éclairait des sacs-poubelle dont le contenu se déversait sur le trottoir. Des mauvaises herbes envahissaient le devant de l'immeuble, où il régnait une odeur nauséabonde.

La porte d'entrée était ouverte. D'une fenêtre au premier étage, deux fillettes les regardèrent avec intérêt.

— Comment avez-vous trouvé son adresse ? s'enquit Beth en contournant une poussette et des bicyclettes dans le hall.

— Un homme a appelé le commissariat quand il s'est rendu compte que la meurtrière qui passait son temps sur la place Dowry était sa voisine.

Plus ils montaient, plus l'escalier était sale, et la minuterie, en ne cessant de s'arrêter, les plongeait régulièrement dans l'obscurité. La dernière volée de marches qui conduisait aux mansardes était constituée de simples planches.

L'escalier donnait un avant-goût de la pièce. Elle était froide, humide et sinistre, avec son vieux papier peint décollé des murs et ses quelques meubles bancals. Le lit à deux places affaissé, dont la police avait enlevé les couvertures lors de la perquisition, semblait une relique de la dernière guerre. Une ampoule nue, qui se balançait dans le courant d'air provenant de la fenêtre, éclairait la pièce lugubre. Beth frissonna en pensant au contraste entre cette mansarde et son appartement chaud et confortable.

— Nous n'avons encore rien emporté, sauf une boîte de munitions, expliqua Roy en tendant à Beth une paire de gants en plastique. Mettez-les et fouinez. J'aimerais avoir vos impressions.

Beth regarda autour d'elle.

— Où « fouiner » ? demanda-t-elle, atterrée par le dénuement de la pièce. Il n'y a aucun effet personnel. Pas de radio, pas de bibelots, rien.

Roy ne répondant rien, elle regarda dans un placard près de l'évier.

— On dirait que même la vaisselle était fournie par le propriétaire. En revanche tout est très propre et bien rangé, constata-t-elle, surprise.

Elle se tourna vers une commode dont elle ouvrit les tiroirs. Ils contenaient quelques vêtements miteux, bien pliés. En fait, la pièce était impeccable, si l'on faisait abstraction des encadrements de fenêtre pourris et du tapis usé jusqu'à la corde.

La penderie ne refermait qu'un vieux manteau.

— C'est étonnant, déclara Beth. Ça ne ressemble pas à la chambre d'une ivrogne au cerveau dérangé.

— On s'attendrait à un taudis, reconnut Roy. Mais il n'y a aucune bouteille vide, pas de désordre. Elle a même descendu la poubelle.

— Elle savait qu'elle ne reviendrait pas... Intéressant ! Elle a prémédité ses meurtres mais, par fierté, elle a tout rangé avant de s'en aller – à moins qu'elle ne se soit débarrassée de ce qui pouvait l'incriminer.

— Je penche pour la première hypothèse, sinon elle n'aurait pas laissé les munitions. À présent, jetez un coup d'œil à ça !

Roy se pencha et prit sous le lit une petite valise marron cabossée. Beth se baissa et souleva le couvercle : une trousse de toilette, des pantoufles, une chemise de nuit, des sous-vêtements et trois livres.

— Elle avait peut-être l'intention de tuer ses victimes, de

revenir prendre cette valise et de s'enfuir, déclara Beth en fronçant les sourcils.

— C'est peu probable. Si elle avait concocté un tel plan, elle l'aurait laissée près du centre médical. Je pense plutôt qu'elle l'a préparée pour la prison. Fouillez au fond.

Beth retira avec soin les affaires du dessus et découvrit un grand album de photos à la couverture de plastique rose matelassée, semblable à ceux dont on se sert pour les photos de mariage.

Sur la première page figuraient plusieurs clichés d'un même nourrisson et, au fur et à mesure qu'elle le parcourait, Beth comprit que l'album était consacré à cet enfant, une petite fille brune. Les photos suivaient un ordre chronologique de la naissance jusqu'à l'âge de quatre ans environ.

Beth les regarda avec attention, troublée par le même étrange sentiment de familiarité qu'à la vue de Susan au poste.

— C'est sa fille ?

— Je suppose.

Roy attira l'attention de Beth sur l'une des dernières photos, montrant la fillette au visage rebondi, encadré de cheveux bruns ondulés. Elle portait une couronne en papier.

— Elle ressemble à sa mère, sur celle-ci.

Beth l'étudia. Sans être vraiment jolie, la fillette était attendrissante. Si elle ne lui vit pas vraiment de ressemblance avec Susan, hormis dans la rondeur du visage, son sourire timide, d'une grande douceur, la toucha profondément.

— Il s'agit peut-être de sa nièce ou de sa filleule. A priori, aucun enfant n'a vécu ici, Dieu merci ! s'écria Beth.

— Il y a une date imprimée au dos d'une des premières photos : 1987. Elle aurait donc huit ans aujourd'hui.

À votre avis, pourquoi l'album s'arrête-t-il quand elle a quatre ans ?

Beth eut la chair de poule.

— Elle est morte ?

— C'est mon idée, répondit Roy d'un air pensif. Mais il se peut aussi que son mari ou les autorités lui en aient retiré la garde.

Beth acquiesça. Peut-être l'avait-on fait à cause de son alcoolisme – à moins qu'elle ne se soit mise à boire après qu'on lui eut retiré l'enfant ? Mais il lui semblait plus probable que la fillette soit morte.

Beth feuilleta de nouveau l'album et examina l'arrière-plan des clichés. On y apercevait un foyer accueillant avec un pare-feu, un arbre de Noël, un gâteau d'anniversaire, des fleurs dans un vase et une affiche de Renoir au mur.

— Si elle était mariée, pourquoi n'y a-t-il aucune photo avec le père ? s'interrogea Beth, songeuse. Ou d'autres avec Susan qu'il aurait prises ? J'ai l'impression qu'elles vivaient seules. En tout cas, la gamine est belle et on voit qu'elle ne manque de rien.

— Nous pensons la même chose, dit Roy en lui prenant l'album pour le remettre à sa place. En ce moment, nous enquêtons sur l'enfant. Je parie qu'elle était suivie par le Dr Wetherall.

Beth comprit soudain pourquoi il l'avait emmenée ici : il entrevoyait le mobile des meurtres.

— Avez-vous des enfants, Roy ?

— J'avais un petit garçon, répondit-il d'une voix hésitante en se détournant. Il est mort à trois ans d'une maladie cardiaque.

— Je suis désolée, murmura Beth, consternée. Et cet album a réveillé tous vos souvenirs ?

Il lui fit face, en se mordillant la lèvre inférieure.

— Oui. Hier, j'étais convaincu que Susan Fellows était folle. Aujourd'hui, j'ai une autre image d'elle, que je peux comprendre. Si quelqu'un avait été responsable de la mort de mon fils, j'aurais pu l'abattre.

La gorge de Beth se serra. Dans son métier, elle avait l'habitude d'entendre des histoires tristes, mais celle-ci, racontée sans détour par un homme solide, la toucha droit au cœur.

Avant de quitter la pièce, Roy prit la valise, puis il verrouilla la porte. Il garda le silence jusqu'à ce qu'ils se retrouvent dans la rue.

— C'est curieux comme un petit supplément d'information peut vous faire changer d'avis, déclara-t-il soudain. J'ai d'abord eu envie qu'on rétablisse la pendaison pour cette femme, et maintenant… vous voyez ce que je veux dire, conclut-il en haussant les épaules.

— Vous êtes un homme bien, souffla Beth. Je ferai de mon mieux, pour elle. Vous me tiendrez au courant, pour l'enfant ?

— Bien sûr.

La nuit était déjà tombée mais, dans l'obscurité, il lui sembla que les yeux de Roy brillaient de larmes.

Beth n'arrivait pas à dormir. Chaque fois qu'elle fermait les yeux, elle se retrouvait dans la mansarde froide et misérable, et y voyait Susan en train de regarder son album tout en pleurant. Beth n'avait jamais été maternelle, elle n'avait pas joué à la poupée et les bébés l'ennuyaient. Mais elle imaginait la souffrance que représentait la perte d'un enfant, et elle savait ce qu'était la vraie solitude. La combinaison de ces deux facteurs pouvait facilement faire sombrer n'importe qui dans le désespoir.

Le lendemain matin, elle s'habillait pour aller travailler quand Roy l'appela.

— C'était sa fille, annonça-t-il simplement. Annabel Lucy, née le 18 avril 1987 à l'hôpital Saint-Michael, à Bristol. Elle est morte le 12 mai 1991, peu de temps après son admission en pédiatrie. Cause du décès : méningite. Le médecin traitant était bien Wetherall. Susan était mère célibataire et, à cette époque, elle résidait à une autre adresse, à Clifton Wood.

Beth ne sut pas quoi dire. En tant qu'avocate, c'était exactement ce qu'elle voulait entendre, car cette nouvelle lui permettrait de construire sa défense. Mais, en tant que femme, son cœur aurait été plus léger si elle avait appris que Susan s'était échappée d'un asile et que l'enfant n'était qu'une parente éloignée.

Elle remercia Roy de l'avoir informée aussi rapidement. Il expliqua qu'ils avaient assez d'éléments pour l'inculper et qu'elle comparaîtrait devant le tribunal plus tard dans la matinée.

— Je dois vous avertir, poursuivit-il d'une voix ferme, que les policiers du commissariat et l'opinion publique la considèrent comme un monstre. Pour couronner le tout, Roland Park, le mari de la réceptionniste, donne une interview dans le *Mail* d'aujourd'hui. Je l'ai juste survolée, mais c'est l'article larmoyant habituel, avec une photo du couple et des enfants. Il y aura foule au tribunal pour apercevoir Fellows et la presse sera là en force. Ça risque de mal tourner.

— Il me reste donc à découvrir aussi pourquoi Susan a tué cette réceptionniste.

Beth eut de la peine à se concentrer sur ses deux rendez-vous de la matinée. Le premier concernait un homme de trente ans accusé de viol par une connaissance : le second, une femme qui avait déjà été arrêtée pour vol à l'étalage et risquait cette fois-ci la prison. En temps normal,

Beth les aurait écoutés avec attention afin de trouver une approche pour sa défense. Cependant, elle ne parvenait pas à éprouver de sympathie pour eux et moins encore à croire à leur innocence.

L'homme, particulièrement agressif, s'imaginait qu'offrir deux verres accompagnés d'un kebab à une fille l'autorisait à avoir des rapports sexuels avec elle. Sa victime venait d'avoir seize ans, elle était vierge jusqu'à ce qu'il la prenne de force. Pour une fois, Beth aurait souhaité être du côté de l'accusation. Elle aurait adoré le pulvériser.

Elle s'efforçait d'être présente, mais son esprit restait concentré sur Susan et sa comparution devant le tribunal en fin de matinée. À la naissance d'Annabel, Susan avait au moins trente-cinq ans. Avait-elle décidé d'avoir un enfant sans être mariée à cause de son horloge biologique ? Cette grossesse résultait-elle d'une liaison qui s'était soldée par un échec ? Que faisait Susan auparavant ?

Avant de partir pour le tribunal, Beth parcourut rapidement l'article du *Mail*. Elle se méfiait toujours des personnes qui se confiaient aux journalistes aussi vite après une tragédie. Les déclarations du mari lui donnèrent la nausée. *Pam était la crème des femmes, elle était très dévouée. Ma vie est terminée, à présent qu'on me l'a enlevée.*

Qu'est-ce qui l'avait incité à s'étaler dans le journal ? Ç'aurait été compréhensible si le meurtrier n'avait pas été arrêté : suite à un témoignage émouvant de la famille de la victime, il arrivait qu'une personne connaissant le meurtrier le livre à la police. Le mari de la réceptionniste était peut-être sincère, mais Beth estimait que le véritable chagrin était digne et solitaire. Elle aurait parié que ce mariage n'était pas des plus heureux. Et si Roland Parks cachait quelque chose ?

Mme Wetherall, pour sa part, gardait le silence. Avait-elle entendu son mari prononcer le nom de Susan ?

Beth aurait aimé annuler ses rendez-vous de l'après-midi afin de lire à la bibliothèque les archives des journaux remontant au décès d'Annabel. Les morts par méningite étaient toujours signalées, et Susan avait sans doute porté plainte si elle jugeait que le médecin était fautif.

Mais agir en détective privé n'entrait pas dans les attributions de Beth. Elle devait se concerter avec l'accusée, en obtenir le plus d'informations possible, produire des témoins, et préparer ensuite le dossier de défense. Cependant, tant que Susan n'acceptait pas son aide et refusait de parler, Beth ne pouvait pas progresser.

Susan ne desserra pas les dents pendant sa brève comparution devant le tribunal, et elle ne broncha pas quand on lui annonça sa mise en détention provisoire à la prison d'Eastwood Park, située à l'extérieur de Bristol. Beth ne lui dit pas qu'elle était au courant, pour Annabel ; elle comptait le lui dévoiler là-bas. Mais cela n'aurait fait aucune différence : Susan s'était réfugiée dans son monde intérieur et semblait ne pas se soucier de son sort.

Le week-end parut interminable à Beth. Il plut sans arrêt et, pour la première fois depuis des mois, elle se sentit désespérément seule. Elle avait toujours détesté cette période de l'année : le temps humide, le brouillard, la nuit qui tombait à dix-sept heures, les feuilles trempées sur les trottoirs, et les magasins qui s'efforçaient de créer une note optimiste avec leurs vitrines remplies de cadeaux vulgaires. Accablée de tristesse, elle se retrouva à ruminer le passé, incapable de s'adonner à une activité qui lui permettrait de le chasser de son esprit.

Chaque Noël la mettait au supplice. Bien avant la date fatidique, elle redoutait que ses collègues s'enquièrent de ses projets. Elle mentait et disait qu'elle passait les fêtes en famille. Ils devaient imaginer la couronne de houx sur la porte, le grand sapin décoré, de magnifiques présents enrubannés, un bon feu de cheminée, des enfants endimanchés, les yeux écarquillés par l'émerveillement. Et, bien sûr, la table dressée avec les candélabres, l'argenterie et le cristal.

Il y avait longtemps, quand Beth se sentait obligée d'aller chez ses parents à cause de sa mère, Noël était un événement qu'elle subissait. Mme Powell, une véritable loque, avait les nerfs à vif car son mari guettait le moindre faux pas afin de l'humilier. Son frère et sa sœur, sous pression, savaient que leur conjoint aurait préféré être ailleurs ; et leurs enfants, pétrifiés, n'osaient ouvrir la bouche, terrorisés par leur grand-père.

Même après la mort de sa mère, lorsque son père partit en maison de retraite, Noël resta une période que Beth redoutait. Elle aurait pu aller chez Robert ou Serena : ils l'invitaient toujours ; mais elle détestait les réunions familiales. En général, elle réservait une chambre dans un hôtel à la campagne, participait poliment mais sans enthousiasme aux festivités organisées, et s'échappait le plus souvent possible pour de longues promenades solitaires.

Le Noël de l'année précédente avait battu tous les records. Elle venait de s'installer à Bristol et savourait à l'avance le temps qu'elle passerait seule dans son nouvel appartement. La veille de Noël, il y eut une fête au bureau en fin d'après-midi. Elle but comme un trou car elle rentrait à pied. En montant l'escalier de son immeuble d'un pas mal assurée, elle tomba et se cassa le bras.

À l'hôpital, elle attendit six heures pour passer une radio et se faire plâtrer ; ensuite, elle resta quatre jours seule chez elle à souffrir le martyre, incapable de faire quoi que ce soit. Elle ne connaissait personne à Bristol susceptible de l'aider ou de la réconforter. Elle comprit alors ce que signifiait avoir des idées suicidaires.

Souvent, des clients lui faisaient remarquer avec dépit : « C'est facile, pour vous qui êtes née avec une cuillère en argent dans la bouche. » Il était risible qu'ils tirent des conclusions aussi hâtives de son statut d'avocate. La femme battue n'imagine jamais que la violence domestique se cache aussi derrière des portes en chêne massif et de grandes allées bordées d'arbres. Et le cambrioleur que la pauvreté peut régner dans une demeure d'apparence somptueuse.

Mais Beth en savait quelque chose pour l'avoir vécu. Son père était un snob oisif et brutal. Il laissait toujours entendre qu'il venait d'une grande famille alors qu'en réalité son arrière-grand-père, Ronald Powell, était un ouvrier analphabète. Il avait fait fortune en répétant plusieurs fois la même opération : il achetait à Londres des terrains bon marché et construisait dessus de petites maisons mitoyennes, pour revendre le tout avec d'énormes bénéfices.

Ronald était déjà riche quand il se maria en 1870 à une jeune aristocrate, Leah. Peut-être fut-ce sous son influence que Ronald fit bâtir « Les Hêtres Pourpres », la propriété du Sussex dans laquelle Beth grandit. Leah et Ronald plantèrent les hêtres qui bordaient l'allée de cette élégante gentilhommière géorgienne.

Ils eurent trois fils, dont deux furent tués en France pendant la Première Guerre mondiale ; mais Ernest, le grand-père de Beth, survécut. Il reprit la société familiale florissante, et habita aux « Hêtres » avec ses parents âgés et sa femme, Honor. Montague, le père de Beth, était né en 1920.

Toute son enfance, Beth avait entendu parler des grandes réceptions données aux « Hêtres », des écuries pleines de chevaux, des domestiques et des jardins superbes. À présent, les écuries étaient vides, et les vastes pelouses transformées en pâturages avaient été cédées à un fermier voisin. La fortune s'était envolée bien avant la naissance de Beth, en 1951. La maison avait terriblement besoin de réparations, il y faisait toujours froid et humide, et plus personne n'aidait sa mère à faire le ménage.

Beth n'avait jamais su pourquoi son père n'était pas parvenu à gagner sa vie. Pourtant, après la guerre et jusqu'aux années 60, l'immobilier avait été en pleine expansion. Elle supposait que c'était dû à son incompétence et à sa paresse ; sa sœur Serena, de dix ans plus âgée qu'elle, disait en effet qu'elle n'avait jamais vu leur père travailler. Il restait à la maison à lire le journal, à bricoler dans le jardin, à vérifier les comptes du ménage et à réprimander sa mère pour ses dépenses.

Quinze ans auparavant, Beth avait demandé à sa mère, Alice, de lui expliquer ce mystère et celle-ci avait fourni la sempiternelle excuse : « Monty a été élevé pour être un gentleman, on ne lui a jamais appris à s'occuper des affaires familiales. Ce n'est pas sa faute. »

« Gentleman ! » grommela Beth. En vérité, ce n'était qu'un salaud pontifiant.

Elle détestait son père. Sans sa mère, elle ne serait jamais retournée à la maison après avoir commencé ses études à l'université. Monty s'en était toujours accordé le mérite, en se vantant des sacrifices qu'il avait faits pour offrir à ses trois enfants une excellente éducation.

En réalité, cela ne lui avait rien coûté, car ils étaient tous allés dans des lycées publics. Ensuite, ils avaient bénéficié de bourses et travaillé à mi-temps pour subvenir à leurs besoins. Monty ne leur avait jamais rien donné : pas d'argent, de temps ni d'affection. À présent, il s'attribuait tout le mérite de leur réussite.

Mais Beth avait adoré sa mère. C'était une femme douce, entièrement dévouée à ses enfants et qui avait supporté stoïquement son mari tyrannique, le mariage étant à ses yeux pour le meilleur et pour le pire. Elle n'avait connu que le pire. Elle aurait vécu plus longtemps si Montague avait accepté de vendre la maison afin d'emménager dans un appartement confortable et plus facile à entretenir.

Beth repensa à Susan. Lui raconterait-elle sa vie ?

L'histoire familiale de ses clients lui donnait souvent la clé permettant de les comprendre. Mais pas toujours ; ainsi, dans sa famille, s'ils avaient vécu de nombreux traumatismes, aucun d'eux ne s'était écarté du droit chemin.

Robert était un très bon médecin doté d'une patience infinie. Serena avait hérité de la douceur de sa mère, mais elle ne se laissait pas marcher sur les pieds pour autant. Elle exerçait sa profession de comptable à la maison tout en s'occupant de ses trois enfants, et était toujours tirée à quatre épingles.

Beth ne possédait pas leurs qualités. Elle avait toujours été d'un tempérament indépendant et fougueux.

Le lundi matin, Beth s'engageait sur la M5 pour rendre visite à Susan quand la sonnerie de son portable sonna. C'était Steven Smythe.

— Je sais que vous êtes en route pour voir Fellows. Mais nous avons obtenu des informations sur elle et j'ai pensé qu'elles pourraient vous être utiles.

— Merci, Steven.

— Elle est née en 1951 à Stratford-upon-Avon. Son nom est Susan Wright, elle l'a changé officiellement en décembre 1986 dans un cabinet d'avocat de Bristol.

Abasourdie, Beth perdit le contrôle de son véhicule, qui fit une embardée sur la voie centrale de l'autoroute. Elle lâcha le téléphone, redressa le volant, puis s'arrêta sur la bande d'arrêt d'urgence, bouleversée.

— Steven ? dit-elle en reprenant son mobile. Vous êtes toujours là ?

— Oui, que s'est-il passé ? Nous avons été coupés.

— Euh... oui. De qui tenez-vous cette information ?

— De votre copain au commissariat de Bridewell. Il a laissé un message sur le répondeur avant l'arrivée de la réceptionniste.

Pour la première fois, Beth mourut d'envie de se confier à Steven. Mais elle réprima cette impulsion. Il lui fallait d'abord réfléchir.

— Merci de m'avoir informée, déclara-t-elle d'une voix tremblante. Je serai de retour au bureau pour le déjeuner. À tout à l'heure.

— Vous allez bien ? Vous paraissez bizarre.

En regardant le flot des voitures qui la dépassaient, elle prit conscience qu'elle avait eu de la chance de ne pas provoquer un accident grave.

— Je vais bien, mentit-elle. C'est la ligne qui n'est pas bonne. À plus tard.

En vérité, elle avait l'impression d'avoir été frappée par la foudre. Elle comprenait pourquoi le visage et la voix de Susan lui étaient vaguement familiers, et pourquoi celle-ci avait paru stupéfaite lors de leur première rencontre au commissariat de Bridewell.

Son amie d'enfance ! La gamine grassouillette aux cheveux auburn dont elle enviait la famille ! Beth l'avait tout de suite aimée, parce que Susan lui avait dit qu'elle ressemblait à Blanche-Neige.

« Oh, Suzie ! souffla-t-elle en s'écroulant sur le volant. Je t'imaginais heureuse en ménage et mère d'une flopée d'enfants. »

Les souvenirs se pressaient dans sa tête : elles poussaient des cris de joie en descendant des côtes à bicyclette en roue libre, elles barbotaient dans la rivière leur robe rentrée dans leur culotte, construisaient des cabanes dans les bois...

Tous les bons moments de son enfance, Beth les avait partagés avec Suzie. Elle ne vivait que pour le mois d'août, n'étant libérée de son père qu'à Stratford. C'était Suzie qui lui avait donné confiance en ses capacités intellectuelles. Chaque été, quand elle courait à sa rencontre pour l'accueillir, Beth se sentait aimée. Elles se complétaient. Si Beth avait entretenu cette amitié, la relation la plus importante de sa vie pendant cinq ans, elle ne serait pas devenue aussi froide et distante.

Les larmes lui piquèrent les yeux lorsqu'elle se rappela l'excuse qu'elle s'était trouvée pour ne pas écrire à Suzie l'année de leurs dix-sept ans. Suzie se plaignait constamment d'être coincée à la maison par la mauvaise santé de sa mère. Après ce qui venait d'arriver à Beth, prendre soin d'une personne qu'on aime ne lui semblait pas si horrible. Au moins, son amie dormait sans faire de cauchemars. Ce qui était loin d'être son cas.

Consciente que les événements terribles de 1968 allaient resurgir, Beth les chassa de son esprit. Elle ouvrit la fenêtre et prit quelques inspirations profondes pour tenter de se calmer. Elle ne pouvait rester sur la bande d'arrêt d'urgence, c'était trop dangereux. Mais comment affronter Susan Fellows maintenant qu'elle connaissait son identité ? Elle ne parviendrait pas à la défendre de manière impartiale.

Elle redémarra et mit son clignotant. Il était très tentant d'appeler la prison pour annuler le rendez-vous puis de laisser tomber Susan. Mais c'était hors de question : Susan en comprendrait immédiatement la raison, et Beth resterait avec le poids de sa lâcheté sur la conscience. Elle se devait au moins de lui parler, en souvenir de leur amitié. Susan choisirait sans doute un autre avocat, mais cette décision lui appartenait…

Beth frissonna en s'engageant sur la route qui menait à la prison. Eastwood Park était moins lugubre que bien des maisons d'arrêt où elle s'était rendue. Petite, elle n'abritait que cent quarante femmes et était située dans la magnifique campagne du Gloucestershire. Mais sitôt dépassé le grillage métallique, les jardins bien entretenus et la première porte, on retrouvait l'atmosphère oppressante de l'univers carcéral.

Suzie avait certainement traversé des épreuves que Beth ne pouvait même pas imaginer. Mais la petite fille bien élevée qu'elle avait connue serait horrifiée par la dureté du régime pénitentiaire, les brimades, l'agressivité des autres détenues et la nourriture infecte.

En suivant la gardienne qui la conduisait dans la salle d'interrogatoire, Beth se sentait très mal à l'aise. Le petit discours qu'elle avait préparé avant de recevoir le coup de fil de Steven n'avait plus aucune raison d'être. Quelle attitude adopter ? Attaquer Susan de front ou attendre qu'elle se dévoile ?

Quand la porte s'ouvrit et qu'elle la vit en train de l'attendre, assise devant le bureau, Beth eut l'impression que les trente années de leur séparation se volatilisaient. Avec ses cheveux fraîchement lavés, on la reconnaissait plus facilement : Susan n'avait plus de frange, et sa chevelure était moins épaisse, mais sa teinte auburn avait subsisté. La rougeur de son visage s'était estompée. Vêtue d'un sweat-shirt bleu marine et d'un pantalon assorti, elle semblait plus mince que lors de leur précédente entrevue.

— Comment allez-vous ? lança Beth, hésitant sur le pas de la porte.

— Pas trop mal, répondit Susan avec un haussement d'épaules.

— Êtes-vous décidée à parler ? s'enquit Beth dès que la porte se referma derrière elle.

— Non, lâcha Susan d'un ton de défi, avant de détourner le regard et de croiser les bras sur sa poitrine.

Beth ne vit pas l'intérêt de continuer à jouer au chat et à la souris.

— Suzie, je suis désolée de ne pas t'avoir reconnue tout

de suite, parce que toi, tu sais parfaitement qui je suis. Mais tu es la dernière personne que j'aurais imaginé avoir comme cliente.

La bouche de Susan s'ouvrit et se referma plusieurs fois, comme celle d'un poisson.

— Je ne..., bredouilla-t-elle. Je ne pouvais pas...

— Les voies de Dieu sont impénétrables, déclara Beth en espérant qu'elle allait cesser de trembler, mais je ne suis pas très croyante. Le destin, si tu préfères, nous joue un sacré tour.

— Si j'avais su ton nom, j'aurais demandé un autre avocat, dit Susan d'une voix rauque. Quand tu es arrivée, je n'en croyais pas mes yeux.

— Vu les circonstances, tu ferais mieux de sortir de ton mutisme, lui conseilla Beth avec fermeté. Je suis au courant pour Annabel, j'ai vu ses photos. Je sais qu'elle est morte de méningite et que le Dr Wetherall était ton médecin traitant.

Les yeux de Susan s'écarquillèrent, et elle rougit violemment comme elle en avait l'habitude dans sa jeunesse quand elle était nerveuse, une réaction qui était restée gravée dans le cœur de Beth.

— Je suis vraiment désolée, pour Annabel, poursuivit Beth en se rapprochant d'elle.

Elle avait envie de serrer dans ses bras son amie d'enfance pour la réconforter, mais son côté professionnel reprit le dessus et elle garda ses distances.

— Perdre un enfant est ce qui peut arriver de pire à une femme et cela explique ton geste.

Susan, le visage crispé, se tordait les mains, les yeux fixés sur ses genoux.

— Tu te souviens de ce que tu criais quand j'étais dans le train qui me ramenait chez moi, le dernier été que nous avons passé ensemble ? demanda Beth.

Elle revoyait la scène clairement : vêtue d'une robe rose, Suzie courait sur le quai tandis qu'elle-même, penchée à la fenêtre, lui envoyait des baisers.

— Tu me criais « À la prochaine ! » poursuivit Beth, consciente que sa voix chevrotait d'émotion. Je n'aurais jamais imaginé que l'on se retrouverait dans de telles circonstances.

Susan ne répondit pas.

— Écoute, Suzie. Je regrette que nous nous soyons perdues de vue, mais nous étions jeunes et nos chemins se sont séparés. S'il te plaît, parle-moi. Pas forcément comme à ton avocate, plutôt comme à une vieille amie.

Beth pouvait lire sur le visage angoissé de Susan ses pensées contradictoires : elle était soulagée que son amie connaisse la vérité à son sujet et voulait lui faire confiance ; cependant, elle était également consciente que Beth était avocate. Devait-elle garder le silence ou tout lui raconter ?

— Ce salaud m'a congédiée à deux reprises ! explosa-t-elle soudain. La seconde fois, Annabel était couverte de plaques rouges, elle était molle comme une poupée de chiffon ; mais il a décrété qu'elle avait la grippe et lui a prescrit du Calpol. Je me suis disputée avec lui, et il a dit que j'étais une mère névrosée qui lui faisait perdre son temps.

Beth s'assit, soulagée que Susan se décide enfin à parler.

— Du coup, tu l'as accompagnée à l'hôpital ?

— Oui et elle est morte peu après.

— Je suis vraiment désolée, Suzie. Tu l'as dénoncé ?

— Pour ce que ça m'a avancé ! cracha Suzie. Ils se tiennent tous les coudes. J'étais une mère célibataire, ils se fichaient bien de moi.

— Et Mme Parks, la réceptionniste, que t'avait-elle fait ?

— Elle m'a refusé un rendez-vous en urgence et une visite à domicile, expliqua Suzie, d'une voix chargée de haine. Je l'ai appelée à trois reprises ; chaque fois, elle m'a conseillé de mettre Annabel au lit et de lui faire boire beaucoup d'eau. Elle me parlait comme à une imbécile. Une mère sait quand son enfant est gravement malade.

— Tu as passé ces coups de fil avant ou après les rendez-vous avec le Dr Wetherall ?

— J'ai téléphoné deux fois avant la première visite ; ensuite, je me suis rendue au cabinet de consultation parce que j'étais dans tous mes états. Elle n'a pas du tout apprécié et m'a fait poireauter une éternité avant que je puisse voir le médecin. Le lendemain matin, l'état d'Annabel avait empiré et j'ai de nouveau téléphoné, en insistant pour obtenir une visite à domicile. Elle s'est montrée très hautaine, en affirmant que c'était inutile. Mais elle m'a assuré que si je venais avec ma fille elle me coincerait entre deux rendez-vous.

— Tu as donc emmené Annabel en urgence deux fois au cabinet ? demanda Beth qui avait besoin d'y voir clair. Quel a été son diagnostic, la première fois ?

— D'après lui, il s'agissait d'un mauvais rhume ou d'une grippe. Il l'a à peine examinée.

— Et la seconde fois ?

— N'importe qui se serait rendu compte qu'elle était gravement malade. Elle était toute molle. Quand j'ai parlé de méningite, il m'a répondu que les mères imaginaient toujours le pire, et il m'a renvoyée chez moi.

— Et ensuite, que s'est-il passé ?

— Je suis retournée à la réception et j'ai supplié cette femme d'appeler une ambulance, mais elle a rétorqué que si le médecin avait estimé qu'Annabel avait besoin d'être hospitalisée, il aurait fait les démarches nécessaires... Je la portais dans mes bras, bon sang ! Elle avait quatre ans, ce n'était pas un bébé. Elle était pratiquement inconsciente. Un idiot aurait vu la gravité de son état !

Le cœur de Beth se serra en percevant la souffrance de Susan.

— C'est à ce moment-là que tu l'as emmenée à l'hôpital ?

Susan acquiesça.

— Je n'avais pas d'argent sur moi pour prendre un taxi. Je l'ai portée jusqu'à la maison et j'ai demandé à un voisin de m'y conduire.

— Pourquoi n'y es-tu pas allée directement après la première visite chez le docteur ?

— Si seulement je l'avais fait ! s'exclama Susan avec un soupir en se tassant sur sa chaise. J'ai pensé qu'il avait raison et que je dramatisais. J'ai toujours fait confiance aux médecins.

— Où as-tu appris à te servir d'une arme ? s'enquit Beth après un silence.

Susan releva la tête et esquissa un sourire.

— Je savais déjà m'en servir quand je te connaissais. Mon père m'as appris dès que j'ai eu huit ans. J'étais très douée.

— Pourquoi ne m'en as-tu jamais parlé ? demanda Beth avec curiosité. J'aurais été impressionnée.

— La plupart des gens trouvaient ça bizarre. Pour Martin, mon frère, ce n'était pas une activité de fille. J'ai eu peur que tu me croies dingue, comme ma grand-mère.

Beth avait oublié cette grand-mère. À l'époque, Susan plaisantait souvent à son sujet en disant qu'elle était cinglée, mais Beth avait cru qu'elle se comportait seulement de manière excentrique. À présent, elle comprenait que la vieille dame avait souffert de démence sénile.

— D'où as-tu sorti le revolver ? poursuivit-elle avec l'intention de revenir à la grand-mère plus tard.

— Il appartenait à mon père.

— Ton père est toujours vivant ?

— Non, mes parents sont morts il y a dix ans. D'abord ma mère, puis mon père, six semaines plus tard.

— Je suis désolée. Mais dis-moi, Suzie...

— Ne m'appelle pas comme ça, l'interrompit-elle, agacée. Je déteste ce stupide prénom de gamine. Mon nom est Susan.

— Bien. Susan, je comprends que tu aies éprouvé le besoin de tuer le docteur et la réceptionniste. Mais pourquoi avoir attendu quatre ans pour te venger ?

Ce serait le point capital du procès de Susan. Si elle les avait tués quelques semaines après la mort de son enfant, en effet, elle se serait gagné la sympathie du public, des jurés, et l'indulgence des juges...

— Me venger ? fit Susan en la regardant d'un air interrogateur.

— Oui. C'est bien de cela qu'il s'agit, non ?

— Je ne le voyais pas comme ça. Je l'ai fait pour me libérer.

— Mais encore ?

— C'est impossible à expliquer.

— Je ne peux pas t'aider si tu ne me dis pas tout.

Susan sourit et eut soudain dix ans de moins.

— Tu ne comprends pas, n'est-ce pas ? Je suis libre à présent. Pour la première fois depuis quatre ans, je peux enfin me réjouir de quelque chose. Je me fiche de rester en prison jusqu'à la fin de mes jours. Le monde extérieur n'a rien à m'offrir.

Beth soupira profondément.

— D'accord. Mais ça ne t'a jamais traversé l'esprit que tu laisserais quatre enfants orphelins de père et que tu en priverais deux de mère ?

— J'ai pensé tuer un enfant de chaque famille, avoua Susan tandis que son visage s'assombrissait. Je voulais que ces deux-là connaissent la même souffrance que moi. Mais après les avoir observés, je me suis rendu compte que ces salauds ne se souciaient que de leur petite personne. C'est pourquoi je m'en suis prise à eux.

Beth en avait entendu d'autres, mais la violence de la déclaration de Susan l'interloqua. Comment parviendrait-elle à mettre au point sa défense ?

— Raconte-moi les années qui ont précédé la naissance d'Annabel.

Susan lui lança un regard glacial.

— Afin que tu aies pitié de moi ?

— Absolument pas. Je désire connaître les faits pour t'aider.

— Je ne veux pas de ton aide, ni de ta foutue compassion. Je mérite d'être ici. Comme ça, je ne ferai plus jamais de mal à personne. Oublie la petite Suzie Wright ! La gamine timide n'existe plus, elle a disparu depuis des années.

Beth se sentit faiblir.

— Je souhaite aider Susan Fellows, répliqua-t-elle. J'estime qu'elle a au moins besoin d'une amie.

— J'en ai, ici, rétorqua Susan avec un rire creux. Nous sommes toutes des marginales au bout du rouleau. Je me sens chez moi.

Cette remarque amère alarma Beth. Il y avait tant de choses qu'elle voulait savoir, qu'elle devait savoir, afin de comprendre pourquoi son amie d'enfance douce et sensible s'était transformée en meurtrière. Beth était bouleversée, son cœur battait très vite. Comme son temps de visite s'achevait, elle jugea préférable d'en rester là pour le moment.

— Il va falloir que j'y aille, annonça-t-elle avant de se lever. Mais je ne te lâcherai pas, Susan, assura-t-elle en la regardant droit dans les yeux.

Susan haussa les épaules.

— Comme tu veux, répondit-elle d'un ton maussade. Seulement, je ne te servirai pas un baratin larmoyant. J'ai agi de façon réfléchie, et je ne suis pas folle. Je veux être condamnée à perpétuité. Comme je l'ai dit, je le mérite. Suis-je assez claire ?

— On ne peut plus claire, murmura Beth qui, pour la première fois de sa carrière, eut envie de pleurer. Mais souviens-toi, Susan : c'est toi qui m'as donné l'idée de devenir avocate. Je me battrai pour toi, que tu le veuilles ou non.

Une pluie glacée cingla le visage de Beth quand elle quitta la prison. Tremblant de la tête aux pieds comme si elle avait la grippe, elle se précipita vers sa voiture et mit le contact. Cependant, elle ne démarra pas. Elle se revoyait à onze ans, traversant le village sur la bicyclette de tante Rose pour rejoindre Suzie.

Il tombait des trombes d'eau, en ce début d'août. Elle était vêtue d'un imperméable en plastique qui bruissait à chaque coup de pédale ; comme la capuche s'était envolée, ses cheveux étaient trempés. Elle craignait qu'après une année de séparation, son amie n'ait pas envie de sortir pour jouer. Mais en débouchant du virage de l'église, elle vit Suzie foncer à sa rencontre en criant joyeusement :

— Tu es venue ! Tu es venue !

Beth avait laissé tomber sa bicyclette et, tandis que Suzie la serrait dans ses bras, elle s'était réjouie que la pluie empêche son amie de voir qu'elle pleurait. Elle avait attendu ces retrouvailles une année entière, et elle se rendait compte qu'il en était de même pour Suzie.

— Tante Rose dit que seuls les canards sortent par une pluie pareille, déclara Beth tandis que Suzie l'entraînait à l'abri sous les arbres.

— Maman m'a dit que j'étais folle d'espérer ta visite, renchérit Suzie en souriant.

Elle sortit un mouchoir de la poche de son manteau pour essuyer le visage de Beth.

— Les adultes ne savent rien. J'étais sûre que tu viendrais, poursuivit-elle.

— Qu'est-ce qu'on va faire ? Il pleut vraiment des cordes, constata Beth en regardant le ciel.

— La pluie n'empêche pas de parler, répliqua Suzie en pouffant. Allons sous le porche de l'église, on y sera au sec. J'ai apporté un pique-nique.

Elles étaient restées au moins deux heures à bavarder sur le banc étroit et dur pendant qu'il continuait de pleuvoir à verse. Beth ne se souvenait plus vraiment de leur conversation, mais elle se rappelait leur joie d'être ensemble, le goût des sandwiches au beurre de poisson et de la bouteille de limonade qu'elles avaient partagée.

— Cette pluie ne va pas durer, affirma Suzie avec assurance. D'après papa, elle s'arrêtera cette nuit... Et si on se retrouvait demain à Stratford ? Je veux acheter des carnets et d'autres trucs chez Woolworth pour notre club secret.

Beth sourit en se remémorant le règlement qu'elles avaient mis au point cet après-midi-là. Elles avaient créé un code pour s'écrire, de façon qu'elles seules puissent lire leurs messages. Elles s'étaient juré solennellement de ne jamais divulguer à quiconque ce qu'elles décideraient aux réunions du club. Puis elles avaient inventé un mot de passe, ainsi qu'une formule à réciter ensemble en crochetant leurs petits doigts, afin de sceller leur pacte.

« "Amies pour toujours, quoi qu'il arrive, murmura Beth comme la formule lui revenait à l'esprit. Plutôt mourir que trahir." » C'est la promesse que je te refais aujourd'hui.

Le club était très vite tombé à l'eau. Si elles avaient bien acheté des carnets le lendemain, elles correspondaient rarement par le biais de leur code secret, qui s'avérait très laborieux. Elles construisirent une cabane dans les bois, et Suzie chipa chez elle des assiettes, des couverts, une bouilloire et un vieux tapis pour la rendre douillette. En y réfléchissant, Beth prit conscience que c'était toujours Suzie qui pensait aux détails pratiques. À cette époque, elle était déjà une petite mère et une véritable femme d'intérieur.

5

— Il faut que je me confie, sinon je vais exploser, lâcha soudain Beth après deux gins tonic avec Roy.

C'était un vendredi soir. Cinq jours s'étaient écoulés depuis son entretien avec Susan, et elle les avait passés dans un état de nervosité extrême. D'un côté, elle brûlait de parler de son dilemme ; de l'autre, elle pensait devoir le résoudre seule. Finalement, le matin même, elle avait reçu une lettre de Susan la révoquant en tant qu'avocate.

Dans cette lettre, Susan avouait sans détour être touchée que Beth veuille la défendre, mais elle estimait que ce n'était pas une bonne idée, à cause de leur ancienne amitié. Elle lui demandait de lui recommander un ou une confrère.

Beth s'était sentie soulagée d'un grand poids. Elle avait considéré cette affaire sous tous les angles, et ne voyait pas comment remplir son rôle d'avocate en étant aussi proche de l'accusée.

Néanmoins, elle voulait aider Susan, car comment aurait-elle pu ignorer le coup du sort qui les avait réunies à Bristol dans des circonstances aussi extraordinaires ?

Aussi, quand Roy lui avait téléphoné dans l'après-midi afin de l'inviter à prendre un verre après son travail, elle s'était empressée d'accepter pour éviter de passer une autre soirée seule avec son angoisse.

Ils s'étaient retrouvés au Auntie, un bar situé à quelques minutes à pied de son bureau. Le gin sur son estomac vide ou l'attention amicale témoignée par Roy poussèrent Beth à s'ouvrir à lui.

— Allez-y, je serai une tombe, l'encouragea-t-il en souriant. Vous attendez un enfant ? Vous avez l'intention de vous enfuir avec un laitier bossu ?

— Non, dit-elle en éclatant de rire. Mais c'est presque aussi invraisemblable : il se trouve que Susan Fellows est une amie d'enfance.

— Mon Dieu ! s'écria-t-il, les yeux écarquillés. C'est incroyable ! Moi aussi, je serais dans tous mes états si ça m'arrivait.

Beth lui raconta son histoire, puis l'informa que Susan voulait un nouvel avocat avant de faire sa déposition à la police.

— C'est peut-être mieux, remarqua-t-il d'un air songeur. Il est normal qu'elle répugne à vous dévoiler sa vie. Et ce serait difficile pour vous d'être objective, en vous trouvant impliquée de façon aussi personnelle. Vous êtes une femme plutôt secrète.

Beth fut étonnée qu'il l'ait senti ; après tout, ils se connaissaient à peine. Cela prouvait que Roy était un homme intuitif avec lequel elle pouvait se montrer franche.

— Jusqu'à présent, aucun client ne m'a fait perdre le sommeil. Je devrais me sentir soulagée, mais je n'arrive pas à renoncer. Je brûle de savoir ce qui lui est arrivé depuis que nos routes se sont séparées, et je ne supporte pas de l'imaginer seule et sans amies.

Elle poursuivit en lui parlant brièvement de l'insistance de Susan à vouloir plaider coupable.

— Mais elle ignore ce qu'est la prison quand on est condamné à perpétuité ! s'emporta-t-elle. Sa vie a dû être triste et décevante bien avant la mort d'Annabel. Si, comme je le suppose, cette enfant a été son seul rayon de soleil, il n'est pas étonnant qu'elle soit devenue folle. À mon avis, c'est un cas de responsabilité atténuée, et elle a besoin d'aide pour éviter l'emprisonnement à vie.

— Elle ne sait peut-être pas ce que la liberté signifie.

— Qu'est-ce qui vous fait dire ça ? demanda Beth en le regardant avec curiosité.

— Une intuition. Vous m'avez raconté que son adolescence avait été dominée par une grand-mère sénile, puis que sa mère avait eu une attaque. Il est possible qu'elle ait passé sa jeunesse à veiller sur elle.

— Mais ses parents sont morts à six semaines d'intervalle il y a dix ans seulement, s'écria Beth, horrifiée. Merde alors ! Elle ne s'était tout de même pas occupée d'eux depuis l'âge de seize ans ?

— C'est au contraire probable, répondit Roy. Cela se recouperait avec ce que j'ai appris en me rendant à la maison où elle habitait à la naissance d'Annabel. J'ai discuté avec son ancienne voisine.

— Quelle a été sa réaction en apprenant ce qu'elle avait fait ?

— Il ne lui était même pas venu à l'esprit que Susan et la meurtrière du centre médical puissent être une seule et même personne. Elle en est restée stupéfaite. Cela prouve bien que la femme que nous avons arrêtée n'a rien à voir avec celle qu'elle a été.

— Je peux m'en porter garante. Je n'arrive toujours pas à établir le lien entre la fille douce et timide que j'ai connue et une ivrogne à la gâchette facile.

— La voisine ne voulait pas me croire. Elle m'a raconté que Susan était du genre vieux jeu. Elle faisait son pain, de la confiture, et passait ses soirées à tricoter ou coudre. Il semblerait qu'elle ait emménagé au tout début de sa grossesse, mais les gens n'ont vraiment commencé à la connaître qu'à la naissance du bébé.

— Que sait-elle du passé de Susan ?

— Rien. À l'entendre, Susan préférait s'intéresser aux

autres plutôt que de parler d'elle-même. Elle confectionnait des gâteaux pour les gens âgés et faisait leurs courses. C'est bien là le comportement d'une personne habituée à s'occuper d'autrui.

Beth acquiesça.

— Qu'est-il arrivé à la mort d'Annabel ?

— Les voisins l'ont soutenue. Annabel était une petite célébrité : elle saluait les gens de la fenêtre et jouait avec les enfants du quartier. Ils se sont rendus aux funérailles et lui ont offert leur aide, mais Susan s'est repliée sur elle-même. Elle restait enfermée chez elle avec les rideaux tirés. Ils ont trouvé ça normal et ont pensé qu'avec le temps elle sortirait de sa retraite. Au bout de six mois, ils ont découvert qu'elle avait déménagé. Personne ne l'a vue s'en aller et elle n'a pris congé d'aucun de ses voisins. Ils ne se sont aperçus de son départ que lorsqu'une camionnette est venue chercher ses meubles.

Beth avait déjà appris du propriétaire de la chambre minable de « Belle Vue » que Susan n'y avait vécu que deux ans.

— Selon vous, où a-t-elle été pendant les dix-huit mois précédant son emménagement à « Belle Vue » ?

— Nous l'ignorons. Du vivant d'Adèle, elle touchait des allocations, annulées par la suite. Peut-être a-t-elle rejoint le père d'Annabel. Aucun dossier médical n'indique, à Bristol, qu'elle ait consulté un docteur, ce qui est inhabituel après la perte d'un enfant.

— Vu la façon dont l'avait traitée le Dr Wetherall, je suppose qu'elle ne leur faisait plus confiance. C'est horrible de l'imaginer assise devant ce centre médical, en train de mettre au point le meurtre des deux personnes qu'elle jugeait responsables du décès d'Annabel.

— On ne peut pas vraiment aider les gens qui ont perdu un enfant, constata Roy. Leurs amis ne savent pas quelle attitude adopter à leur égard, et je ne crois pas que voir un psychiatre serve à grand-chose. C'est une situation que l'on doit surmonter seul.

Beth acquiesça avant d'orienter la conversation dans une autre direction, afin d'éviter de s'appesantir sur ce sujet douloureux pour Roy.

— Que feriez-vous vis-à-vis de Susan si vous étiez à ma place ?

— Je confierais son affaire à une personne sûre, puis je lui écrirais pour lui renouveler mon amitié, répondit-il simplement.

Beth y réfléchit un moment. Steven Smythe était un avocat très capable qui la laisserait sans doute voir Susan de temps à autre. Cet arrangement pouvait fonctionner fort bien.

Au troisième verre, ils discutèrent des prix de l'immobilier. Beth avait remarqué qu'ils avaient flambé depuis qu'elle avait acheté son appartement. Roy dit qu'il se réjouissait d'avoir acquis son cottage pendant la crise économique, quelques années auparavant, parce qu'il n'aurait plus les moyen de l'acquérir.

— Vous vivez dans une maison à la campagne ? remarqua Beth, étonnée.

Elle l'avait imaginé dans un immeuble moderne.

— On est loin du cottage idyllique avec des rosiers grimpants, reconnut-il. Je l'ai eu à un prix défiant toute concurrence, lors d'une vente aux enchères, parce qu'il tombait pratiquement en ruine. À cette époque, j'avais besoin de me lancer dans un grand projet. Maintenant, je suis un peu dépassé.

Beth comprit qu'il avait voulu s'occuper pour éviter de penser à la mort de son fils et à son divorce.

— Les travaux sont plus importants que prévu ?

— Beaucoup plus. Par exemple, je n'ai pas pu me

contenter de faire réparer le toit, il a d'abord fallu que je remplace des poutres. Après, j'ai voulu m'attaquer aux châssis des fenêtres mais les lattes du plancher étaient pourries et certaines s'affaissaient. C'est là que j'ai découvert un petit lac sous les fondations : les conduites d'eau fuyaient.

— Il est très ancien ? demanda-t-elle en l'imaginant dans la boue jusqu'au cou.

— Il a environ cent cinquante ans. On l'a construit pour loger des ouvriers agricoles, mais il n'a pas été habité pendant quinze ans. Il était envahi par les ronces. Je ne devais pas avoir toute ma tête quand je l'ai acheté.

— Je parie qu'il a aussi des points positifs.

— La vue est sublime, admit-il. Il est entouré de champs et quand, par une belle et chaude journée, je déblaie le terrain, j'ai l'impression d'être au paradis. Mais lorsque je rentre chez moi un soir froid et humide, et que je n'arrive pas à démarrer le feu, j'y renoncerais avec joie pour prendre un appartement en ville.

— J'adorerais y aller, lança-t-elle impulsivement.

— Il faudra choisir une journée ensoleillée, et que je sois en congé pour avoir le temps de ranger avant votre visite, répliqua-t-il, les yeux pétillants.

Ils imaginèrent ensuite leur maison idéale. Beth rêvait d'une demeure géorgienne dotée de pièces spacieuses, de grandes fenêtres, et d'un jardin arboré avec une pelouse.

— Plus une femme de ménage et un jardinier pour l'entretenir, conclut-elle en riant.

Pour Roy, ce serait son cottage quand les travaux seraient terminés.

— Une cuisine équipée avec un lave-vaisselle et une machine à laver le linge, ajouta-t-il d'un air rêveur. Plus de sacs de ciment, de rouleaux de câbles ni de tuyaux. Une salle de bains étincelante. Des meubles et de beaux rideaux.

— Où habitiez-vous, enfant ?

— Dans une HLM à Southmead, répondit-il en grimaçant.

Beth fut étonnée qu'il vienne de la cité très dure du nord de Bristol, comme la plupart de ses clients.

— Entrer dans la police a été la façon de m'en sortir, poursuivit-il, semblant lire dans ses pensées. Certains de mes copains se sont engagés dans l'armée, d'autres ont émigré en Australie ; ceux qui sont restés ont plongé. C'est comme ça, là-bas : il faut en partir, sinon on est cuit.

— Vos parents y habitent toujours ?

— Mon père est mort il y a quelques années. Ma mère occupe à présent un petit appartement à Keynsham, près de chez mes deux sœurs. Elles sont mariées et ont trois enfants à elles deux. Je ne suis pas très loin d'elles car mon cottage se trouve à Queen Charlton. Vous y êtes déjà allée ?

— Oh oui ! s'exclama Beth en se rappelant le minuscule hameau, au sud de Bristol, sur lequel elle était tombée par hasard en se trompant d'embranchement. C'est la pleine campagne, à une dizaine de kilomètres à peine d'ici. Le coin est ravissant. Vous avez eu de la chance d'y trouver une maison abordable.

— C'est ce qui m'a convaincu. Et votre famille ? Où réside-t-elle ?

— Dans le Sussex. Ma mère est morte et mon père vit dans une maison de retraite. Mon frère et ma sœur habitent toujours dans la région.

— Qu'est-ce qui vous a poussée à venir vous installer à Bristol ?

— Je désirais m'éloigner d'eux, reconnut-elle d'un ton dégagé.

— Vous m'étonnez, dit-il en lui lançant un regard pénétrant qui la fit rougir. Vous possédez le genre d'assurance que donne souvent une famille soudée.

— J'ai quitté la maison à dix-huit ans. J'ai acquis cette assurance en me débrouillant toute seule.

— Est-ce la raison pour laquelle vous rêvez d'une maison géorgienne, avec une femme de ménage et un jardinier, plutôt que d'un conjoint ?

— Ne jouez pas au psychiatre avec moi ! rétorqua-t-elle en se hérissant.

— Loin de moi cette idée. Je m'intéresse à vous, c'est tout. Mon père était un vieux con qui nous a rendu la vie infernale. J'en connais un rayon sur le sujet...

Beth n'avait jamais parlé de son père à personne. Mais, pour une fois, elle fut tentée de se confier.

— Je n'aime pas mon père non plus, admit-elle du bout des lèvres. C'est un snob tyrannique. Je pense que c'est à cause de lui que je n'ai jamais voulu me marier.

— Mon père a provoqué l'effet contraire, remarqua Roy en souriant. Je voulais prouver que j'avais toutes les qualités du mari parfait. Je n'avais que vingt et un ans quand j'ai rencontré Meg et je mourais d'envie de l'épouser.

— Vous avez été heureux ?

Roy réfléchit quelques instants avant de répondre.

— Nous étions heureux dans le sens où nous menions une vie beaucoup plus agréable qu'au sein de nos familles respectives. Mais finalement, nous avions peu de choses en commun. J'avais mon travail, elle s'occupait de la maison ; c'était la façon dont vivaient la plupart des couples à l'époque. Nous avions perdu tout espoir d'avoir un enfant lorsque Mark est né, neuf ans après notre mariage. La vie tournait autour de lui et, quand il est mort, notre couple aussi.

— Je suis désolée, déclara-t-elle en mettant une main sur son bras. Vous voyez toujours Meg ?

— Non. Elle s'est remariée. J'espère qu'elle est heureuse maintenant.

— Et vous ? Êtes-vous heureux ?

La question lui avait échappé. Beth s'étonna de cette entorse à sa réserve habituelle. Dans son travail, elle interrogeait ses clients sans arrêt ; mais dans sa vie privée elle n'éprouvait pas de curiosité envers les autres. Il est vrai que Roy l'intriguait : il présentait un mélange séduisant de dureté et de sensibilité – une sensibilité qu'il dissimulait de son mieux, la considérant sans doute comme un handicap, du fait de son passé et de sa profession. Il ne devait pas avoir plus l'habitude qu'elle-même de baisser sa garde.

— Dans l'ensemble, oui, je suis heureux, admit-il avec un sourire malicieux. Mon mariage n'était pas très drôle. Depuis que je suis célibataire, la vie me paraît plus excitante. J'aime être seul. Mais je n'apprécierai certainement pas cette solitude quand je serai vieux.

— Moi non plus, avoua-t-elle. En revanche, pas question que je m'engage avec une personne dans le seul but d'avoir de la compagnie pour mes vieux jours.

— Vous sentez-vous seule, parfois ?

Beth s'accorda le temps de la réflexion. En général, elle gérait plutôt bien son célibat.

— Parfois, oui, pendant les week-ends pluvieux, reconnut-elle. Mais je trouve toujours à m'occuper pour ne pas y succomber.

— Il est donc préférable de vous inviter pendant un week-end pluvieux, déclara-t-il avec un large sourire.

Beth se contracta, comme à son habitude quand on tentait de lui mettre le grappin dessus. Elle appréciait Roy, son intelligence, son sens de l'humour et son intégrité, mais elle ne voulait pas qu'il se fasse des idées à son sujet.

N'obtenant pas de réponse, il éclata de rire.

— Je sens comme un froid, Beth. Il s'agissait seulement d'aller au cinéma ou au restaurant, pas de vous forcer à devenir mon esclave sexuelle ou à laver mon linge.

— C'est un soulagement, répliqua-t-elle en riant à son tour pour cacher son embarras. J'ai faim, si on allait manger ? Je vous invite.

Plus tard, étendue sur son lit, Beth méditait sur sa soirée. Pourquoi n'arrivait-elle pas, comme les autres femmes célibataires, à se montrer optimiste lors d'une nouvelle rencontre ? Roy était très attirant. Grand, séduisant et amusant, il avait un bon travail et elle appréciait sa compagnie. Très courtois, il avait refusé qu'elle paie au restaurant. Pourquoi se tenait-elle donc toujours sur ses gardes ?

Elle ne connaissait que trop bien la réponse.

Les rapports intimes lui fichaient la trouille. Elle était pourtant souvent tombée amoureuse. À de nombreuses reprises, elle avait senti le courant passer entre elle et son compagnon, et avait même éprouvé un désir irrésistible de faire l'amour. Mais une fois au lit, elle était bloquée.

Quelques années auparavant, à chaque nouvelle rencontre, elle reprenait espoir. Quand la relation échouait, elle reprochait à l'homme de ne pas être un bon amant. Il était trop brutal, grossier ou rapide, il n'était pas assez propre ou trop propre. Elle se trouvait aussi toutes les excuses possibles et imaginables – elle avait trop bu ou pas assez – plutôt que d'affronter la vérité, à savoir que c'était sa faute. Incapable d'en parler à son partenaire, elle jouait la comédie du bonheur en espérant que la fois suivante, ça marcherait.

Mais elle n'arrivait plus à feindre. Mieux valait rester célibataire plutôt que revivre ce supplice et se retrouver amère et déçue.

Elle avait lu tous les livres sur le sujet, et n'en avait retiré qu'une confirmation de sa responsabilité dans cet échec, puisqu'elle en avait déjà conscience. Ses lectures n'avaient apporté aucune solution à son problème.

Beth aimait son frère et sa sœur, mais les voir avec leur conjoint et leurs enfants la faisait souffrir. Ils avaient une vie sexuelle épanouie, cela sautait aux yeux. À chaque grossesse de sa sœur et de sa belle-sœur, elle éprouvait un mélange d'envie et de dégoût. Elle avait un haut-le-cœur lorsqu'elles donnaient le sein, car il y avait dans l'allaitement un côté animal qu'elle trouvait insupportable.

Du coup, elle gardait ses distances avec Robert et Serena. Ses visites étaient rares et brèves, et elle évitait la période des fêtes. Ses cadeaux coûteux remplaçaient la relation qu'elle aurait aimé avoir avec ses neveux et nièces ; elle s'était privée de leur amour et de leur affection.

Une larme roula sur sa joue. On la voyait comme une femme qui avait tout : un métier passionnant, beaucoup d'argent, de beaux vêtements et un intérieur magnifique. Elle n'avouerait jamais qu'elle renoncerait avec joie à tous ces privilèges pour un homme qui saurait la rendre femme.

6

Susan traversait la cantine en portant son plateau, les yeux baissés pour éviter de regarder les autres détenues. Elle était là depuis neuf jours à peine, mais cela lui semblait une éternité. Elle se dirigea vers deux places libres en bout de table mais trébucha soudain et, en essayant de se rattraper pour ne pas tomber la tête la première, le plateau lui glissa des mains.

Les rires explosèrent quand il se fracassa sur le sol et que son déjeuner, composé de hachis Parmentier, chou et tarte à la rhubarbe, s'éparpilla dans toutes les directions. On aurait dit du vomi, sur les carreaux verts.

Susan comprit qu'on lui avait fait un croche-pied et, effrayée par tant de méchanceté, elle eut envie d'aller se cacher. Mais toute fuite était impossible car Mlle Haynes, une gardienne, venait à sa rencontre, la mine sévère.

— Ramassez, Fellows ! hurla-t-elle comme si Susan était aussi sourde que maladroite.

Ç'aurait été de la folie de se plaindre, elle le savait. En s'agenouillant, elle lutta contre l'envie de pleurer. Elle avait déjà découvert que l'humanité n'existait pas en prison.

— Jetez tout à la poubelle et allez chercher un seau d'eau pour nettoyer, aboya Haynes.

Elle fusilla du regard les prisonnières qui ricanaient.

— Je suppose que ça vous amuse... Vous êtes tellement mesquines !

Susan se précipita pour s'exécuter, gênée d'être l'objet de l'attention générale.

Une femme débraillée en sweat-shirt rose vidait le reste de son plateau dans la poubelle.

— Ne t'en fais pas, ma jolie. Elles le font à toutes les nouvelles. Elles veulent voir comment tu réagis.

— C'est un peu infantile, soupira Susan.

— En prison, on se comporte comme des enfants, répliqua la femme en lui tendant la poubelle. Certaines pleurent sans arrêt, d'autres se battent ; mais le meilleur moyen de s'en sortir, c'est d'en rire.

En se dépêchant pour aller laver le sol, Susan se demanda ce qu'on pouvait trouver de drôle en prison. Si seulement elle avait retourné le revolver contre elle après avoir tué le docteur !

Dans sa naïveté, elle avait imaginé que la prison ressemblerait à un couvent. Qu'elle y serait seule, dans un silence complet. En fait, le bruit était assourdissant et incessant, même la nuit. Des femmes criaient, juraient, pleuraient ; elles essayaient de se passer des messages, ou tapaient sur les portes. Susan partageait une cellule avec Julie, qui jacassait en permanence, et rien que le son de sa voix lui tapait sur les nerfs.

Il faisait une chaleur épouvantable, et l'atmosphère était si étouffante que la nuit elle suffoquait. La cellule minuscule comportait deux couchettes, des toilettes et un lavabo. Il était impossible de s'asseoir normalement car l'espace au-dessus des couchettes était réduit. Susan détestait devoir se laver et s'habiller devant Julie. Utiliser les toilettes la mettait au supplice : elle se retenait pendant des heures avec l'espoir d'être seule à un moment donné. Mais Julie, elle, n'était pas gênée : elle s'esclaffait même à ses bruits et odeurs.

Et puis il y avait la brutalité.

Le deuxième jour, dans la cour de la prison, Susan avait vu une détenue donner un coup de poing dans la figure d'une autre. Depuis, elle avait assisté à de nombreux crêpages de chignon et entendu proférer toutes sortes de menaces abominables. Mais l'agressivité larvée était bien pire. Certaines chuchotaient entre elles, et à leurs gestes et leurs mines renfrognées, Susan comprenait qu'il s'agissait d'un complot. Elle vivait dans la terreur qu'on s'en prenne à elle.

Quand elle eut terminé et rapporté le seau à la cuisine, son appétit avait disparu. Ce n'était pas plus mal, puisqu'il était l'heure de regagner les cellules.

Une fois allongée sur sa couchette, elle prit son livre. Mais elle feignait de lire, car sa vue avait baissé et elle avait besoin de lunettes.

Curieusement, elle prenait conscience de choses qui ne l'affectaient pas à l'extérieur – comme sa vue. Elle ne s'était pas plongée dans un livre depuis tellement longtemps ! Et puis, il y avait son apparence : à peine arrivée à la prison, elle avait découvert à quel point elle était affreuse. Ses cheveux étaient dans un état lamentable, et son visage rougeaud la stupéfia. Comment en était-elle arrivée là ?

Elle prenait à présent conscience qu'elle avait vécu dans une sorte d'apathie à partir du moment où elle avait décidé de venger la mort d'Annabel.

Elle n'avait jamais pensé à ce qu'il adviendrait d'elle une fois son objectif atteint. Cela n'avait pas la moindre importance. Mais ces quelques jours en prison l'avaient tirée de sa torpeur ; son passé revenait la hanter, et les activités simples qu'elle avait aimées – cuisiner, jardiner ou se promener dans la campagne – lui manquaient terriblement.

Le premier week-end en prison n'avait pas été trop désagréable, les codétenues de Susan s'étant montrées accueillantes. Au courant des deux meurtres, elles lui témoignèrent le plus grand respect. Julie, qui avait été coiffeuse, avait insisté pour lui laver et lui couper les cheveux. Sandra lui avait proposé du maquillage, Frankie, une vraie dure à cuire qui ressemblait à un homme, avait entrepris de lui expliquer de quelles matonnes et de quelles prisonnières elle devait se méfier ; elle lui avait aussi conseillé de demander un travail pour gagner un peu d'argent.

Mais la sympathie et le respect déclinèrent quand elles constatèrent que Susan n'était pas une tête brûlée. Elles commencèrent à se moquer de sa façon de parler, de sa timidité et de sa naïveté. À la fin de la première semaine, elles la tournaient en ridicule et l'appelaient « chérie ».

Susan n'avait aucune possibilité de se défendre. Elle ne possédait ni la force physique ni l'aisance verbale nécessaires pour leur clouer le bec. En conséquence, elle se comporta comme à son habitude : elle fit de son mieux pour passer inaperçue et n'émit aucune opinion.

Mais dans sa cellule, incapable de lire, elle sentait une colère froide monter en elle. Elle avait toujours autorisé les gens à la piétiner. Si elle s'était affirmée, sa vie aurait été si différente ! Son esprit se concentra sur le jour où sa mère était rentrée de l'hôpital, vingt-huit ans auparavant.

C'était un début décembre. Lorsque Susan avait couru ouvrir la porte, en entendant la voiture de son père entrer dans l'allée, elle aurait aimé qu'il fasse moins froid. Un vent du nord glacial faisait tourbillonner les dernières feuilles d'automne et, à l'exception du houx couvert de baies rouges, près du portail, le jardin était aussi sinistre que le ciel gris.

Susan attrapa la chaise roulante que son père venait d'acheter et se précipita dehors, très excitée ; elle mourait d'envie de montrer à sa mère les changements effectués au rez-de-chaussée. Ils avaient transformé le bureau de son père en chambre et les toilettes en une confortable salle de bains. Susan avait travaillé comme une esclave pour que tout soit prêt. C'était elle qui avait trimballé au premier des piles et des piles de livres, qui avait nettoyé après le passage des maçons, qui avait peint et disposé les meubles.

— Je suis si contente que tu sois de retour, maman ! s'exclama-t-elle en ouvrant la portière du côté passager. Tu vas être comme une reine.

Elle plia le côté du fauteuil roulant et l'approcha de la voiture ainsi que le lui avait montré une infirmière. Sa mère avait perdu beaucoup de poids et retrouvé l'usage de son bras gauche, ce fut facile de l'y installer.

— Tu es une gentille petite, déclara-t-elle.

Elle arrivait à parler un peu mais avait du mal à articuler, comme si elle était ivre. Elle leva sa main gauche et caressa la joue de Susan.

— C'est bon de rentrer chez soi.

— Pas trop d'excitation d'un coup, dit son père chaleureusement tandis que Susan poussait le fauteuil roulant à l'intérieur et qu'il la suivait en portant la valise de sa femme. Tu vas devoir réfréner ton désir de tout lui montrer le premier jour, Suzie. Elle a besoin de repos et de calme.

Ce fut merveilleux de voir le visage de sa mère s'éclairer en découvrant sa chambre. Sa main valide toucha la jolie couette et les beaux bibelots que Susan avait descendus du premier. Le feu ronflait dans la cheminée ; deux lampes égayaient la pièce. Quand Susan apporta le plateau avec leur plus beau service à thé en porcelaine et une assiette de sablés qu'elle avait confectionnés, une larme d'émotion roula sur la joue de sa mère.

Susan soupira à l'évocation de cette journée. Elle était convaincue que Margaret se rétablirait complètement, et se sentait importante, dynamique et pleine de tendresse à son égard. Elle avait des images idylliques de conversations agréables au coin du feu en hiver, de partage des tâches domestiques, de voisins venant leur rendre visite et de promenades à la venue des beaux jours. La maison allait de nouveau s'animer...

Rien ne se passa ainsi. Quelques personnes se présentèrent au début, mais comme sa mère avait d'énormes difficultés à parler, elles ne revinrent pas. L'état de Margaret ne connut pas d'amélioration ; elle n'arriva jamais à remarcher et au fil des mois, aigrie par son infirmité, elle devint tyrannique.

Ainsi, elle prit l'habitude agaçante de taper son alliance contre l'accoudoir du fauteuil roulant quand elle désirait attirer l'attention de Susan. Cela pouvait concerner n'importe quoi – une toile d'araignée dans un coin, un verre sale, une trace sur la vitre –, et il fallait que sa fille s'en occupe immédiatement. Souvent, une casserole débordait au même moment, ce qui lui compliquait encore la tâche.

Sa mère l'irritait et Susan en éprouvait un sentiment de culpabilité. Du coup, elle redoubla d'efforts pour anticiper ses demandes. Elle se retrouva bientôt dans un état d'épuisement permanent.

Les semaines, les mois, les années devinrent un cercle vicieux de lessives, cuisine, ménage et repassage. Son père ne l'aidait jamais. Il considérait qu'en lui payant des gages, il s'était dégagé de toute responsabilité. Il ne tint même pas sa promesse de lui octroyer un congé le dimanche. Il prétendait devoir se rendre à son bureau pour rattraper du travail en retard, alors qu'en réalité il s'adonnait ce jour-là à ses loisirs, la chasse ou le golf.

Dans la semaine, une infirmière venait à deux reprises donner un bain à la malade, et un kiné un après-midi, pour lui faire faire des exercices. Susan s'occupait du reste : lever sa mère et l'habiller le matin, l'emmener aux toilettes un nombre incalculable de fois par jour, couper sa nourriture, lui faire prendre ses médicaments et l'aider à pratiquer ses mouvements de rééducation.

Sa mère agitait aussi une petite cloche si Susan la laissait seule plus d'une demi-heure. Elle aimait se trouver dans la pièce où sa fille travaillait, pour veiller que celle-ci accomplissait les tâches comme elle le souhaitait. Il était pénible de l'entendre essayer de poser des questions, mais subir ses critiques était encore plus agaçant.

Si elle avait pu prendre sa bicyclette, s'allonger sur son lit pour lire ou s'asseoir au soleil dans le jardin, Susan ne se serait pas sentie aussi lasse. Seulement cela ne lui était jamais possible. Elle rêvait d'avoir des amies, d'aller au cinéma ou d'occuper un emploi dans un bureau.

À peine arrivait-elle à parcourir de temps à autre le journal ou un magazine ; mais, quand cela se produisait, sa vie lui paraissait encore plus sinistre. L'Angleterre était sous l'emprise des hippies, et les jeunes se rendaient à des concerts rock ou participaient à des fêtes psychédéliques. Sa seule participation au mouvement consista à s'acheter un sarrau en mousseline et à chanter *The Marrakech Express.*

Quel découragement elle avait éprouvé lorsque Beth lui annonça son entrée en fac de droit à Londres, en 1969 ! Susan pressentit que ce serait son dernier courrier : Beth l'y préparait en indiquant qu'elle n'aurait pas le temps d'écrire souvent et qu'elle ne savait pas où elle logerait. De toute façon, depuis quelques mois, ses lettres étaient très froides.

Dans les précédentes, bourrées d'humour, Beth lui racontait longuement les événements qui se déroulaient dans le magasin de chaussures où elle travaillait le samedi et pendant ses vacances. À présent, elle ne prenait plus la peine de lui parler des garçons qui lui plaisaient, des vêtements qu'elle avait achetés ou des films qu'elle avait vus. On aurait dit que Susan ne l'intéressait plus et que lui écrire était devenu une corvée.

Le changement de ton frappait Susan quand elle relisait

le courrier que son amie lui avait adressé l'année d'avant. Beth s'inquiétait alors beaucoup pour elle, et lui conseillait d'affronter son père pour qu'il engage une infirmière et une femme de ménage, afin d'être libre d'exercer une profession. Elle avait même suggéré qu'elles partagent un appartement à Londres.

Dans sa dernière lettre, Beth n'évoquait plus aucun projet commun. Elle ne lui disait pas au revoir, mais Susan savait lire entre les lignes : Beth changeait de vie et tournait la page.

À l'époque, les journaux et la radio ne parlaient que d'« amour libre ». Selon eux, tous les individus de moins de vingt-cinq ans le pratiquaient car la peur de la grossesse n'existait plus grâce à la pilule. Mais, pour Susan, la sexualité se limitait aux baisers échangés avec le garçon qui l'avait raccompagnée chez elle après le bal à Stratford, la dernière fois qu'elle avait vu Beth. Ne rencontrant jamais personne, elle ne risquait pas d'acquérir plus d'expérience.

C'est cette année-là, juste avant Noël, qu'elle prit pleinement conscience d'être piégée à la maison pour de bon.

Un après-midi, elle était sortie acheter de nouvelles guirlandes pour le sapin. À son retour, sa mère était complètement affolée. Elle avait voulu se rendre aux toilettes, mais la poignée de la porte que son père avait promis de réparer s'était encore coincée et elle avait mouillé sa culotte dans son fauteuil roulant. Elle fit clairement savoir à Susan, même si son élocution demeurait laborieuse, qu'elle en était responsable en raison de sa longue absence.

Susan ne s'étant même pas arrêtée pour boire un café, discuter ou faire du lèche-vitrines, elle en fut mortifiée. En épongeant l'urine et en changeant sa mère, elle ne put s'empêcher de penser que d'ici peu cet incident se produirait régulièrement, comme cela avait été le cas avec sa grand-mère.

Son père ne rentra qu'après vingt et une heures, à son

habitude, sous prétexte d'un travail urgent. Mais en lui servant son dîner réchauffé, Susan sentit son haleine empestant le whisky et comprit qu'il était allé au pub.

Dès qu'il sortit de la cuisine, elle éclata en sanglots : la journée commençait pour elle à sept heures du matin, quand elle levait sa mère et préparait le petit-déjeuner ; elle n'arrêtait pas une minute ; il était maintenant vingt-deux heures, et elle devait encore aider sa mère à se coucher avant de pouvoir se reposer.

Ce n'était pas juste. Son père aurait au moins pu rentrer directement du bureau et prendre son repas avec elles pour discuter avec sa mère. Il aurait aussi dû réparer cette poignée…

— Qu'est-ce qui t'arrive ? demanda Charles depuis le pas de la porte.

Il avait dû l'entendre pleurer.

Susan releva la tête. Elle ne lut aucune sollicitude dans son regard, seulement de l'agacement.

— J'en ai assez ! s'écria-t-elle tout en continuant de sangloter. Je n'ai aucune vie personnelle. Je ne peux pas continuer ainsi. Je veux partir travailler à Londres, comme Martin.

— Quel emploi pourrais-tu trouver ? fut la réponse méprisante. Tes bonnes notes en arts ménagers et en géographie ne te mèneront pas loin.

Quand ses résultats désastreux étaient arrivés, son père s'était contenté de rire en disant que les mathématiques ou la science n'avaient aucune importance, et qu'elle ferait une excellente secrétaire. Maintenant, à l'instar de son frère Martin, il pensait qu'elle était stupide.

— J'irai dans une école de secrétariat.

— Et qui paiera tes études ? s'enquit-il sèchement. Je travaille tous les jours que Dieu fait, juste pour que l'on ait un toit sur la tête.

— Je suis prête à prendre n'importe quel emploi, rétorqua-t-elle. Je serai serveuse ou documentaliste.

— Tu mettrais ta mère dans une maison de santé pour être serveuse ? s'indigna-t-il en fronçant ses sourcils broussailleux. Je n'en crois pas mes oreilles !

— Engage quelqu'un pour veiller sur elle. Je n'en peux plus.

— Je n'en ai pas les moyens, les infirmières sont hors de prix. Écoute-moi bien : si tu ne veux plus t'occuper de ta mère, elle ira dans une maison de santé. Tu te rends compte de ce qui lui arrivera ? Elle se retrouvera avec des vieillards séniles en sachant que son égoïste de fille a préféré être serveuse plutôt que de s'occuper d'elle.

— Ce n'est pas à Martin que tu demanderais de renoncer à tout, remarqua-t-elle d'une voix plaintive.

Du fait de leur différence d'âge, son frère et elle n'avaient jamais joué ensemble. À six ans déjà, elle savait qu'il valait mieux ne pas s'approcher de lui. Martin était cruel, ravi de cacher ou de casser ses jouets préférés, de la gifler sans raison, et de lui chuchoter des insultes derrière le dos de leurs parents. Elle était trop petite pour se rendre compte qu'il était d'une jalousie maladive à son égard.

Elle n'oublierait jamais ce jour d'hiver où son frère était arrivé à pas de loup derrière elle et l'avait poussée dans la rivière. Elle avait failli mourir d'hydrocution, et c'était ce qu'il avait cherché car il ignorait qu'elle savait nager. Elle reçut une gifle quand elle le dénonça. Pour sa mère, ses paroles n'étaient qu'un tissu de mensonges : son fils était incapable de faire du mal à une mouche. Susan avait été folle de bonheur lorsque Martin était parti à l'université, d'autant que c'était à ce moment-là que son père lui avait appris à tirer.

Lors de ses rares visites à la maison, son frère la rabaissait en lui disant qu'elle était bête, grosse, moche, et un vrai parasite, tout en exigeant d'elle qu'elle soit aux petits soins pour lui. Mais son père ne remarquait rien.

— Martin est un homme d'affaires important, rétorqua-t-il, et son regard glacial signifiait que si elle osait le critiquer le moins du monde elle s'en mordrait les doigts. Il a travaillé dur pour en arriver là. Maintenant, cesse ces enfantillages et va aider ta mère à se coucher. Si elle t'entendait, elle aurait une autre attaque.

Avec le recul, Susan comprenait que son père lui avait fait du chantage. Elle aurait dû le mettre au pied du mur. Il avait les moyens de payer une infirmière. De plus, une infirmière aurait exigé d'avoir des horaires fixes et ne se serait pas occupée des tâches ménagères. Il aurait donc dû s'en charger, ou payer une autre personne pour le faire, et n'aurait de toute façon plus eu la possibilité d'aller au pub, au golf ou à la chasse.

Cependant, à l'époque, Susan était trop naïve pour en avoir conscience.

C'est en 1973 qu'elle perdit toute confiance en son père, en découvrant qu'il avait une maîtresse. Elle avait vu des marques de rouge à lèvres à plusieurs reprises sur les cols de ses chemises ; un jour, elle trouva un mot de Gerda, sa secrétaire, dans la poche de sa veste.

Il l'avait engagée quand sa mère avait eu son attaque. Susan l'avait rencontrée, une fois où elle s'était rendue à son bureau pour rentrer en voiture avec lui. Elle avait la quarantaine, était rousse et plutôt séduisante dans le genre vulgaire à forte poitrine.

Le mot était bref mais très explicite : Gerda s'excusait de sa mauvaise humeur avec lui, la veille au soir ; elle expliquait que c'était plus fort qu'elle, car elle craignait qu'ils ne puissent jamais vivre ensemble, mais ajoutait qu'elle l'aimait et acceptait d'attendre.

— Salaud, dit Susan tout haut, oubliant que Julie occupait la couchette supérieure.

— Qui est un salaud ? demanda-t-elle.

Susan leva les yeux et vit le visage de sa codétenue à l'envers. À trente-cinq ans, Julie une blonde décolorée aux traits durs, avait déjà été emprisonnée quantité de fois pour vol et prostitution. Elle avait trois enfants qui vivaient avec sa mère, dans l'attente de son procès pour avoir dépouillé un de ses clients. Elle ne semblait pas aussi méchante que certaines autres femmes de cette aile.

— Je pensais à mon père. Désolée, je ne voulais pas te déranger.

— Qu'est-ce qu'il t'a fait ?

— À moi, rien de particulier, mais il a pris une maîtresse quand ma mère a eu une attaque.

Elle n'allait pas lui raconter que ses sentiments envers son père s'étaient transformés en haine. Apprendre qu'il avait une liaison et attendait la disparition de sa femme pour vivre avec sa secrétaire avait tué son amour pour lui.

— Tous les hommes sont des salauds, rétorqua Julie.

Elle descendit de sa couchette et s'assit à côté d'elle.

— Est-ce que tu l'as tué ?

— Non, répondit Susan en souriant. Je n'avais pas d'instincts meurtriers, à l'époque.

Julie lui rendit son sourire, et Susan entrevit la très jolie fille qu'cllc avait dû être.

— Pourquoi tu as descendu le docteur et la réceptionniste ?

Susan n'avait pas eu l'intention d'en parler mais, depuis l'incident de la cantine, elle avait désespérément besoin d'une amie.

— Parce qu'ils étaient responsables de la mort de ma fille, répondit-elle simplement.

Elle savait que Julie, en dépit de ses longues absences, aimait ses enfants. Lorsque celle-ci lui exprima sa sympathie, Susan eut soudain envie de lui raconter toute son histoire.

— Mais pourquoi tu les as pas liquidés juste après la mort de ta gamine ? s'enquit Julie quand Susan cessa de parler et essuya ses larmes.

— J'étais trop assommée. Je voulais mourir moi aussi. Je suis partie de Bristol et je n'y suis revenue que deux ans plus tard. Un soir, je rentrais de mon travail de femme de ménage, et j'ai vu le docteur et cette garce de réceptionniste qui se bécotaient dans une voiture. Ça m'a foutue en rogne. Ils étaient tous les deux mariés, avec des enfants, et ils avaient une liaison… C'était comme mon père et cette femme !

— Super ! s'écria Julie avec un petit sourire narquois. Comment tu t'es procuré le revolver ?

— C'était celui de mon père, dit Susan avant d'expliquer comment il lui avait appris à tirer lorsqu'elle était jeune.

— Alors, tu es allée à ce centre médical et tu les as liquidés ? Mais pourquoi tu leur as pas réglé leur compte dans un endroit isolé ? On ne t'aurait jamais attrapée.

— Je suppose que je voulais être arrêtée, reconnut Susan.

Elle vit soudain le côté absurde de cette idée et se mit à rire.

— Je dois être folle. Qui aurait envie de finir ici ?

— Tu vas plaider la folie ?

Le regard horrifié de Susan la fit sourire et elle ajouta :

— Ça veut pas dire que tu seras enfermée dans un endroit rempli de cinglés… Ils appellent ça la « responsabilité atténuée », il faut raconter au psy que ç'a été plus fort que toi, tu étais tellement bouleversée qu'un truc t'a poussée à le faire. Une copine à moi qui avait tué son vieux a plaidé ça, elle n'a pris que cinq ans.

— Je ne crois pas que la femme du docteur et le mari de la réceptionniste s'en contenteront, ils voudront que je sois condamnée à perpétuité.

Susan avait eu le temps de penser à eux et même si elle ne regrettait pas son geste, elle se sentait coupable vis-à-vis des enfants.

— Hein ? Quand ils apprendront que ces deux-là s'envoyaient en l'air, ils t'en voudront pas tant que ça.

— Mais je ne peux pas en parler ! se récria Susan.

Julie éclata de rire.

— Tu serais vraiment timbrée de ne pas le faire. Réfléchis un peu, tu te vengerais complètement. Tu as supprimé les gens qui ont laissé mourir Annabel ; personne n'éprouvera de sympathie pour eux et la cerise sur le gâteau, c'est que tu sortiras d'ici dans quelques années.

Avant d'en avoir fait l'expérience, Susan se moquait d'être emprisonnée à vie mais après neuf jours ici, elle envisageait sa situation différemment. Depuis qu'elle avait révoqué Beth, elle n'avait plus d'avocat ; les conseils de Julie lui donnèrent le sentiment d'avoir trouvé une issue de secours.

— Tu es sûre de ce que tu avances ?

— Certaine. Arrête de déconner, plaide ta cause quand tu reverras un avocat. Rajoutes-en un maximum sur ce que ton père t'a fait subir et sur tout le reste. N'y va pas avec le dos de la cuillère, et en moins de deux tu seras libre.

Susan se sentit ragaillardie.

— Tu crois qu'on me donnerait des lunettes ? s'enquit-elle timidement. Ma vue a baissé et je n'arrive plus à lire.

— Ouais, demande à voir le docteur. Tu en profiteras pour lui raconter des trucs sur toi. C'est un salaud qui adore fourrer son nez partout, il aime jouer au psychiatre.

Dis-lui que t'es déprimée et il te donnera des médicaments. Ça aide à passer la journée.

Ce soir-là, Susan reprit espoir. Julie avait dû raconter son histoire, car plusieurs femmes lui avaient souri et on lui avait laissé une place pour regarder la télévision dans la salle commune. Il lui fut impossible de se concentrer sur l'émission à cause du bruit autour d'elle mais au moins, elle n'était plus considérée comme une paria.

Julie lui ayant posé des questions sur le père d'Annabel, elle se mit à penser à lui.

Elle revoyait son visage, son rire qui faisait pétiller ses yeux noirs, son nez retroussé, et ses cheveux noirs bouclés qui tombaient sur ses épaules bronzées quand il travaillait dans le jardin. Son père le méprisait, il l'appelait le « romanichel ». Mais Liam n'était pas un Gitan ; il avait de l'instruction, il avait même été à l'université. Il aimait la liberté, allait de ville en ville et dormait dans sa vieille fourgonnette, en faisant tous les petits travaux qu'il trouvait.

Il avait frappé à leur porte au début de mai 1985. Il avait abattu des arbres pour un voisin qui lui avait dit que les Wright en avaient aussi à couper.

Un nouveau visage était toujours une distraction bienvenue pour Susan. Elle accueillait même les agents électoraux, lors des scrutins locaux, car n'importe quelle compagnie était préférable à sa solitude. Elle était coincée dans cette maison depuis dix-neuf ans, avec pour toute visite celle de l'infirmière, du kiné ou du voisin bizarre. Le clou de sa semaine était d'aller au supermarché. Parfois, elle pensait que la monotonie de sa vie la rendrait folle.

Elle aurait invité Liam à rentrer même s'il n'y avait pas eu trois fruitiers morts au fond du jardin, juste dans l'espoir qu'il resterait un moment pour discuter. Mais elle était enchantée d'avoir une bonne raison de le recevoir, car elle ne voulait à aucun prix lui laisser voir qu'elle avait désespérément besoin d'attention.

Il s'assit à la table de la cuisine pour boire un thé et discuta avec sa mère. Susan fut touchée de la patience qu'il manifesta.

Elle se revoyait en train de l'observer, appuyée contre le fourneau en fonte. Elle avait trente-quatre ans et il avait à peu près le même âge. Il était grand et mince, mais, à la façon dont ses cuisses remplissaient son jean usé, on voyait qu'il était très musclé. Il avait du charme, dans le genre sauvage ; cependant, ce jour-là, c'est sa passion pour le jardinage qui plut à Susan.

À part les travaux ménagers, les jardins et la nature étaient les seuls sujets dont elle parlait avec assurance. Elle se trouvait ennuyeuse et se savait ringarde parce que les vêtements qu'elle achetait devaient avant tout être pratiques.

— Va montrer les arbres à Liam, articula sa mère avec difficulté. Ton père n'a jamais le temps de rien faire.

— Est-ce une pointe d'amertume que j'ai entendue dans la voix de votre mère ? s'enquit Liam tandis qu'ils traversaient le jardin. Désolé si je m'occupe de ce qui ne me regarde pas.

Susan pensa qu'il était très intuitif de l'avoir remarqué malgré l'élocution laborieuse de sa mère et elle apprécia sa sollicitude.

— En effet, reconnut-elle. Mon père ne passe pas beaucoup de temps avec nous… mais il n'a plus l'âge de couper des arbres, ajouta-t-elle avec désinvolture.

Susan n'avait en fait jamais considéré que son père était vieux : il restait mince et droit comme un I. Ses cheveux, qui avaient blanchi, le rendaient encore plus distingué. Il n'avait pris sa retraite qu'à soixante-dix ans, et, à soixante-six ans, il jouait toujours au golf et chassait régulièrement. Sans parler de ses visites à Gerda.

— Vous vous occupez de votre mère à plein temps ?

— Oui. J'avais seize ans quand elle a eu son attaque et que mon père m'a demandé de prendre soin d'elle.

— Ce n'est pas une vie pour une jeune femme ! s'exclama Liam, l'air horrifié. Votre père doit avoir de l'argent, pour vivre dans une aussi grande maison, il ne peut pas engager une infirmière ?

— Il préfère dépenser son argent autrement, répondit Susan d'un ton dégagé pour ne pas paraître amère. C'est ma faute, j'aurais dû y mettre le holà il y a longtemps.

Elle lui montra les arbres morts, et ils discutèrent du travail à effectuer et de ce qu'ils pourraient planter à la place.

— Un magnolia serait parfait près de la maison et je verrais bien un saule au bord de la rivière – à moins que votre père refuse de dépenser de l'argent pour des arbres...

Il y avait une note d'insolence très agréable dans la voix de Liam. Susan eut le sentiment qu'il avait compris comment fonctionnait sa famille sans avoir besoin d'explications.

— Je ferai en sorte qu'il crache, répondit-elle en pouffant. Dites-moi juste combien ça coûtera avec la coupe du bois. Je m'efforce d'entretenir le jardin, mais c'est trop de travail pour moi toute seule.

Il se jucha sur un banc en pierre et roula une cigarette en regardant pensivement autour de lui.

— Ce jardin est ravissant, déclara-t-il enfin tandis que ses yeux noirs contemplaient les jonquilles sur le point de fleurir. Ce sera un plaisir d'y travailler, quinze livres par jour me suffiront. Je pourrai venir deux jours par semaine jusqu'au mois de septembre. Votre père en aura pour son argent.

Charles fut au bord de l'apoplexie quand Susan lui annonça qu'elle avait engagé Liam. Il se chauffait le dos au feu de cheminée dans le salon après être rentré tard, et le dîner que Susan lui avait mis de côté n'était plus très appétissant.

— Comme as-tu osé conclure cette affaire sans me consulter ? hurla-t-il. Je me moque des arbres morts. Je n'ai pas d'argent à gaspiller pour le jardin.

Susan lui adressa un regard glacial.

— Tu préfères entretenir cette femme, je suppose ? lança-t-elle tout en s'étonnant de son courage. Ne nie pas. Je sais que c'est Gerda.

Il s'avança vers elle, la main levée.

— Si tu me frappes, je pars sur-le-champ. Tu n'aimerais pas devoir t'occuper de maman, n'est-ce pas ? Ou payer pour qu'elle aille en maison de santé ?

— Comment oses-tu me parler ainsi ? rugit-il.

— Tu as détruit ma vie en m'obligeant à rester ici et à assumer tes responsabilités, rétorqua-t-elle, folle de rage. Quel père demanderait à une fille de seize ans de soigner une infirme ? Si tu ne m'avais pas fait de chantage affectif, je serais mariée et j'aurais des enfants à l'heure qu'il est. Vu que je suis coincée ici, le moins que tu puisses faire, c'est de payer Liam pour le jardin. C'est notre seul plaisir, à maman et moi.

Son père quitta la pièce avec raideur et monta d'un pas lourd l'escalier qui conduisait à sa chambre sans prendre la peine d'aller voir sa femme pour lui souhaiter une bonne nuit. Après cette dispute, il s'absenta des nuits entières. Susan trouva souvent sa mère en train de pleurer, ce qui lui brisait le cœur. En représailles, elle cessa de garder les repas de son père, mais cela ne semblait pas le déranger. Cependant, il laissa de l'argent pour Liam, qui vint comme convenu deux fois par semaine.

Susan ne vivait plus que dans l'attente de ces journées.

Pendant que sa mère faisait la sieste l'après-midi, elle travaillait au côté de Liam en lui racontant des choses qu'elle n'avait jamais confiées à personne. Elle lui parla de ses deux brèves relations avec des hommes. La première, à trente ans, avec un ouvrier qui était venu mettre des tuiles sur le toit. La seconde, trois ans plus tard, avec un homme d'une association qui aidait les vieilles personnes confinées chez elle.

— J'ai cru que j'étais amoureuse des deux, reconnut-elle timidement. Ça n'est pas allé bien loin, de toute façon, juste des baisers et des câlins ; je n'ai jamais eu l'occasion de faire plus.

— Votre père est un vieux con égoïste, affirma Liam avec chaleur. Vous êtes une jolie femme, Suzie et il vous empêche de vivre et de vous amuser. C'est monstrueux. Prenez des vacances. Dites-lui que c'est terminé.

— C'est impossible : il mettra ma mère en maison de santé, et installera probablement l'autre à sa place. Je ne peux pas abandonner ma mère, je l'aime.

— Elle aussi est égoïste. Elle a toute sa tête, elle sait que ce n'est pas bien de vous garder ici. Nom de Dieu ! Si elle vit jusqu'à quatre-vingt-dix ans, quel âge aurez-vous alors ?

— Plus de cinquante ans, répondit-elle d'un air sombre.

— Trop vieille pour avoir des enfants, constata-t-il en lui tapotant la joue. Et ce joli visage sera marqué par l'amertume. Partez tant que vous êtes encore jeune !

Liam finit son travail en septembre et le dernier jour, il l'embrassa tendrement.

— Je reviendrai voir où vous en êtes en décembre, l'assura-t-il en la serrant fort dans ses bras. Si à ce moment-là vous vous sentez assez courageuse pour changer de vie, je vous aiderai.

Il tint son visage entre ses mains calleuses et la couva de ses yeux noirs.

— Tu ressembles à un bouton de rose. J'aimerais voir ces pétales s'ouvrir, en goûter la douceur et la beauté.

Cette nuit-là, Susan se tint devant son miroir et s'examina sans complaisance. Pour la première fois, elle vit une jolie femme. Elle était un peu grassouillette, mais son teint resplendissait, ses yeux pétillaient et ses cheveux brillaient. Elle voulait s'enfuir avec Liam, elle voulait qu'il l'embrasse encore et encore, elle désirait être nue dans ses bras et découvrir les mystères du sexe. Elle se moquait bien qu'il ne veuille pas l'épouser, être avec lui suffirait.

Sa mère mourut le dernier jour de septembre, trois semaines après le départ de Liam. Elle était dans son fauteuil roulant près du fourneau de la cuisine pendant que Susan faisait la vaisselle du déjeuner ; lorsqu'elle se retourna, Margaret s'était endormie.

Une demi-heure plus tard, Susan, remarquant que le nez de sa mère coulait, s'approcha pour la moucher. Elle comprit alors que l'infirme était morte, car celle-ci n'eut aucun geste d'agacement. Susan prit son pouls : il ne battait plus.

Elle pleura, mais après tout ce n'était pas tellement horrible : sa mère était morte dans son sommeil, avec sa fille à côté d'elle.

Curieusement, son père rentra de bonne heure. Le docteur venait de partir. C'était une crise cardiaque, et une autopsie s'avérait inutile puisqu'il avait vu la morte à plusieurs reprises les semaines précédentes.

Son père parut assommé quand Susan lui annonça la nouvelle. Il eut du mal à la croire, car sa femme était, comme d'habitude, dans le fauteuil roulant que sa fille avait poussé dans sa chambre. Peut-être se sentit-il coupable d'avoir été aussi dur envers Margaret les dernières années ? Toujours est-il qu'il resta auprès d'elle jusqu'à ce que l'entrepreneur des pompes funèbres se présente pour l'emmener.

Pendant les deux semaines qui suivirent les obsèques, le père de Susan ne quitta pas la maison. Au début, elle pensa qu'il s'agissait d'une marque de respect, mais le temps passait et il ne sortait toujours pas. Apparemment, sa liaison avec Gerda était terminée ; Susan comprit pourquoi il était revenu aussi tôt, le jour du décès de sa femme. Il se contentait d'aller à la banque ou bien il conduisait Susan au supermarché. Il se levait à son heure habituelle, s'habillait avec soin et prenait le petit-déjeuner qu'elle lui servait, mais il parlait à peine. Il ne semblait pas furieux, il s'était retiré en lui-même.

À la mi-octobre, il commença à faire froid, et le père de Susan prit l'habitude d'allumer un feu dans la chambre de sa femme. Il y demeurait assis dans le grand fauteuil en cuir, à regarder fixement les flammes.

De son côté, Susan était complètement désorientée. Si Liam revenait, elle était libre de partir avec lui ou de chercher un emploi, mais comment son père se débrouillerait-il sans elle ?

Un soir, elle décida de se lancer. Elle allait lui annoncer qu'elle souhaitait travailler et, si cette idée ne l'alarmait pas, elle lui suggérerait de vendre la maison et de s'installer dans un endroit plus petit. Mais, incapable d'aborder directement le sujet, elle lui demanda d'abord s'il était en colère contre elle.

— Pourquoi serais-je fâché ? s'enquit-il en lui adressant un regard vide.

— Tu ne voulais pas engager Liam pour entretenir le jardin et la discussion a dégénéré, tu t'en souviens ?

Il se contenta de soupirer avec dédain.

— Ta grand-mère maternelle a gâché notre vie pendant des années. Martin est parti à cause d'elle... Quand elle est morte, j'ai cru que nous allions retrouver le bonheur, mais Margaret a aussitôt pris la place de sa mère. Quel gâchis !

Susan garda le silence, profondément déçue. Son père ne

pensait même pas à la remercier pour tout ce qu'elle avait accompli afin d'alléger son fardeau. Par ailleurs, elle ne pouvait que lui donner raison sur le fond. Pendant un moment, on n'entendit que le crépitement du feu dans la pièce.

Lorsqu'il reprit la parole, ce fut pour parler de Martin.

— J'aurais dû passer plus de temps avec mon fils, déclara-t-il, la voix brisée par l'émotion. Il était comme un étranger quand il est venu pour l'enterrement.

— C'est lui qui l'a voulu, rétorqua Susan.

Son frère était arrivé la veille des funérailles et s'était couché juste après le dîner pratiquement sans ouvrir la bouche. Ils ne l'avaient pas vu depuis cinq ans.

— Il n'écrit pas et téléphone rarement, poursuivit-elle. Il oubliait l'anniversaire de maman.

Elle avait envie de rappeler à son père que Martin s'était toujours montré odieux envers elle, mais elle préféra s'en abstenir car il semblait trop déprimé.

Son frère avait filé deux heures après les obsèques. En prenant congé d'elle, il lui avait lancé : « Trouve-toi un travail et arrête de vivre aux crochets de papa. »

— Pauvre Martin, lâcha son père avec un soupir.

C'en fut trop pour Susan.

— Pauvre Martin ? s'écria-t-elle avec amertume. Mais il ne s'est jamais soucié de nous !

— Je ne lui en veux pas. Tout est ma faute, soutint son père avec tristesse. J'ai laissé ta grand-mère le chasser. J'aurais dû le ménager et la mettre en maison de santé.

— Ça n'aurait rien changé, répliqua-t-elle sèchement, furieuse qu'il ait oublié que c'était elle, en fait, qui avait souffert de la sénilité de sa grand-mère. Il est entré à l'université bien avant que mamie ne perde la tête, tu le sais parfaitement. La vérité, c'est que Martin est un égoïste.

— Il faudra que je me rachète auprès de lui, conclut son père, perdu dans son monologue intérieur.

Le 5 novembre, six semaines après la mort de sa femme, le père de Susan eut une crise cardiaque foudroyante à Stratford. Il se trouvait dans une librairie quand il tomba à genoux. Il mourut dans l'ambulance qui le transportait à l'hôpital.

Cette fois-ci, Martin arriva sur les chapeaux de roues. Susan lui avait téléphoné à seize heures trente, juste après le coup de fil de la police, et à vingt heures il tapait à la porte.

Martin ressemblait à son père. Grand et mince, il avait ses cheveux noirs et ses sourcils épais, mais la moue maussade qu'il affichait en permanence l'empêchait d'être beau, et son regard était glacial. Il ne s'était pas marié. S'il y avait eu des femmes dans sa vie, il n'en avait jamais parlé.

Il n'avait pas encore terminé son whisky qu'il demandait à Susan où se trouvait le testament de son père.

— Je n'y ai même pas songé, dit-elle, choquée par tant de précipitation.

— Eh bien, tu ferais mieux d'y penser, répliqua-t-il d'un ton sarcastique. Il y a peut-être consigné ses volontés pour son enterrement.

— Tu t'en moques pas mal. Tu veux juste savoir ce qu'il t'a légué.

Il lui prit le bras qu'il lui tordit dans le dos jusqu'à ce qu'elle hurle de douleur.

— Et après ? Je suis plus franc que toi, qui joues les martyres alors qu'en réalité tu n'es qu'un gros parasite.

Le lendemain, Martin passa chez le notaire de leur père avant de rentrer à Londres. Dans la soirée, il téléphona à Susan et lui ordonna d'organiser les funérailles à l'église. Comme son père n'avait pas consulté de médecin depuis des mois, une autopsie s'imposait et les obsèques furent retardées de deux semaines. Son frère ne la rappela pas une seule fois.

Au cours de cette période, Susan se sentit très bizarre. Vidée de toute énergie, elle était constamment au bord des larmes. Elle se retrouvait seule dans la maison pour la première fois et n'avait plus rien à faire. Cet automne-là, le vent particulièrement violent mugissait de façon sinistre. Les nerfs à vif, elle sursautait au moindre bruit et devait laisser une lumière allumée la nuit. Des voisins lui proposèrent de dormir chez eux, mais elle n'arrivait pas à quitter la maison.

Certains jours, sa liberté la grisait. Elle pouvait partir avec Liam ! Le lendemain, elle cherchait les obstacles qui l'en empêcheraient. Elle connaissait si peu les hommes. Était-il digne de confiance ? Et puis, il y avait la maison. Son père la leur avait certainement léguée, à son frère et elle, il faudrait donc la vendre ; mais entre-temps, quelqu'un devait y habiter pour s'en occuper. Or, elle préférait ne pas fréquenter Martin, il la terrorisait.

Enfin, pour quel emploi allait-elle postuler ? Elle n'avait aucune qualification... Déprimée, elle pensait que son frère avait raison : elle n'était qu'un parasite.

Martin revint pour l'enterrement. À peine celui-ci était-il terminé qu'il lut à sa sœur le contenu du testament. À voix haute, pour l'humilier.

— « À ma fille, Susan, je laisse la somme de deux mille livres et mon revolver, commença-t-il en lui adressant un sourire narquois. À mon fils bien-aimé, Martin, poursuivit-il en élevant encore la voix, je lègue le reste de mes biens : “Les Corbeaux”, la maison familiale, avec tout son contenu, mes économies, mes valeurs mobilières et mes titres. J'espère que d'une certaine manière, ce testament compensera notre absence à ses côtés. Nous l'aimions profondément et étions très fiers de sa réussite. »

En revivant cette scène, Susan sentit son estomac se contracter. Si son père avait laissé ses biens à une œuvre de bienfaisance, elle s'en serait moquée. Mais pourquoi n'y avait-il pas de « bien-aimée » devant son nom ? Et pas même un mot de remerciement pour avoir pris soin de sa mère pendant seize longues années ! Elle était traitée comme une domestique, qu'on congédie quand on n'a plus besoin de ses services.

Ce fut le commencement de la fin car, ce jour-là, Martin déclencha en elle une violence qui allait la transformer à jamais.

Susan enfonça le visage dans son oreiller. De nombreuses années s'étaient écoulées, mais ce souvenir la mettait toujours en colère. Que se serait-il passé si elle avait encore été en contact avec Beth ? Celle-ci n'aurait pas laissé Martin la spolier.

Quel choc de la retrouver dans des circonstances aussi pénibles ! Mais elle avait été heureuse de la revoir...

Se détendant, Susan esquissa un sourire. Beth avait toujours su se débrouiller. Elle ne se contentait pas d'avoir des idées, elle les mettait en pratique.

C'était elle qui avait trouvé la solution, pour l'achat de son premier soutien-gorge. Quand Susan eut treize ans, elle porta des robes d'été légères, parce qu'il s'était mis à faire très chaud, et sa mère remarqua que sa poitrine avait beaucoup poussé. Elle lui ordonna de se rendre à la lingerie de Stratford pour acheter un soutien-gorge.

Susan essaya de le faire à deux reprises ; mais chaque fois qu'elle voyait la femme à la mine sévère qui tenait la boutique, elle avait peur et abandonnait à la dernière minute. Sa mère, qui n'avait pas le temps de l'accompagner, était furieuse.

Puis Beth arriva pour l'été. Elle remarqua immédiatement la poitrine de Susan – qu'elle lui envia, car, pour sa part, elle était encore plate comme une limande. Susan lui confia alors son embarras.

— Oublie cette vieille fille frustrée, déclara Beth avec

assurance. Je vais prendre tes mesures. J'ai vu ma sœur le faire. Puis nous irons en choisir un chez Marks and Spencer. Tu l'essaieras dans les toilettes, et s'il ne te va pas nous le rapporterons et l'échangerons.

Beth jeta son dévolu sur un joli soutien-gorge en dentelle et en surveilla l'essayage dans les toilettes publiques. Heureusement, il était à la bonne taille. Quand Susan se fut rhabillée, les compliments de Beth l'enchantèrent.

— Mince alors ! Avant tu étais potelée, maintenant tu ressembles à une pin-up. Tu en as de la chance !

Cet été-là, grâce à elle, Susan s'enhardit. Beth lui montra comment faire le poirier, lui apprit à fumer et à se vernir les ongles. Sa sœur lui avait donné une petite trousse de maquillage ; en raison de leur jeune âge, elles ne pouvaient en mettre pour sortir, mais Beth soutenait qu'elles devaient commencer à s'y exercer. Elles transformèrent leur cabane en salon de beauté où elles se maquillaient à tour de rôle.

Julie ronflait. D'habitude, cela agaçait Susan ; mais ce soir-là ses ronflements la réconfortèrent comme lorsque Beth et elle lisaient un livre ensemble, allongées dans un champ.

Elle avait eu raison de ne pas prendre Beth pour avocate, car elle n'avait aucune chance de gagner ce procès. Par ailleurs, Susan ne voulait pas que son amie fouille dans son passé. Mais elle était touchée que Beth se soucie encore d'elle. Elle n'en méritait pas tant.

7

— Vous voulez vraiment que je prenne la relève ? demanda Steven Smythe, ses yeux bleu foncé écarquillés sous l'effet de la surprise. Vous en êtes sûre ?

Beth s'énerva. Elle avait déjà trouvé pénible de convoquer Steven dans son bureau pour lui révéler sa situation fâcheuse car il n'était pas du genre à se satisfaire d'un simple exposé des faits. Il l'avait effectivement bombardée de questions qu'elle jugeait hors de propos. De plus, comme d'habitude, il était très négligé. Sa cravate était tachée, sa chemise, mal repassée, et ses cheveux blonds n'avaient pas vu un peigne depuis des semaines, sans parler d'une paire de ciseaux. Un avocat qui se laissait ainsi aller pouvait-il s'occuper d'une affaire de cette gravité ?

— J'en suis certaine et je viens de vous en donner les raisons. Susan a peur que notre amitié d'enfance ne cause des problèmes.

— J'ai très bien compris, répondit-il sèchement. Mais pourquoi moi ? Pourquoi pas Brendan ou Jack ? Ils ont une plus grande expérience des procès pour homicide.

Brendan et Jack étaient les associés principaux du cabinet. Mieux valait lui dire la vérité, songea Beth.

— Parce qu'ils ne me permettraient pas de suivre cette affaire, même de loin, avoua-t-elle. Écoutez, je me soucie de

Susan. Je ferai le maximum pour lui éviter la condamnation à perpétuité.

— Et si je refuse que vous fourriez votre nez dans ce dossier ?

Elle était sur le point de l'envoyer paître lorsqu'elle comprit qu'il la taquinait. Ses yeux pétillaient de malice. Leur collaboration pouvait marcher ; après tout, ils avaient peut-être quelque chose en commun.

— Impossible : vous avez besoin de mon aide, c'est la première fois que vous vous occuperez d'une affaire de meurtre.

— Vous êtes très belle quand vous souriez.

— Ne commencez pas à me lécher les bottes, répliqua-t-elle. À présent, je vais vous mettre au courant de ce qu'elle m'a raconté.

— Voilà, déclara Beth une demi-heure plus tard. Qu'est-ce que vous en pensez ?

— À mon avis, nous avons de quoi faire valoir la responsabilité atténuée – si, bien sûr, nous arrivons à la persuader de ne pas plaider coupable. Mais nous devons savoir qui est le père du bébé, et ce qu'elle a fait pendant les dix-huit mois où elle s'est absentée de Bristol. Croyez-vous qu'elle soit allée le retrouver ?

— Allez le lui demander, grommela Beth en haussant les épaules.

— J'irai la voir demain après-midi ; dans la matinée, je suis au tribunal. Dois-je lui dire que vous tenez aussi à la voir ?

— Oui, mais faites preuve de tact. Sondez-la, et voyez si elle désire toujours m'avoir pour amie.

— Je suis très diplomate, assura Steven avec un large sourire. J'ai, paraît-il, tellement de tact que j'en deviens inefficace.

— Si vous parvenez à soutirer des informations à Susan, j'étoufferai cette rumeur… J'apprécie énormément que vous vous montriez aussi compréhensif, je m'attendais que vous refusiez. Merci.

— C'est bon de découvrir qu'un cœur bat sous ces vêtements de créateur. Je commençais à en douter, lança-t-il en sortant.

Beth entreprit de consulter les dossiers de ses clients mais elle n'arrivait pas à se concentrer. Alors, elle mit les coudes sur son bureau et posa la tête entre ses mains en réfléchissant à la dernière remarque de Steven. Bon, elle s'en fichait un peu. Mais il n'était pas le seul à avoir cette opinion d'elle.

Pourquoi les gens la percevaient-ils de cette façon ? À cause de son comportement réservé ? Avait-elle hérité cette froideur de son père ? Il était un monstre d'insensibilité.

« Sans doute », murmura-t-elle en prenant les notes qu'elle avait griffonnées à la hâte sur Susan pour les communiquer à son collègue. Elle les parcourut afin de s'assurer qu'elle n'avait rien omis.

Une des questions de Steven lui revint à l'esprit :

« Pourquoi passiez-vous vos vacances à Stratford-upon-Avon ? Le bord de mer dans le Sussex aurait été bien plus agréable, au mois d'août. »

Elle lui avait répondu brièvement qu'elle allait à Stratford avec sa mère pour voir sa tante Rose. Mais, en repensant à la véritable raison de leur séjour, elle se sentit soudain très mal à l'aise et se souvint que c'était la première fois qu'on l'avait accusée d'être sans cœur.

Beth agrippa les accoudoirs de son fauteuil en se revoyant à dix ans, vêtue d'une robe rose trop grande pour elle, debout près du lit de sa mère tandis que cette dernière balançait des vêtements dans une valise

— Tu n'as pas de cœur, comme ton père ! criait Alice en sanglotant. Tu ne penses qu'à toi.

Par la fenêtre de la chambre, Beth voyait la grassouillette et joviale tante Rose discuter avec oncle Eddie, il fumait une cigarette, appuyé contre la balustrade. Leur voiture, une Rover verte 90, la joie et la fierté de son propriétaire, étincelait comme d'habitude. Ils étaient venus les chercher pour les emmener à Stratford-upon-Avon à la demande de Beth.

— Je ne les ai pas appelés pour moi, répliqua Beth en se mettant à pleurer. Je l'ai fait pour que papa arrête de te battre.

Sa mère avait les yeux au beurre noir et dès qu'elle bougeait, elle grimaçait de douleur car ses côtes la faisaient terriblement souffrir.

Une semaine auparavant, les grandes vacances avaient commencé. Beth était sortie jouer avec une amie ; quand elle était rentrée chez elle pour goûter, elle avait trouvé sa mère étendue sur le carrelage de la cuisine.

À sa bouche en sang, Beth comprit que son père l'avait de nouveau frappée. Cette fois, il n'y était pas allé de main morte ; jusque-là, sa mère était plus ou moins parvenue à cacher la marque des coups.

Le sang la terrorisa. Mais Robert, son grand frère âgé de quinze ans, travaillait dans une ferme éloignée pour tout l'été. Elle devait affronter la situation seule.

— Tu m'entends, maman ? s'enquit-elle en s'agenouillant près de sa mère.

À son grand soulagement, celle-ci ouvrit les yeux.

— Aide-moi, articula-t-elle d'une voix rauque. J'ai dû tomber.

Elle mit un temps fou à se relever. Ensuite, elle posa sa main sur le côté en grimaçant de douleur. Beth la soutint pour la conduire dans le salon, où elle l'allongea sur le canapé ; puis elle apporta une cuvette remplie d'eau et un gant pour lui laver le visage.

— C'est moins grave que ça n'en a l'air, affirma sa mère. Je suis restée par terre parce que j'avais la tête qui tournait.

Beth avait l'habitude de ses mensonges. Comme Serena, sa sœur aînée qui était à l'université, le lui avait expliqué, leur mère refusait d'en parler à quiconque. Mais, lors de son dernier passage, devant l'œil au beurre noir de leur mère, Serena, folle de rage, avait insisté pour qu'elle quitte leur père. Et Robert s'était mis de la partie en déclarant qu'ils trouveraient un appartement à Hastings pour la loger.

Beth était trop jeune pour comprendre la complexité des relations entre adultes ; cependant, si elle savait qu'elle ne permettrait jamais à personne de porter la main sur elle, l'idée que son père n'allait pas tarder à rentrer la terrorisait.

— Et si on s'enfuyait ? chuchota-t-elle à sa mère. Je ferais les valises...

— Ne sois pas stupide, Beth, répondit-elle faiblement. Je peux à peine marcher. De plus, où irions-nous ?

— Chez tante Rose, suggéra Beth sans hésiter.

C'était la sœur de sa mère, et, aux yeux de Beth, la personne la plus joyeuse et la plus gentille du monde. N'ayant pas d'enfant, trois fois par an, elle partait avec son mari en caravane. Ils s'arrêtaient en chemin pour voir la famille d'Alice et Rose avait souvent proposé d'accueillir les enfants à Stratford pour les vacances. C'était l'occasion ou jamais.

— Je ne veux pas que Rose me voie dans cet état, déclara sa mère en tapotant son visage tuméfié avec le gant imbibé d'eau. Elle en voudra à ton père.

— Alors, c'est lui, hein ? Il est méchant et cruel, je le déteste !

— Ne dis pas des choses pareilles ! s'exclama sa mère, horrifiée. C'est ton père.

Beth haussa les épaules, enveloppa sa mère dans une couverture et alla préparer du thé.

Pendant que l'eau chauffait, elle se rendit dans la cour des écuries et s'assit sur un banc pour réfléchir à ce qu'elle devait faire. La vieille Humber rouillée de son père n'était pas là. Il était sans doute à Hastings et ne rentrerait que tard dans la soirée.

Ses parents et sa vie de famille étaient une énigme pour Beth. Du bout de l'allée de gravier, leur propriété, « Les Hêtres pourpres », avait fière allure, surtout l'été, quand les frondaisons se rencontraient pour former une voûte. Les marches majestueuses de son perron qui conduisait à la grande porte d'entrée cloutée, ses hautes fenêtres cintrées, ses cheminées, son écurie d'un côté et son jardin d'hiver de l'autre donnaient une impression d'opulence.

Mais lorsqu'on arrivait au milieu de l'allée on se rendait compte qu'il n'en était rien. Le stuc tombait, les châssis des fenêtres s'effritaient, et il manquait de nombreuses vitres à la verrière du jardin d'hiver. Des mauvaises herbes poussaient entre les pavés de la cour de l'écurie et son toit s'affaissait. La mère de Beth se démenait pour tondre la pelouse et entretenir les parterres de fleurs ; mais comme elle le disait souvent à ses enfants, la maison avait été construite pour être entretenue par une armée de domestiques et elle était complètement dépassée.

À l'école, si les amies de Beth vivaient dans des maisons modestes, elles portaient des vêtements de meilleure qualité et avaient plus de jouets. Et leurs maisons avaient beau sembler minuscules comparées à la sienne, au moins, elles étaient belles. « Les Hêtres pourpres » sentaient l'humidité et la moisissure ; et tout, des meubles à la literie en passant par les tapis, était usé jusqu'à la corde.

Dans les familles que Beth connaissait, les pères travaillaient. Le sien se contentait de mener sa petite vie tranquille : il bricolait sa voiture ou lisait dans la bibliothèque en négligeant sa propriété, et le soir il se rendait au pub. De plus, Beth était persuadée que personne dans sa classe n'avait de père qui battait sa mère.

Le sien répétait sans cesse : « J'ai une position à tenir. » Il voulait dire par là qu'il ne pouvait pas travailler, mais Beth ne comprenait pas ce que cela signifiait. Un jour, elle avait demandé à son frère Robert de le lui expliquer, mais il avait éclaté de rire en déclarant : « Sa position est la risée du village. » Ce qui n'avait pas davantage éclairé sa lanterne.

En revanche, Serena s'était montrée très claire. « Notre père est terriblement snob et c'est un parasite. Un parasite est un être qui vit aux crochets des autres. Comme une puce. Papa vit des loyers de ses locataires. Il est trop paresseux pour gagner sa vie. »

Si seulement elle avait pu consulter Robert ou Serena ! Mais avec son emploi à la ferme, Robert ne passait que de temps à autre ; quant à Serena, elle travaillait dans un restaurant pendant l'été. Du coup, appeler tante Rose sembla vraiment à Beth la meilleure solution.

Elle regagna la maison, fit le thé, chercha de la monnaie et le numéro de téléphone de sa tante. Quand elle pensa pouvoir laisser sa mère seule, elle se rendit à bicyclette à la cabine téléphonique du village.

Dès que Beth eut terminé son récit, tante Rose lui assura qu'elle viendrait les chercher d'ici quarante-huit heures. « Ne lui dis pas que tu m'as appelée, ajouta-t-elle. Je ne veux pas lui laisser le temps de trouver des excuses ou donner à ton père la possibilité de l'empêcher de partir. Rentre à la maison et prends soin d'elle jusqu'à notre arrivée. »

Beth lui obéit et, deux jours plus tard, Rose et Eddie débarquèrent comme convenu. Beth ne parvenait pas à comprendre pourquoi sa mère lui avait reproché d'être sans cœur. Elle l'aurait été si elle n'avait pas réagi, non ?

En sortant de sa rêverie, Beth fut troublée de constater qu'après autant d'années cet incident la blessait toujours autant. Sa mère aurait dû la féliciter pour son sang-froid. Une enfant plus émotive aurait couru pleurer chez un voisin et tout le monde aurait alors su que Monty Powell était une brute. Mais, vu la façon dont sa mère s'accrochait à son mari en dépit des mauvais traitements qu'il infligeait à sa famille, elle n'était manifestement pas une personne sensée.

Beth ne croyait pas que le caractère puisse se transmettre génétiquement. Son frère et sa sœur avaient plus contribué à son éducation que ses parents. La faiblesse de sa mère depuis son enfance lui avait enseigné que la résignation stoïque n'apportait que du chagrin, et la paresse de son père avait fait naître en elle une véritable éthique du travail. Ses parents représentaient tout ce qu'elle ne voulait pas être.

Avec un soupir, Beth se mit à feuilleter les dossiers étalés sur son bureau sans vraiment les lire. Si seulement sa mère avait écouté tante Rose et entamé une procédure de divorce ! Mais elle avait peur de laisser Robert seul avec son mari ; peut-être pensait-elle aussi qu'il valait mieux un père violent, snob et paresseux que pas de père du tout.

Quoi qu'il en soit, Beth ayant rencontré les Wright au moment même où elle découvrait le dysfonctionnement du couple de ses parents, ils avaient symbolisé pour elle l'harmonie familiale.

Leur maison, « Les Corbeaux », dissimulée par d'épais buissons et de grands arbres, avait un côté mystérieux. Susan avait raconté à Beth que les corbeaux avaient disparu parce que son père, ne supportant plus leurs cris, les avait tous tués.

Ce premier été, Susan l'avait fait rentrer chez elle pour prendre un pique-nique, et Beth avait trouvé la maison merveilleuse : les beaux meubles anciens sentaient la cire, des boiseries ornaient l'entrée, l'escalier était sculpté. Un grand fourneau trônait dans la cuisine, et la mère de Susan, ronde et joviale, sortait du four des gâteaux qu'elle leur permit de manger encore chauds. Le jardin, immense et bien entretenu, enchanta Beth : il était plein d'arbres fruitiers différents ; la pelouse, bordée de parterres de fleurs magnifiques, descendait jusqu'à la rivière, et dans une partie restée sauvage se dressait un cabanon près d'une petite mare.

Beth ne rencontra pas la grand-mère de Susan, qui faisait la sieste, mais elle fit un tour dans la jolie chambre de son amie et s'extasia sur sa collection de poupées, toutes vêtues de robes exquises confectionnées par sa mère. L'atmosphère générale était chaleureuse : il n'y avait ici ni meubles branlants ni peintures affreuses. Et le père de Susan travaillait dans un bureau. Si Beth ne le croisa jamais, elle vit ce jour-là une photo de lui : il était beau, souriant, et elle sut qu'il n'avait jamais battu sa femme ou ses enfants.

Les années suivantes, Susan ne l'emmena plus chez elle mais Beth ne s'en étonna pas car elle non plus n'invitait pas d'amie à la maison, et elles avaient de quoi s'occuper ailleurs. S'il faisait beau, elles se promenaient à bicyclette ; s'il pleuvait, elles flânaient dans les magasins de Stratford ou allaient au cinéma. En y réfléchissant, Beth se rappela avoir entendu à plusieurs reprises Susan mentionner que sa grand-mère leur donnait beaucoup de souci : elle cassait des objets et sentait mauvais.

Beth présuma que la vieille dame avait souffert de la maladie d'Alzheimer ; elle était incontinente, et Mme Wright avait dû s'épuiser à s'en occuper toute la journée. Cependant, à l'époque, Beth ignorait tout de cette maladie. Si Susan avait estimé lui en avoir assez raconté pour qu'elle comprenne la situation, elle avait dû la trouver très indifférente, car Beth ne lui avait jamais témoigné sa sympathie.

Il en avait été de même quand Mme Wright avait eu son attaque : Susan lui avait écrit que sa mère était en partie paralysée, et son élocution difficile, mais elle n'était pas entrée dans les détails. De plus, au début, Susan semblait très heureuse de veiller sur sa mère ; dans une lettre, elle avait même dit en plaisantant que c'était un bon moyen d'échapper au travail.

Dans l'imagination de Beth, Mme Wright restait la femme replète et souriante qu'elle avait rencontrée. La seule différence à ses yeux, c'était qu'elle indiquait à Susan comment confectionner les gâteaux et préparer le dîner depuis un fauteuil roulant. Comme la vie familiale de Beth était horrible, elle avait même envié son amie. Elle la voyait assise au coin du feu dans un silence complice avec sa mère, les après-midi pluvieux ; ou la promenant dans son fauteuil, les jours de beau temps.

Si elle avait lu entre les lignes, elle aurait compris que Susan ignorait tout de la musique rock, des parutions littéraires et des derniers films parce qu'elle n'avait pas le temps ni l'occasion de s'y intéresser. Lorsque Susan s'excusait de la brièveté et de l'inconsistance de ses missives, Beth aurait dû se rendre compte que son amie, épuisée, n'avait rien de drôle à lui raconter parce qu'elle vivait en vase clos.

Mais Beth était alors en terminale et elle se débattait avec ses propres problèmes. Dans ses lettres, Susan lui conseillait vivement de ne pas abandonner son rêve de devenir avocate, et lui rappelait qu'elle possédait l'intelligence nécessaire pour réussir ses examens et faire des étincelles. Sans ses encouragements, Beth aurait fort bien pu arrêter l'école où elle se sentait comme une paria, quitter la maison qu'elle détestait et trouver un boulot sans perspectives d'avenir.

« Tu lui dois beaucoup », marmonna-t-elle entre ses dents, et elle eut honte d'avoir laissé tomber Susan quand elle était entrée à l'université.

Mais à cette époque, se couper des personnes qui avaient connu l'ancienne Beth avait été la seule façon pour elle de se reconstruire. Quand elle avait reçu son premier chèque de boursière, elle en avait dépensé une grande partie en vêtements : un long manteau en velours rouge, des cuissardes noires et un chapeau impressionnant, noir lui aussi. Il fallait qu'elle fasse sensation afin de chasser pour toujours le souvenir des vieux vêtements trop grands, des railleries de son entourage et de la pitié des voisins. Dans cette tenue, elle n'avait pas besoin que Susan lui vante son intelligence : elle en était convaincue. Personne n'oserait humilier une fille habillée de la sorte.

Avec le recul, Beth comprit que si on l'avait respectée, ce n'était pas à cause de ses tenues vestimentaires, mais de la cuirasse qu'elle s'était forgée. Et aussi qu'en se protégeant au maximum, elle avait fermé la porte à de nombreuses opportunités.

8

Steven Smythe fut très surpris lorsqu'il rencontra Susan Fellows pour la première fois.

Comme le bruit courait qu'elle était alcoolique, il s'était attendu à voir une femme grossière, aux cheveux en bataille et avec de mauvaises dents. En fait, son allure était très ordinaire. Il l'aurait bien vue travailler dans une pâtisserie ou un supermarché.

À l'opposé de Beth, elle était petite, boulotte et nerveuse. Au début, elle lui sembla avoir l'esprit un peu lent, et il eut du mal à imaginer l'implacable Beth Powell liée d'amitié avec elle.

Mais à peine se remettait-il de sa surprise que Susan lui en fit une autre. Elle lui expliqua longuement pourquoi elle n'avait pas voulu prendre Beth pour avocate, et ajouta qu'elle s'inquiétait beaucoup car elle craignait de l'avoir blessée en la révoquant. Steven fut stupéfié qu'une personne accusée d'un double meurtre montre une aussi grande attention aux autres.

— Ne vous inquiétez pas, vous ne l'avez pas peinée, répondit-il. Elle comprend vos raisons et c'est pourquoi elle m'envoie à sa place. Mais elle espère que vous accepterez de la voir en tant qu'amie.

Susan parut bouleversée : sa lèvre inférieure trembla et ses yeux se remplirent de larmes. Dans le rapport de police,

Steven avait lu qu'elle n'avait montré aucune émotion lors de son arrestation, il y avait donc un progrès. À moins que Beth ne représente bien plus pour elle qu'au dire de l'avocate.

— Est-ce autorisé ? demanda-t-elle.

— Nous appartenons au même cabinet d'avocats. Les gardiennes penseront que nous travaillons tous les deux sur votre affaire, déclara-t-il en souriant. Beth se fait beaucoup de souci pour vous. Elle désire vous aider. Nous espérons que vous consentirez à plaider selon nos vues.

— Je ne peux plaider que coupable : j'ai reconnu avoir commis les meurtres et il y a des témoins. Les dés sont jetés, non ? lança Susan avec une pointe de regret.

Steven perçut aussitôt cette nuance et s'en réjouit. En général, les meurtriers pensaient mériter un châtiment exemplaire ; mais, après deux semaines en prison, ils changeaient d'avis et désiraient revoir leur chef d'inculpation.

L'avocat sentit qu'il avait affaire à une femme fondamentalement honnête, il le lisait sur son visage. Beth lui avait raconté dans quelle chambre affreuse Susan avait vécu, et il fut convaincu qu'elle avait traversé l'enfer depuis la mort de sa fille. Il lui fallait découvrir quelle sorte d'enfer.

— Dans le domaine juridique, rien n'est immuable, affirma-t-il. Il y a toujours une lacune quelque part, mais pour la trouver je dois tout savoir à votre sujet. Et si, aujourd'hui, nous parlions de choses et d'autre ? J'aimerais vous connaître aussi bien que Beth.

Susan redressa brusquement la tête.

— Elle ne me connaît pas du tout. Nous avions quinze ans lors de notre dernière rencontre à Stratford. Ensuite, nous n'avons échangé qu'une quinzaine de lettres.

— Pourquoi avez-vous cessé de vous écrire ? Vous vous êtes lassées l'une de l'autre ? Que s'est-il passé ?

— Beth est entrée à l'université et je suis restée coincée

à la maison à prendre soin de ma mère, répondit Susan en haussant les épaules comme si cette explication suffisait.

Elle marqua une pause, et précisa :

— Je ne lui en ai pas voulu. J'ai été une piètre correspondante les deux dernières années.

Steven avait toujours eu un bon contact avec ses clients. Certains lui avaient confié qu'ils n'avaient pas l'impression d'être interrogés, mais de bavarder avec lui. Il espérait qu'il en serait de même pour Susan.

— Parce que vous ne pouviez lui parler que de ménage et de cuisine ?

Elle acquiesça avant de se lancer dans la description de ses journées. Il n'y avait aucune aigreur dans sa voix, tandis qu'elle expliquait que sa mère avait constamment besoin d'aide pour s'habiller, aller aux toilettes et se déplacer dans son fauteuil roulant. C'était épuisant, d'autant qu'elle s'occupait également de la maison.

— J'avais de la chance si je me couchais à minuit, conclut-elle. Elle m'appelait aussi souvent pendant la nuit. J'avais du mal à trouver du temps pour écrire à Beth, encore plus à me creuser la cervelle pour inventer des choses intéressantes à lui raconter.

— Et vous étiez si jeune, souligna Steven avec bienveillance. Parfois, vous deviez ressentir de l'amertume… Les gens de votre âge ont vécu à fond les années 60 : ils faisaient la fête, militaient pour la paix, portaient des vêtements excentriques et écoutaient de la musique rock pendant que vous remplissiez le rôle de mère pour votre mère. Combien de temps vous en êtes-vous occupée ?

— Dix-huit ans, lâcha Susan avec un soupir. Je n'étais pas amère. Je l'aimais et je voulais en prendre soin. Mais à certains moments, je trouvais ma situation injuste… Un jour, j'étais dans le jardin, au bord de la rivière, poursuivit-elle en esquissant un sourire, et j'ai vu ma vie comme cette eau : elle s'écoulait avec moi qui la regardais, coincée sur ses berges. Ça m'a rendue très triste. Une autre fois, j'ai raccourci une jupe pour ressembler aux filles qui s'habillaient en mini. Mon père m'a ordonné de la rallonger. Il a ajouté que c'était déplacé pour une personne qui s'occupait d'une infirme. J'ai dû être la seule fille à l'époque à avoir des jupes jusqu'aux genoux.

— Il était souvent comme ça ?

— Oh oui, répondit-elle en soupirant à nouveau. Je crois qu'il avait cessé de me voir comme sa fille ou même comme une personne – j'étais juste celle qui veillait sur lui et sa femme.

Steven l'incita à poursuivre, et elle lui raconta qu'au fil des ans son père était rentré de plus en plus tard, qu'elle n'avait jamais eu ses dimanches libres comme convenu, et qu'elle avait fini par se trouver complètement coupée du monde. Steven l'écoutait avec consternation, car il ne doutait pas une seconde qu'elle lui disait la vérité. Il la soupçonnait même de minimiser le caractère sinistre de la situation par loyauté envers sa mère.

— Je n'aurais pas supporté qu'elle soit dans une maison de santé, expliqua-t-elle. Mais j'ai commencé à en vouloir à mon père, parce qu'il refusait d'engager quelqu'un pour me soulager. Il soutenait qu'il n'en avait pas les moyens mais il mentait, et c'était dur de découvrir son manque de générosité. Il ne semblait pas s'inquiéter non plus que je vive en vase clos. En fait, la télévision, mon seul lien avec le monde extérieur, me mettait au supplice en me montrant tout ce que je ratais.

Steven se rappela ses années d'étudiant, quand il se prélassait sur le sol de l'appartement qu'il avait en colocation, une bouteille de bière dans une main, un joint dans l'autre, et qu'il essayait de déterminer avec ses amis quelle était la plus belle fille de l'amphi.

Il imagina Susan en adolescente potelée, avec les cheveux raides et une frange. Ce n'était pas une beauté mais une fille saine et chaleureuse. Le genre de copine à laquelle on recourt lorsqu'on a envie d'un bon dîner, d'une chemise repassée ou d'être materné.

— Quel groupe aimiez-vous ? demanda-t-il.

— Les Beatles, bien sûr, répondit-elle en pouffant, ce qui la rajeunit soudain énormément. J'adorais David Bowie, aussi. Je l'aimais parce que mon père disait que c'était une tapette.

— J'ai tenté de lui ressembler, lui confia Steven en riant. J'avais les cheveux longs et je les ai teints en noir. Quand mon père a découvert qu'en plus il m'arrivait de me maquiller il a piqué une crise.

Susan rit pour la première fois. Son rire était charmant, très juvénile.

— Je n'arrive pas à vous imaginer habillé comme lui, vous êtes trop grand et fort.

— Ce n'était pas une réussite – et je n'attirais pas les filles, accoutré de la sorte. Mais dites-moi, Susan, qui admiriez-vous ? Je ne parle pas des stars de la pop, mais d'une femme par exemple.

— Vanessa Redgrave, déclara-t-elle sans hésiter. Elle était ravissante, elle ne mâchait pas ses mots dans les meetings contre la guerre du Vietnam. Et quelle actrice !

— Que pensiez-vous de celles qui prônaient la libération de la femme ?

— Ça me dépassait, avoua-t-elle en riant. Je ne connaissais rien aux hommes, et dans l'éducation que j'ai reçue les femmes étaient à leur service. Même si j'avais eu un travail, je n'aurais pas été du genre libéré. J'ai toujours voulu être une épouse et une mère.

— Si vous en aviez eu la possibilité, quel métier auriez-vous exercé ?

— Mon choix était très limité, vu que je ne possédais aucune qualification. Mais j'aurais aimé être jardinier.

— Vraiment ?

— Sans le jardin, je crois que je serais devenue folle. L'entretenir, voir les plantes pousser, c'est très apaisant. Peut-être que si j'avais trouvé un endroit avec un jardin au lieu de cette chambre sordide, je n'en serais pas là.

Steven exulta intérieurement. Était-il sur le point de découvrir les motifs de sa conduite ?

— Pourquoi donc ? demanda-t-il d'un ton faussement désinvolte.

— J'aurais pu me concentrer sur quelque chose. Ce meublé était sinistre, il fallait que je sorte. J'ai fini par aller m'asseoir régulièrement sur cette petite place, en face du centre médical. J'observais le docteur et la réceptionniste. Ils m'obsédaient.

Steven ne pensait plus qu'elle avait l'esprit lent. Si, par moments, son regard semblait vide, c'était qu'elle se repliait sur elle-même.

— Où avez-vous vécu juste avant ?

Elle grimaça.

— Cela vous rappelle de mauvais souvenirs ? insista-t-il doucement en lui prenant la main. J'ai deux enfants, Susan, j'imagine sans peine quel enfer c'est d'en perdre un.

— Tout le monde dit ça, rétorqua-t-elle d'un ton sec. Mais on doit le vivre pour le comprendre. Vous marchez et vous respirez, seulement c'est comme si vous étiez mort, vous aussi, frappé en plein cœur. Il n'y a plus jamais de soleil, le plus beau paysage vous laisse de marbre, plus rien ne vous touche.

Quand il consulta sa montre, Steven fut consterné : le temps qui leur était imparti tirait à sa fin. Il avait couvert pas mal de terrain sur la vie familiale de Susan et il aurait voulu poursuivre, car elle commençait à s'épancher. Toutefois, il avait un autre rendez-vous au bureau une demi-heure plus tard.

— Nous avons encore de nombreux sujets à aborder, malheureusement nous n'en avons plus le temps aujourd'hui. Je reviendrai en fin de semaine. J'aimerais que vous me parliez du père d'Annabel et de l'endroit où vous vous êtes réfugiée après le décès de votre fille.

— Vous êtes très exigeant, répliqua-t-elle en lui lançant un regard glacial. Je ne sais pas si je pourrai.

— Ma mère conseillait de raconter ses soucis pour s'en libérer. Elle n'avait pas tort.

— La mienne répétait toujours : « Moins on en dit, mieux on se porte. » À mon avis, c'est très juste.

— Ce dicton est valable lorsqu'on s'exprime sous le coup de la colère, fit-il remarquer. Ce que je veux dire est très différent. Réfléchissez-y, Susan ; essayez peut-être d'écrire une partie de votre histoire. Je vous reverrai vendredi.

— Est-ce que Beth est bavarde ? s'enquit-elle de façon inattendue alors qu'il se levait pour partir.

— Absolument pas. Nous travaillons dans le même cabinet depuis un an et j'ignore tout d'elle. Était-elle bavarde quand vous la connaissiez ?

— Elle ne parlait pas beaucoup de sa famille, mais sinon elle était très expansive.

— Pourquoi me posez-vous cette question ?

— Je ne sais pas vraiment, avoua-t-elle en rougissant. J'ai toujours pensé que Beth serait une femme gaie, dynamique et pleine d'entrain. Je l'ai pourtant trouvée plutôt triste. Elle n'est pas mariée. Est-elle divorcée ?

— Je ne crois pas. Si j'en apprends plus, je vous tiendrai au courant : mais cela doit rester un secret entre nous, ajouta Steven en lui adressant un clin d'œil.

Susan éclata de rire.

— D'accord, monsieur Smythe. Et remerciez Beth de ma part pour vous avoir envoyé.

Sur le chemin du retour, la dernière remarque de Susan sur Beth trottait dans la tête de Steven. C'était un peu risible de prendre en compte un jugement émis par une personne qui l'avait connue trente ans auparavant, mais Susan lui apparaissait de plus en plus comme une femme intelligente et astucieuse.

Beth avait intrigué Steven dès son arrivée. La première fois qu'il l'avait vue dans son bureau, elle lui tournait le dos, penchée au-dessus d'un carton de livres. Elle portait un tailleur prune, dont la longue jupe était fendue derrière. Il avait réfréné son envie de la siffler, car avec ses cheveux bouclés cascadant sur ses épaules et ses jambes galbées, gainées de bas noirs, elle était très sexy.

Il s'était présenté et avait proposé de l'aider. Elle s'était redressée, l'avait toisé, et avait déclaré qu'elle préférait le faire seule pour savoir où chaque volume serait rangé. « Spectaculaire », voilà le mot qui résumait l'effet qu'elle produisait. Avec ses talons hauts, elle était aussi grande que lui. Sa crinière de cheveux noirs encadrait un visage au teint très pâle. Elle n'était pas belle, mais fascinante, à la façon d'une star du muet.

Steve avait tout de suite mis les pieds dans le plat en la bombardant de questions : d'où venait-elle ? pourquoi avait-elle choisi de travailler à Bristol ? dans quel quartier avait-elle emménagé ? Il aurait mieux valu qu'il se contente de lui offrir un café et de disparaître. Ses amis, qui le taquinaient souvent à ce sujet, le décrivaient comme un chiot tout excité, prêt à en faire des tonnes pour susciter l'affection.

La réaction de Beth fut très claire : « J'apprécie l'intérêt que vous me portez, mais je suis très secrète. Je serai ravie de discuter avec vous de nos clients et de questions juridiques, simplement, nos rapports en resteront là. » Le tout sur un ton glacial.

Par la suite, elle ne dérogea pas à cette règle. Froide et snob, elle ne bavardait avec personne au bureau, n'avait aucun sens de l'humour, et ne se montrait enthousiaste que lorsqu'ils parlaient d'une affaire. Néanmoins, son élégance et ses vêtements souvent sexy donnaient à penser qu'une autre facette de sa personnalité attendait l'occasion de se manifester.

L'année précédente, à la fête de Noël du cabinet, Steven avait entrevu une personne plus chaleureuse. Beth avait acheté des cadeaux pour chacune des secrétaires – et pas les habituels chocolats ou bouteilles d'alcool, non : elle les avait soigneusement choisis et ne s'était pas moquée d'elles. Elle avait aussi apporté pour la réception de délicieux canapés, confectionnés de ses blanches mains. Pour la première fois, elle se détendit et but comme un trou. Steven sentit aussi qu'elle n'avait pas envie de rentrer chez elle.

Quatre jours plus tard, quand elle revint travailler avec son bras dans le plâtre, Steven fut convaincu qu'elle avait passé ses vacances seule et qu'elle en avait bavé. Sa curiosité redoubla, et il se mit à l'étudier de plus près. Dévouée, impartiale et franche, elle excellait dans son travail. Elle ne racontait jamais rien sur elle, mais elle attirait les confidences. Steven se surprit souvent à lui raconter des choses qu'il n'aurait jamais pensé divulguer.

En fait, elle n'était pas snob. Elle ne traitait pas ses subalternes avec condescendance, et semblait plus à l'aise avec les femmes de ménage et les délinquants de banlieue qu'avec ses confrères. Elle se montrait aussi très patiente et attentionnée avec les jeunes recrues, prenant la peine de leur expliquer les dossiers, ce qu'aucun de ses collègues ne faisait. Steven comprit alors que Beth cultivait son attitude hautaine pour tenir à distance des personnes qui, comme lui, voulaient en savoir plus sur elle.

Cette découverte la lui avait rendue encore plus intrigante, constata-t-il en souriant intérieurement. Mais il ferait mieux de se concentrer sur sa cliente, au lieu de laisser ses pensées vagabonder sur l'énigme que représentait

Beth. De même que dans sa vie privée, il devait régler le problème d'Anna, sa femme.

Si Steven se présentait comme un homme heureux en ménage, sa vie familiale était un véritable désastre. Anna avait sombré dans l'alcoolisme et leurs filles, Polly et Sophie, en souffraient énormément. Le soir, il regagnait une maison sens dessus dessous pour retrouver son épouse ivre morte et incapable de préparer le dîner pour les filles.

Steven suppliait Anna de consulter un médecin pour cesser de boire et elle le lui promettait. Mais le lendemain, elle recommençait. Souvent, elle découchait. Le dimanche soir, il lavait et repassait les uniformes des enfants, et c'était lui qui faisait les courses, la cuisine et le ménage.

Il fallait qu'il lui pose un ultimatum : elle devait suivre une cure de désintoxication, sinon il la mettrait à la porte. Mais il n'arrivait pas à s'y résoudre, car Anna serait ravie de cette occasion de mener une vie de bâton de chaise. Elle lui répétait sans arrêt qu'elle buvait parce qu'elle s'ennuyait avec lui et que sa vie était sinistre. Si elle avait pu se prendre en charge, il aurait été enchanté de se séparer d'elle pour ne plus subir ses scènes horribles. Mais elle en était incapable, et il ne supportait pas l'idée que la femme qu'il avait aimée finisse dans la rue comme une poivrote.

Avec une dextérité de jongleur, il assumait le rôle de père et de mère pour ses filles, s'occupait de la maison, et cachait l'alcoolisme d'Anna à ses amis et à sa famille. Il travaillait dur, aussi, tout en jouant la comédie du bonheur. Parfois, la tension qu'elle impliquait et l'absence de confident le plongeaient dans le désespoir. Pour en finir, il lui arrivait d'imaginer Anna écrasée par une voiture, ou victime d'une maladie mortelle. Dans ses moments les plus noirs, il avait même pensé à la supprimer.

« Au moins, ça réveillerait Beth et elle se soucierait de moi », murmura-t-il en souriant. C'était ridicule, mais commettre un crime était une façon de se faire remarquer et que l'on s'occupe de vous. Peut-être était-ce la raison pour laquelle Susan avait tué ces deux personnes.

— Alors ? demanda Beth en s'appuyant sur le bureau de Steven. Qu'est-ce qu'elle a dit ?

Steven la trouva superbe. Elle portait un ensemble : pantalon gris clair, un col roulé assorti à son rouge à lèvres et ses cheveux étaient relevés en chignon. Il lui sourit de façon malicieuse, amusé qu'elle accoure dans son bureau, dévorée de curiosité. Il ne comprenait toujours pas qu'elle ait conservé autant d'affection et d'intérêt pour une personne si différente d'elle.

— Elle m'a raconté beaucoup de choses, répondit-il, déterminé à faire monter la pression. J'ai découvert que si elle pouvait refaire sa vie, elle aimerait être une Vanessa Redgrave qui jardinerait, mariée à David Bowie.

— Il est déjà marié, répliqua-t-elle sèchement.

— En effet, et moi je dois rentrer. Vous saurez tout demain.

— Prenez d'abord un verre avec moi, suggéra-t-elle.

Stupéfait, il rougit jusqu'aux oreilles.

— C'est une offre très tentante, mais Anna est sortie et il faut que je m'occupe des enfants.

— Et si je venais chez vous, vous préparer à dîner ?

Steven en resta bouche bée. Elle était vraiment prête à tout pour avoir des nouvelles de Susan !

Il aurait accepté son offre avec joie, seulement Anna n'était pas sortie. Polly, sa fille de huit ans, venait de l'appeler pour lui dire que sa mère s'était mise au lit. Cela signifiait qu'elle était ivre, et que la maison serait dans un état épouvantable.

— Non, ce n'est pas po-po-possible, bégaya-t-il, pris de cours.

— Tout va bien ? Anna n'est pas malade ? s'enquit Beth en le regardant avec intérêt.

— Euh... non. Elle est juste partie pour la journée. La maison sera un dépotoir.

— Et si vous alliez chercher les filles et que vous veniez tous chez moi ?

Beth se montrait amicale, cela paraîtrait bizarre de refuser.

— Vous êtes persévérante, remarqua-t-il en souriant. Vous tenez tant que ça à avoir des nouvelles de Susan ?

— Oui. Et je serais ravie de rencontrer vos filles aussi... Le dîner sera prêt à votre arrivée, conclut-elle, les mains sur les hanches, avec un air de défi.

— Beth, elles ont huit et six ans, répliqua-t-il en soupirant. Ce n'est pas votre truc.

— Qu'en savez-vous ? Ce n'est pas parce que je n'ai pas d'enfants que je les déteste.

Le plaisir qu'on lui fasse la cuisine l'emporta sur sa peur que Polly et Sophie parlent de leur mère, et Steven céda.

— D'accord. Mais ne m'en veuillez pas si ça tourne à la catastrophe.

— Tout se passera bien. J'ai été une petite fille. Je sais ce qu'elles aiment. Vous connaissez Park Row ? J'habite au numéro 12. À tout à l'heure.

— Vous serez sages, lança Steven à ses filles.

Il régla le rétroviseur de façon à les avoir dans son champ de vision, et pensa qu'elles auraient dû se changer. Elles portaient encore leur uniforme scolaire.

Polly, son aînée, lui ressemblait beaucoup avec ses cheveux blonds et ses yeux bleus. Grande pour son âge, ses nouvelles dents poussaient légèrement de travers et, comme lui, elle avait toujours l'air négligée. Sophie tenait plus d'Anna, avec ses cheveux bruns, ses yeux noirs et ses joues rebondies.

— Bien sûr qu'on sera sages, assura Polly. Mais j'espère qu'elle n'a pas préparé des trucs bizarres.

— Quoi qu'il arrive, vous les mangerez, ordonna-t-il plein d'inquiétude, car pour Polly les « trucs bizarres » incluaient toutes les viandes, la salade ainsi que les mets épicés ou avec des herbes. Et pendant que Beth et moi discuterons, vous nous laisserez tranquilles.

— On aura le droit de regarder la télé ? s'enquit Sophie.

— J'espère.

Il aurait dû avoir la présence d'esprit d'apporter une cassette.

— Et ne dites pas que maman est malade. Si Beth en parle, elle est sortie avec une amie.

Les filles apprécièrent beaucoup l'ouverture automatique de la porte d'entrée, mais ce fut l'apparition de Beth, penchée sur la rampe de l'escalier, qui les impressionna le plus.

— Elle ressemble à Cruella De Vil, chuchota Polly.

Ils pénétrèrent dans l'appartement, accueillis par une délicieuse odeur d'ail. Les filles furent sidérées par l'élégance sobre du salon et la vue sur Bristol qu'offrait la baie vitrée.

Après les présentations, Beth déclara aux filles en souriant :

— J'aurais dû demander à votre père ce que vous aimez manger. Mais je n'ai pris aucun risque et j'ai préparé une omelette au fromage, une salade de tomates et des pommes de terre sautées. Ça ira ?

Les deux gamines parurent soulagées. Elles adoraient l'omelette.

Au grand étonnement de Steven, Beth savait très bien s'y prendre avec les enfants. Elle leur fit visiter l'appartement tout en bavardant et leur servit un jus de pomme pendant qu'elle disposait la nourriture dans des plats. Ils dînèrent dans la cuisine rouge et blanche autour d'une petite table près de la fenêtre.

— C'est génial ! s'exclama Polly en mangeant avec appétit. J'adore les pommes de terre.

— Je les ai fait revenir avec de l'ail, expliqua Beth en servant le vin. Ma sœur les cuisine comme ça, et ses filles en raffolaient quand elles avaient votre âge.

— Maman boit trop de ça, lança Sophie en montrant la bouteille de vin.

Beth n'y aurait pas prêté attention si Steven n'avait rougi jusqu'aux oreilles.

— Tu racontes n'importe quoi, rétorqua-t-il.

Beth comprit aussitôt que l'enfant disait la vérité mais elle ne fit aucun commentaire. Elle annonça qu'elle avait fait un gâteau au chocolat parce que, lorsqu'elle était petite, c'était son dessert préféré.

— Je vous ai aussi loué une vidéo que vous regarderez pendant que je discuterai avec votre papa, ajouta-t-elle à l'adresse des filles avant de disposer de belles coupes à dessert.

Puis elle prit une bombe de chantilly et dessina une spirale sur le gâteau. Les filles étaient aux anges.

— Vous devez le connaître, c'est *La Belle et la Bête.*

— Elles ne l'ont vu qu'une fois au cinéma, dit Steven. Elles l'adorent et me tannent pour que j'achète la cassette.

Il était touché de l'attention et de l'affection que Beth prodiguait aux enfants. C'était incroyable qu'elle ait pensé à leur louer une vidéo, et la présentation du gâteau prouvait qu'elle n'avait pas oublié son enfance.

— Pourquoi tu n'as pas de mari ? demanda Sophie, la bouche pleine.

Gêné, Steven eut envie de la rabrouer, mais Beth éclata de rire.

— J'ai attendu le prince charmant, il n'est pas venu.

— Si je vivais dans un endroit aussi beau, je me ficherais de me marier, déclara Polly. J'aurais des animaux au lieu d'avoir des enfants.

— C'est une bonne idée, reconnut Beth, hilare. J'aimerais avoir un chien, mais il serait seul toute la journée et ce ne serait pas drôle pour lui.

— Vous aimez les chiens ? s'étonna Steven. Je vous aurais plutôt imaginée avec des chats.

— Ils sont trop dédaigneux pour moi. Si j'avais un animal, il devrait être mon esclave.

— Ça veut dire quoi, « esclave » ? s'enquit Polly en raclant le fond de sa coupe.

Beth se pencha vers elle, lécha sa joue et haleta.

— Couché, le toutou, couché ! ordonna Polly en pouffant.

— On peut regarder *La Belle et la Bête*, maintenant ? s'enquit Sophie. Ou on doit vous aider à faire la vaisselle ?

— Tu es très gentille, dit Beth en lui tapotant les cheveux. Vous allez regarder le film pendant que votre père et moi discuterons. Mais n'hésitez pas à appeler si vous avez besoin de nous.

Steven mit la vidéo en route et il se sentit soulagé quand ses filles se pelotonnèrent sur le canapé. Lorsqu'il revint dans la cuisine, Beth posait un plateau de fromage sur la table, puis elle leur servit un autre verre de vin.

— Elles sont adorables, c'est tout à votre honneur et à celui d'Anna. À présent, parlez-moi de Susan.

Steven lui relata leur entretien tout en songeant que la vie réservait bien des surprises : il avait passé un an à essayer d'en savoir plus sur Beth, et soudain il se retrouvait dans son appartement avec ses enfants dans la pièce d'à côté. Il était très à l'aise. On n'avait pas été aux petits soins pour lui depuis si longtemps ! Les assiettes sales avaient disparu comme par enchantement dans la machine à laver la vaisselle, et il ressentit avec encore plus d'acuité à quel point sa vie familiale s'était dégradée.

— J'ai du mal à réaliser qu'elle a passé dix-huit ans à s'occuper de sa mère, conclut-il avec un soupir. C'est comme d'être enterrée vivante ! Notre conversation a été trop courte, mais elle n'a pas hésité à se confier. J'espère que la prochaine fois j'arriverai à lui faire parler du père d'Annabel.

— Est-elle contre l'idée que je vienne la voir ? demanda Beth.

— Non, votre offre l'a même touchée... Dites-moi, à quoi ressemblait-elle à l'adolescence ?

Beth réfléchit quelques instants.

— Pas très grande, les cheveux raides avec une frange, un teint ravissant, des yeux clairs. Un beau visage. Le temps et les soucis n'ont pas été cléments envers elle.

— Et vous ? Comment étiez-vous ?

— Une grande perche au visage blanc comme un linge, répondit-elle avec un rire teinté de tristesse.

— Et votre vie d'étudiante était comme Susan l'imaginait : vous faisiez la fête tous les soirs ?

— Oh non ! La journée, j'étudiais, et le soir, j'étais serveuse. J'ai longtemps eu l'intention de lui écrire, mais, comme elle, je ne trouvais pas le temps et je n'avais rien d'intéressant à lui raconter. Puis j'ai estimé qu'il était trop tard pour recoller les morceaux.

Steven sentit qu'elle donnait ces explications avec réticence.

— Je suis désolé, je ne voulais pas être indiscret... Vous savez, je ne crois pas qu'elle ait eu d'autres amies depuis. Il est donc important que je comprenne votre relation.

— Nous étions des solitaires, raconta Beth d'un air pensif. Bien entendu, à dix ans, on ne sait pas ce genre de choses ; on croit qu'on n'a pas beaucoup d'amies parce qu'on est quelconque ou stupide. On ne découvre que beaucoup plus tard qui l'on est vraiment. Nos situations familiales favorisaient cette solitude : Susan ne pouvait pas inviter d'amies à la maison à cause de sa grand-mère ; chez moi, c'était à cause de mon père.

— Qu'est-ce qu'il avait ?

Beth haussa les épaules.

— Il se prenait pour un châtelain. En fait, il vivait dans le passé, avec une maison qui s'effondrait autour de lui, parce qu'il était complètement en dehors de la réalité.

Steven lui lança un regard interrogateur.

— Ne m'en demandez pas plus, protesta-t-elle. Je préfère éviter d'en parler.

— Il est toujours vivant ?

— Oui. Il y a deux ans, après la mort de ma mère, mon frère l'a mis dans une maison de retraite. Non, je ne vais jamais le voir, si c'est votre question suivante.

Steven estima préférable de changer de sujet.

— Concernant le procès, je crois que Susan va accepter de suivre nos conseils. Si nous parvenons à prouver que pendant quatre ans elle a vécu l'enfer, nous obtiendrons une sentence plus légère.

— Le mari de la réceptionniste s'est à nouveau épanché dans le journal local de ce soir, l'informa Beth. Il y a aussi plein de photos de lui et des enfants. On dirait qu'il est parti en croisade pour faire pendre Susan. C'est compréhensible, mais il y a quelque chose qui sonne faux dans son ton.

— Vous avez les articles ?

— Lisez-les plutôt au bureau. Polly et Sophie risquent de tomber dessus, et je ne trouve pas que ce soit une lecture pour des petites filles.

— Je ne m'attendais pas à vous voir aussi à l'aise avec des enfants, ou en véritable femme d'intérieur.

Il parcourut des yeux la cuisine. D'une propreté éclatante, elle était également accueillante, avec son cache-théière tricoté à la main en forme de chaumière et son perroquet en bois aux couleurs vives, sur un perchoir près de la fenêtre.

— Vous avez été mariée ?

— Non, Steven, répondit-elle d'une voix tendue. Je n'ai jamais été assez amoureuse pour me marier. Mais quand je rencontre des enfants aussi sympathiques que les vôtres, je pense que j'aurais aimé être mère.

Cette fois, Steven sentit qu'il valait mieux en rester là. Il consulta sa montre, il était vingt et une heures trente.

— Je dois rentrer. D'habitude, les filles sont au lit à huit heures.

Beth se rendit dans le salon, où le film était terminé, et elle sourit en contemplant les petites. Elle appela Steven. Polly dormait, assise sur le canapé, et Sophie, la tête posée sur les genoux de sa grande sœur, suçait son pouce.

— Elles ne vont pas apprécier d'être dérangées, dit Steven en soupirant.

— Je vais porter Sophie et vous prendrez Polly. Avec un peu de chance, elles ne se réveilleront pas.

Les filles ouvrirent les yeux quand l'air froid les surprit, mais se contentèrent d'adresser des adieux ensommeillés à Beth. En démarrant, Steven regarda dans le rétroviseur, et vit que Beth restait sur le trottoir, éclairée par le réverbère. Il se demanda à quoi elle pouvait bien penser.

9

Susan avait un œil au beurre noir lorsque Steven lui rendit visite, le vendredi.

— Mon Dieu ! s'écria-t-il, consterné. Qui vous a fait ça ?

Elle pouvait à peine ouvrir la paupière, mais elle esquissa un sourire.

— Bah, c'est supportable.

Comment Susan, avec la vie protégée qu'elle avait eue, arrivait-elle à se résigner aussi facilement à être frappée ?

— Il est préférable de ne pas porter plainte, dit-il, sachant que ça ne ferait qu'aggraver sa situation. Mais racontez-moi ce qui s'est passé, ça restera entre nous.

— Cette femme a vu les photos de Roland Parks avec ses enfants dans le journal et s'est dit que je méritais une bonne raclée.

Steven songea qu'il aurait dû penser à intervenir auprès du directeur de la prison afin de faire ôter les articles relatifs à Susan avant de distribuer les journaux dans son aile. Cela n'aurait pas empêché les informations de circuler : elles pouvaient être transmises pendant les visites ; mais, en général, les nouvelles de deuxième ou troisième main étaient édulcorées. Il était étonné : d'ordinaire les détenues ne réagissaient pas de façon agressive à des crimes comme celui de Susan. La violence s'appliquait aux pédophiles.

— Avez-vous réfléchi à ce que je vous ai demandé la dernière fois ? s'enquit-il néanmoins, sans perdre de temps.

Elle acquiesça.

— Et si on commençait avec la naissance d'Annabel ? Si j'ai bien compris, vous avez accouché à St. Michael. Son père était là ?

Susan rougit et regarda ses mains. Elle ne souhaitait pas parler de son histoire d'amour avec Liam. Elle supposait que M. Smythe voulait savoir où et comment ils s'étaient rencontrés, des détails qu'elle n'avait jamais révélés à personne.

— Nous nous sommes séparés avant mon arrivée à Bristol, avoua-t-elle en toute hâte. Je préfère en discuter avec Beth.

— D'accord, répondit Steven qui ne désirait pas la brusquer. Commençons avec la naissance d'Annabel. Elle a été difficile ?

— Non, très rapide. J'ai eu les premières contractions pendant la nuit et, à neuf heures du matin, j'ai appelé une ambulance. Elle est née à quatorze heures sans poser le moindre problème.

— Bravo ! s'écria-t-il, admiratif. Pour mon aînée, ça a pris un jour et demi. Combien de temps êtes-vous restée à l'hôpital ?

— Quatre jours. Mais il y avait trop de bruit et j'ai été contente de rentrer chez moi.

— Quelqu'un vous a donné un coup de main ?

— Je n'en avais pas besoin, répliqua-t-elle avec une nuance d'indignation dans la voix. Les nouveau-nés dorment tout le temps.

— Pas les miennes, remarqua-t-il, et Susan éclata de rire.

— J'ai peut-être eu de la chance. Annabel a été facile dès le début, déclara-t-elle, les yeux rêveurs. C'était une période merveilleuse : juste elle et moi. Je suivais son rythme. Je dormais quand elle dormait et je la câlinais dès qu'elle se réveillait. Je ne voulais pas en perdre une miette.

— Vous aimiez être mère ?

— Oh oui, soupira-t-elle. Je n'ai jamais été aussi heureuse. La première fois que je l'ai promenée dans son landau, j'étais tellement fière ! Les gens s'arrêtaient et me parlaient pour la regarder. J'existais enfin.

— Vous ne vous sentiez pas trop seule avec elle ?

— Absolument pas, rétorqua-t-elle en fronçant les sourcils. La journée, les retraités m'invitaient à prendre le café. De plus, il y a tant à faire avec un bébé : les heures passaient parfois trop vite. Lorsqu'elle dormait, je cousais et tricotais. Je me suis sentie très seule avec ma mère, mais jamais avec Annabel.

— J'aimais aller au parc avec mes filles quand elles étaient petites, confia Steven. Les pousser sur la balançoire et jouer avec elles. Où emmeniez-vous Annabel ?

— À Brandon Hill. J'adorais m'y rendre l'été, car on a une vue magnifique sur Bristol. Quand Annabel a commencé à marcher, elle adorait regarder la cascade.

— Mes filles aussi. Elles me tyrannisaient pour qu'on nourrisse les écureuils.

— Annabel en était folle, déclara Susan d'une voix brisée par l'émotion. On leur apportait des noix, et elle avait donné un nom à chacun d'eux…

Elle se souvenait d'Annabel courant dans son duffle-coat rouge et ses collants en laine bleu marine, l'automne qui avait précédé son décès. Toute potelée, elle avait encore des jambes de bébé.

« Allez ! Dépêche-toi, maman ! »

Elle entendait sa voix haut perchée, la voyait se retourner et lui tendre sa petite main comme si elle pensait pouvoir tirer sa mère le long de la pente.

« Je n'arrive pas à courir aussi vite que toi, lui disait-elle, à bout de souffle. Les écureuils attendront. »

Les yeux d'Annabel étaient noirs comme ceux de Liam, bordés de longs cils épais. Ses cheveux qui bouclaient comme les siens s'emmêlaient facilement et Susan les brossait sans cesse. La fillette souriait tout le temps. Susan ne l'avait jamais vue de mauvaise humeur, même au réveil.

— Elle leur donnait des noms de filles, reprit Susan, se rendant compte que, pendant qu'elle songeait à Annabel, elle avait gardé le silence. Il y avait Wendy, Lucy, Mary et Linda. Je lui disais qu'il y avait aussi des garçons, mais elle ne voulait pas en entendre parler. Selon elle, les écureuils étaient trop mignons pour être des garçons. C'était sans doute parce qu'il n'y avait aucun homme dans notre vie.

Elle semblait éprouver un peu de culpabilité à ce sujet.

— Mes filles donnent aussi des prénoms féminins aux animaux, remarqua Steven qui ne savait comment poursuivre la conversation. Elles ont un lapin qu'elles appellent Florence.

— Pouvez-vous imaginer ce que vous ressentiriez si vous perdiez une de vos filles ? lui demanda Susan, les yeux pleins de larmes.

Steven secoua la tête.

— Vous vous accrochez au moindre souvenir – l'odeur de ses cheveux, la douceur de sa peau. Parfois, dans un magasin, une enfant appelait sa mère et je sursautais, croyant que c'était elle. Pourtant, on connaît bien la voix de son enfant : elle est unique.

— Où êtes-vous allée après son décès ?

Il se refusait à l'interroger sur la mort de l'enfant, car Susan était déjà bouleversée.

— Au pays de Galles, répondit-elle d'une voix subitement dure.

Steven attendit la suite, mais elle paraissait sur la défensive.

— Dans une sorte de communauté, lâcha-t-elle enfin.

— Une communauté ! s'exclama Steven, stupéfait. Je croyais qu'elles avaient toutes disparu au début des années 70.

— Ce n'était pas une communauté de ce style, répliqua-t-elle d'un ton sec. Plutôt un groupe religieux.

— Comment les avez-vous rencontrés ?

— Je marchais dans la rue, c'était environ trois mois après la mort d'Annabel. Je pleurais, et ils m'ont abordée en me demandant ce qui n'allait pas. Ils étaient adorables, ils m'ont raccompagnée chez moi et m'ont suggéré de venir à leur église.

— Continuez, l'encouragea Steven, conscient de sa réticence.

— J'étais désespérée, j'aurais essayé n'importe quoi, poursuivit-elle en esquissant un sourire comme pour s'excuser. Ce n'était pas le genre d'église à laquelle j'étais habituée : pas de pasteur, d'autel ni d'orgue. Il s'agissait d'une grande salle dotée d'un piano, les gens chantaient, puis ils se levaient à tour de rôle et expliquaient qu'ils avaient guéri en rencontrant Jésus. Curieusement, je me suis sentie beaucoup mieux.

Steven connaissait ces rassemblements composés d'excentriques, de marginaux, de pauvres et d'angoissés qui se réunissaient pour se consoler mutuellement. Des clients à lui y avaient participé et certains avaient été remis dans le droit chemin.

— Est-ce une personne de ce groupe qui vous a proposé d'entrer dans cette communauté ?

— Oui, il s'appelait Reuben Moreland. C'était un guérisseur psychique.

Steven leva un sourcil interrogateur. Susan rougit.

— Il m'a dit qu'il m'aiderait à retrouver un équilibre. Chaque conversation avec lui me rendait plus forte et je lui ai fait confiance. Bref, il m'a emmenée dans sa communauté au pays de Galles. Il y avait un jardin potager, quelques poules et, pour vivre, ils vendaient leur artisanat à des boutiques. J'ai pensé que c'était exactement ce dont j'avais besoin.

Steven pressentit que les choses avaient mal tourné, mais il ne posa aucune question.

— Le paysage était magnifique en cette fin d'été, poursuivit-elle. Et c'était si tranquille ! Plus rien ne me retenait à Bristol. Je savais jardiner. Je pouvais coudre, tricoter et cuisiner. Reuben m'a montré les petites chaumières en plâtre qu'ils fabriquaient et elles m'ont beaucoup plu. Il m'a assuré que je serais un atout pour la communauté.

— Il y avait des conditions ?

— Il fallait que j'abandonne tout ce que je possédais, avoua-t-elle avec un soupir.

— Pourquoi avait-il cette exigence ? demanda Steven, alarmé.

— Reuben soutenait que l'argent et les biens matériels nous empêchaient d'être complètement libres. Pour entrer dans la communauté, il fallait donc tout lui donner. Je n'avais pas beaucoup d'argent, seulement une centaine de livres d'économies ; mais je possédais de beaux meubles de famille et quelques bijoux de ma mère. Je répugnais à les vendre. Ils avaient une grande valeur sentimentale pour moi…

Steven songea qu'il n'allait pas tarder à apprendre que Reuben était un filou s'attaquant aux gens paumés et fragiles.

— Et vous avez accepté ?

— Oui. Vous savez, j'aspirais plus que tout à la vie simple et heureuse promise par Reuben. Son raisonnement m'a semblé logique : tant que je m'encombrerais de mon passé, je ne parviendrais pas à évoluer.

Sa voix trembla et ses yeux se remplirent à nouveau de larmes. Steven comprit que la perte de son mobilier n'en était pas la cause : ce Reuben avait dû la tromper d'une autre façon.

— Vous a-t-il convaincue en vous disant qu'il vous aimait ?

Elle acquiesça puis baissa la tête.

Susan se rappelait très bien le jour où Reuben lui avait déclaré son amour. Le soleil pénétrait à flots par la fenêtre du salon, et elle cirait les meubles en se demandant si elle devait tout abandonner pour s'installer au pays de Galles.

Après le décès d'Annabel, elle s'était désintéressée de son intérieur. À plusieurs reprises, la nuit, minée par le chagrin, elle avait pensé se jeter du pont de Clifton. Mais peu à peu, grâce au groupe et à ses conversations avec des personnes aussi déprimées qu'elle, sa maison lui était apparue comme un refuge. Elle y avait vécu l'enfer, mais elle y avait aussi beaucoup de bons souvenirs.

Dénicher cette maison l'avait rendue folle de bonheur, et c'est avec enthousiasme qu'elle s'était lancée dans des travaux pour l'embellir.

Elle l'avait repeinte et tapissée avec du joli papier Laura Ashley qui mettait en valeur les meubles rapportés de Luddington. Ils avaient facilement trouvé leur place : la table de la salle à manger avec les chaises assorties devant la fenêtre, le canapé contre le mur et le rocking-chair près du chauffage à gaz. Pour le salon, tendu d'un tissu bleu pâle, elle avait confectionné une housse de sofa assortie. Avec les livres et les bibelots dans les niches, de part et d'autre de la cheminée, et le tapis ancien de la chambre de ses parents, c'était parfait.

Elle trouvait bizarre d'éprouver ce sentiment de plénitude sans Liam. Le jour de son départ pour Bristol, elle avait été persuadée que sa souffrance ne la quitterait jamais. S'installer dans une ville où elle n'avait aucun souvenir avec lui l'avait sans doute aidée et son activité incessante l'empêchait de ressasser le passé. Mais ce fut à l'instant où le bébé bougea pour la première fois que son chagrin et ses appréhensions se volatilisèrent. Des centaines de femmes élevaient seules des enfants, il n'y avait plus de tabou à ce sujet, et elle bénéficia d'une grossesse sans problème. Elle était heureuse.

La naissance d'Annabel la rendit tellement euphorique qu'elle pardonna à son frère Martin. Elle lui écrivit pour lui annoncer qu'il avait une nièce, en joignant une photo du bébé. Elle ne s'étonna pas de n'obtenir aucune réponse ; elle était comblée et n'en prit pas ombrage.

Susan rencontrait des mères qui avaient hâte de reprendre leur travail, mais elle ne fut jamais dans cet état d'esprit. Elle avait peu d'argent, vivant sur le RMI, mais rester à la maison avec un bébé l'enchantait.

Épanouie, elle se sentait bénie des dieux. Promener Annabel au parc, lui lire des histoires, la baigner ou la nourrir donnait un sens à sa vie. Chaque étape de son développement, l'apprentissage de la marche, de la parole et de la propreté, l'absorbait totalement.

Aussi, à sa mort, le monde s'écroula-t-il. À quoi bon cuisiner, jardiner ou nettoyer ? Elle restait la plupart du temps au lit, les rideaux tirés. C'était trop douloureux de voir les dessins d'Annabel sur le mur de la cuisine et ses petits vêtements en attente de repassage.

Quand elle commença à se rendre à l'église de la communauté, la compassion et la compréhension de ses membres lui redonnèrent peu à peu goût à la vie. Mais elle ne pouvait toujours pas pénétrer dans la chambre d'Annabel sans pleurer. Son odeur flottait encore dans l'air. Susan ne supportait pas l'idée de trier les jouets pour les distribuer. Elle avait essayé de nettoyer la pièce à fond, mais, en poussant le lit, elle était tombée sur sa vieille timbale de bébé et avait fait une crise de nerfs.

Reuben avait raison : elle devait quitter cet endroit pour se rétablir complètement. Il avait affirmé que seuls les bons souvenirs l'accompagneraient. Cependant, elle avait beau vouloir guérir, il lui était difficile de tout abandonner.

Un petit coup frappé à la fenêtre la fit sursauter. C'était Reuben. Elle se précipita pour lui ouvrir la porte.

À cinquante ans, Reuben était une relique de la vague hippie des années 60. Il portait ses longs cheveux gris tirés en queue-de-cheval et une boucle d'oreille. Un collier de perles et le symbole chrétien des deux poissons tatoué sur son avant-bras complétaient le tableau. Grand et mince, il avait le visage anguleux et des yeux bleus magnétiques. Pour Susan, ils opéraient sur son âme comme deux rayons laser.

Ce jour-là, vêtu d'un jean délavé et d'un T-shirt bleu pâle, il transpirait à grosses gouttes.

« J'avais peur que tu ne répondes pas à la porte, dit-il de sa voix grave en lui lançant un regard pénétrant. Il fallait que je te voie, Sue. Je crois que je n'ai pas été assez clair la dernière fois. Je ne t'ai pas vraiment expliqué pourquoi je désirais ta présence au pays de Galles. »

Après l'avoir invité à entrer, elle se rendit à la cuisine pour lui préparer une boisson fraîche pendant qu'il faisait les cent pas dans le jardin.

Elle se sentit soudain très nerveuse. Ruben n'était venu qu'une fois chez elle auparavant, ils se rencontraient d'habitude à l'église ou au Café du Sorbier de Clifton. Quand ils s'étaient rendus ensemble au pays de Galles, il était passé la prendre au bout de sa rue. Qu'avait-il à lui confier ?

Elle le rejoignit dehors avec un verre de jus d'orange. Transformer en jardin ce terrain pentu couvert de mauvaises herbes et de vieux lilas avait représenté un véritable défi. Comme l'escalier qui y conduisait était très raide, Susan avait installé une petite barrière en bas des marches pour qu'Annabel ne risque pas de tomber en arrière en essayant de les grimper. À présent, le joli jardin de rocaille qu'elle avait planté recouvrait les murs de parpaings. De plus, on y avait une vue splendide du sud de Bristol.

Reuben but son jus d'orange d'un seul trait avant de se tourner vers Susan et de lui prendre la main pour la faire asseoir sur le banc à côté de lui.

« Tu le sais, je veux que tu viennes au pays de Galles parce que je suis convaincu de pouvoir te guérir complètement là-bas. »

Elle acquiesça.

« En ville, il y a tellement d'ondes destructrices et négatives qui annulent mes pouvoirs ! Une fois dans un environnement beau et serein, loin de la pollution et du bruit, tu seras beaucoup plus réceptive. Entourée d'amour, tu redeviendras une enfant, tu apprendras à rire et à faire confiance. Je sais que tu en as la capacité. »

Il marqua une pause, puis posa sa main sur sa joue qu'il caressa.

« L'angoisse et la méfiance te paralysent. C'est l'œuvre de ces ondes destructrices et négatives. Je suis venu aujourd'hui afin de t'expliquer pourquoi je t'ai choisie parmi les dizaines de personnes qui souhaitent entrer dans notre communauté.

— Pourquoi ?

— Parce que tu es bonne, douce, et parce que je t'aime. »

Susan ne pensa pas qu'il l'entendait d'un point de vue sentimental : à l'église, ils utilisaient le mot « amour » à tout bout de champ.

« C'est très gentil de me dire ça », répondit-elle, gênée.

Ses nouveaux amis de la communauté étalaient leurs sentiments et analysaient sans arrêt ceux de leur entourage, mais elle-même n'avait jamais été à l'aise avec cette pratique.

« Je veux que tu sois ma femme. »

Stupéfaite, Susan se raidit.

« Ne te détourne pas de moi, Sue, l'implora-t-il en la serrant fort contre lui. La première fois que je t'ai vue, si perdue et pleine de souffrance, mon cœur est allé vers toi. Laisse-moi te montrer la joie qui existe dans les rapports intimes. »

Et tout à coup, il l'embrassa.

Ce n'était pas aussi excitant qu'avec Liam, mais lui, elle l'avait désiré longtemps avant de devenir sa maîtresse. Cependant, il était agréable de se sentir de nouveau femme.

Si Reuben lui avait demandé de coucher avec lui, elle aurait refusé. Mais il n'en fit rien. Il se leva, lui prit la main et la conduisit au premier. Dans la chambre, pendant qu'il se déshabillait, elle eut envie de prendre ses jambes à son cou. Il sentait la transpiration, ne portait pas de slip sous son jean, ni de chaussettes, et son corps très blanc était décharné. Elle hésita trop longtemps : il l'embrassa de nouveau et lui ôta ses vêtements si rapidement qu'elle se trouva piégée.

Il suffit de quelques minutes pour qu'elle perde ses réticences. Était-ce parce qu'elle avait été privée d'amour depuis une éternité, ou parce qu'il était un bon amant ? Toujours est-il qu'elle connut une profonde béatitude.

À un moment, il lui chuchota qu'il la guérissait par le sexe, et elle faillit éclater de rire à cause de la chanson de Marvin Gaye. Mais il ne plaisantait pas, et en effet, il lui faisait du bien.

Il resta avec elle plusieurs jours d'affilée en lui décrivant la vie saine et équilibrée qu'ils partageraient au pays de Galles : les longues promenades pour explorer la campagne, le jardinage, les soirées au coin du feu à écouter de la musique. Il lui déclara qu'il voulait un enfant d'elle.

— J'ai vraiment cru que ce serait pour toujours, avoua Susan tandis qu'une grosse larme coulait sur sa joue. Je voulais oublier le passé en me lançant dans une nouvelle vie. Reuben n'avait même pas à me promettre un amour éternel et un enfant pour me décider : j'y serais probablement allée de toute façon.

Steven eut un élan de sympathie envers elle, et du dégoût pour cet homme qui s'était attaqué à une personne aussi fragile.

— Avez-vous vendu vos affaires avant de partir ?

— Non, Reuben m'a conseillé de ne prendre qu'un sac de vêtements. Il m'a autorisée à emporter deux ou trois effets personnels. Il disait vouloir s'occuper du reste pour me protéger de la souffrance qu'occasionnerait cette vente.

— Le revolver de votre père faisait partie de ces effets personnels ?

— Oui, répondit-elle, gênée. Je ne sais vraiment pas pourquoi j'y tenais tant. Je suppose que c'était dû aux bons souvenirs liés à nos parties de chasse. Il y avait aussi un album de photos d'Annabel et deux bagues de ma mère.

— Parlez-moi de la communauté.

— C'était une vieille ferme isolée à flanc de colline, pittoresque et un peu délabrée. Les dépendances servaient d'atelier pour l'artisanat.

— Combien étiez-vous ?

— Avec Reuben et moi, douze personnes en tout – quatre autres hommes et six autres femmes. La plus jeune, Megan, avait vingt-deux ans ; Reuben était le plus âgé. La plupart avaient la trentaine. Il y avait une règle très pratique pour la répartition des tâches : si vous étiez occupé dans l'atelier d'artisanat, une autre personne cuisinait ou nettoyait la maison. On pouvait choisir de ne pas participer à certaines activités. Par exemple, Megan était une grande artiste, mais elle était nulle pour entretenir la maison ou préparer les repas ; du coup, elle peignait toute la journée. Justin, lui, s'occupait de la maintenance.

— Et vous ?

Elle grimaça.

— C'est devenu une pomme de discorde. Je voulais travailler dans le potager et faire de l'artisanat. Seulement, comme j'étais bonne cuisinière et que je savais tenir une maison, ils m'ont attribué ce travail. C'était très fastidieux. Notre budget nourriture étant serré, nous mangions toujours la même chose.

— Et Reuben, vous l'aimiez ?

Le visage de Susan se crispa.

— Au début, je lui étais juste reconnaissante de m'avoir offert une nouvelle vie. Mais j'ai appris à l'aimer, car il ne m'avait pas menti : j'étais sa femme, je me sentais en sécurité et nous passions beaucoup de temps seuls. Je n'oubliais pas pour autant Annabel, bien sûr ; la souffrance persistait, en sourdine.

— Comment étaient les autres ? Vous vous entendiez bien avec eux ?

— Les premières semaines, j'ai pensé qu'ils étaient tous formidables, confessa-t-elle en souriant. Ils connaissaient tant de choses que j'ignorais, même la jeune Megan ! Le soir, je les écoutais parler de leurs voyages, de leurs expériences. Mais au bout d'un moment, j'ai compris qu'ils rabâchaient toujours la même chose, et aussi qu'ils fabulaient. Tous étaient bourrés de complexes, en fait. Shannon, une femme un peu plus jeune que moi, racontait sans cesse que son père l'avait violée dans son enfance. On a découvert un jour qu'elle avait tout inventé : elle avait été élevée par sa grand-mère et sa tante, et n'avait jamais connu son père.

— C'était un tas de cinglés.

— Des cinglés, des rêveurs et des paumés. Parmi les hommes, deux avaient fait de la prison. Notre seul dénominateur commun était d'avoir été réunis par Reuben, notre soi-disant guérisseur psychique.

— Quand l'avez-vous démasqué ?

— Quand il a amené une nouvelle femme, répondit-elle tristement. Il m'avait expliqué que nous étions libres d'avoir des relations sexuelles avec d'autres partenaires et que la jalousie, un sentiment mesquin, détruirait l'harmonie d'une « famille » comme la nôtre. Mais je n'avais pas besoin de voir ailleurs et je croyais qu'il en allait de même pour lui. Le choc a été terrible.

— Je vous comprends. Comment le groupe a-t-il réagi ?

— Ils approuvaient toutes les décisions de Reuben, déclara-t-elle avec amertume. C'était compréhensible : ils avaient confiance en lui, qui amenait l'argent et dirigeait la communauté. Reuben était un homme très calme ; il vous regardait de façon désarmante quand vous protestiez, comme si vous étiez un enfant, et pendant les dîners il nous maintenait sous son charme. Nous voulions tous lui faire plaisir. S'il nous avait ordonné de prendre du poison, nous aurions obéi. Nous étions persuadés qu'il nous aimait, et que lui seul pouvait nous aider à retrouver un équilibre.

— Vous vous êtes donc sentie rejetée lorsqu'il a amené cette nouvelle femme. C'est la raison pour laquelle vous vous êtes rebellée ?

— Je ne me suis pas rebellée, répliqua-t-elle avec fermeté. J'ai perdu mes illusions, et pris conscience qu'il empochait beaucoup d'argent avec la vente de l'artisanat. Il n'était pas l'altruiste que j'avais imaginé.

— Vous lui en avez parlé ? Vous en avez discuté avec les autres ?

— Non. En l'absence de livre de comptes, je n'avais pas de preuves. Reuben ne cédait la marchandise dans les foires que contre un paiement en liquide. Il n'y avait aucune trace de ses ventes.

— Finalement, quand et comment êtes-vous partie ?

— Au début du mois d'avril 93. Reuben s'était absenté, j'en ai profité pour m'en aller parce que je ne voulais pas me donner en spectacle.

Steven ressentit une profonde compassion envers Susan. Elle semblait avoir passé sa vie à éviter de faire des scènes et laisser les injustices s'accumuler alors qu'il aurait été bien plus salutaire pour elle de crier et trépigner.

— Vous aviez un peu d'argent ?

— Non, dit-elle en haussant les épaules. J'ai vendu les bagues de ma mère. Elles ne valaient pas grand-chose, mais cela m'a permis de payer le billet de train pour Bristol et de prendre cette chambre à « Belle Vue ».

Steven réfléchit pendant quelques instants. Pourquoi, si elle avait été assez lucide et courageuse pour quitter Reuben, Susan s'était-elle effondrée en arrivant à Bristol ?

— C'est là que vous avez commencé à boire ?

— Je n'ai jamais été une alcoolique ! s'indigna-t-elle. Je buvais un verre de temps à autre pour adoucir ma peine.

— Vous étiez déprimée ?

— « Désespérée » serait plus juste, corrigea-t-elle d'un air pensif. Je n'avais plus rien ni personne. Aucune perspective d'avenir, que de la souffrance derrière moi. J'avais l'impression d'avoir été mise au rebut... Un jour, au bord du gouffre, j'ai appelé mon frère. C'était stupide, j'aurais dû prévoir qu'il serait odieux. Après, je me suis sentie encore plus mal.

Aucun organisme ne pouvait aider les personnes dans la situation de Susan, songea Steven avec une certaine colère. Elles devaient commettre un crime pour qu'on leur prête attention.

— Comment payiez-vous votre loyer ? Apparemment, vous n'étiez pas au chômage.

— Le soir, je faisais le ménage dans des bureaux. L'entreprise me laissait les clés.

— Pourquoi avoir attendu deux ans avant de tuer le Dr Wetherall et Pamela Parks ?

Elle le fixa de son œil valide.

— Reuben soutenait que la vie se chargeait toujours de punir les coupables. Or, non seulement le docteur et la réceptionniste étaient responsables de la mort d'Annabel, mais en plus ils avaient une liaison. Alors, je les ai observés et j'ai attendu qu'il leur arrive un malheur. Comme rien ne se produisait, j'ai résolu de les punir moi-même.

Cette explication fit froid dans le dos à l'avocat. Jusque-là, Susan avait tenu des propos compréhensibles et censés, mais cette façon froide et calme de décider de rendre justice elle-même révélait une facette troublante de sa personnalité.

Il aurait dû sauter sur l'occasion pour obtenir des détails, car cette liaison présumée entre Wetherall et Parks pouvait lui servir à discréditer le couple. Mais, bizarrement, Steven se sentit incapable de poursuivre l'interrogatoire. La petite pièce étouffante l'oppressait, il voulait s'accorder un temps de réflexion, et aussi consulter Beth.

— Je pense que nous en resterons là pour aujourd'hui, déclara-t-il en regardant sa montre. J'espère que votre œil ira mieux lors de ma prochaine visite.

10

Une nuit, Susan se réveilla en hurlant.

— La ferme, sale garce ! grommela la codétenue qui occupait la couchette du haut.

Susan n'osait pas refermer les yeux car elle redoutait de replonger dans son cauchemar : elle essayait de courir, avec Annabel dans les bras, mais ses jambes refusaient d'avancer, et elle avait beau appeler au secours, personne ne bronchait.

Quatre ans auparavant, en revanche, la peur lui avait donné des ailes. Après être allée au cabinet de consultation pour la seconde fois et s'être disputée avec le docteur et la réceptionniste revêche, elle s'était précipitée chez M. Potter, un retraité qui adorait Annabel.

En voyant l'enfant, il avait aussitôt saisi ses clés de voiture.

« Vous auriez dû venir chez moi tout de suite », avait-il déclaré en touchant le front brûlant de la fillette.

À l'hôpital pour enfants St. Michael, ils prirent le cas d'Annabel très au sérieux. La sœur responsable du service des urgences la porta dans un box et appela un médecin qui l'examina et décida de l'hospitaliser sur-le-champ.

Une heure s'écoula, et Susan comprit qu'Annabel ne s'en sortirait pas. Docteurs et infirmières se démenaient, mais leurs visages tendus indiquaient qu'ils savaient leurs efforts vains. Et, s'ils ne firent aucun commentaire quand ils apprirent que le Dr Wetherall avait refusé de se déplacer comme de la faire hospitaliser, Susan perçut leur colère face à une telle négligence.

Deux heures plus tard, Annabel s'éteignait sans avoir repris connaissance. Susan espérait qu'elle avait senti sa main dans la sienne ainsi que ses baisers sur son petit visage rebondi.

Les infirmières, d'une extrême gentillesse, entourèrent Susan pour la réconforter, mais rien ni personne ne pouvait la consoler. Le seul rayon de soleil de son existence, son bébé, sa raison de vivre, avait disparu.

Assise près du lit, elle avait contemplé Annabel en tentant de se convaincre qu'elle faisait un mauvais rêve et que d'une minute à l'autre elle se retrouverait chez elle avec sa fille en bonne santé.

Le visage de l'enfant avait perdu sa rougeur et ses cils noirs reposaient sur ses joues comme deux petits éventails. Elle semblait dormir paisiblement. Mais ses doigts potelés ne se loveraient plus jamais dans la main de sa mère ; et celle-ci ne l'entendrait plus jamais rire ou l'appeler maman.

Sur le mur de la salle de quarantaine, il y avait un poster représentant des écureuils. Annabel aurait poussé des cris de joie et leur aurait sans doute donné des noms si elle avait été consciente, à son arrivée à l'hôpital. Mais elle avait déjà perdu connaissance, et sa mère ne la verrait plus jamais nourrir ceux du parc Brandon...

Après, tout s'était passé pour Susan dans une sorte de brouillard. Quelqu'un avait dû la raccompagner, et peut-être rester un peu avec elle, mais elle ne s'en souvenait plus.

Seules deux journées émergeaient dans sa mémoire : la vision du petit cercueil orné d'un ours en œillets roses disparaissant dans le crématorium, et, autour d'elle, ses voisins, même si elle ne se rappelait aucun visage ; et celle du lendemain, quand, en se réveillant dans sa maison, elle prit conscience qu'Annabel était partie pour toujours.

— Qu'est-ce que t'as à chialer ? demanda Frankie.

Susan s'était rendue au tribunal deux jours auparavant. Selon le règlement, lorsqu'une détenue comparaissait pour la seconde fois, elle faisait sa valise au cas où on lui accorderait une mise en liberté sous caution ou on la transférerait dans une autre prison. Et si elle restait en détention provisoire, comme cela s'était produit pour Susan, à son retour à la prison, on l'affectait souvent dans une nouvelle cellule. Elle s'était donc retrouvée avec Frankie, la femme qui imposait sa loi dans l'aile. Très corpulente, elle ressemblait à un homme, avec ses cheveux noirs en brosse et ses fils de fer barbelés tatoués sur les bras. Susan avait très peur d'elle.

— Je suis désolée, dit-elle en s'essuyant les yeux avec le drap. Je pensais à ma fille.

Elle ne lui avait pas parlé d'Annabel, mais comme Julie, son ancienne codétenue, était une vraie pipelette, tout le monde connaissait son histoire.

Il y eut un bruissement dans l'obscurité, suivi d'un bruit sourd quand Frankie sauta de la couchette supérieure.

— Ce n'est pas bon de ruminer le passé, chuchota-t-elle, d'une voix anormalement douce.

En général, elle frappait quiconque la dérangeait. Le bruit courait qu'elle était en détention provisoire pour avoir défiguré quelqu'un à coups de couteau et les prisonnières la fuyaient comme la peste. Elle posa une main sur la joue de Susan, qu'elle caressa.

— Je suis ta copine maintenant et je vais prendre soin de toi, mon ange.

Le lundi suivant, Beth se rendit à la prison. Elle s'attendait au pire, mais Susan l'accueillit avec un grand sourire, semblable à ceux de son enfance.

— Tu es belle, déclara-t-elle en regardant avec admiration l'ensemble-pantalon bleu marine à rayures blanches de Beth. Tu as toujours été élégante.

— Tu trouves ? s'étonna son amie en s'asseyant. J'étais une grande perche mal fagotée. Je portais toujours des vêtements de ma sœur.

— Nous ne nous voyons pas tels que nous sommes, lança Susan en haussant les épaules. Nous avons besoin d'un regard extérieur.

Elle semblait pleine d'entrain, malgré son œil au beurre noir qui virait au mauve, et Beth supposa qu'elle s'accommodait mieux de sa vie en prison.

— As-tu rencontré cette personne qui t'a révélée à toi-même ?

— Il y a eu toi, avoua-t-elle en rougissant. Tu m'as fait accepter ma douceur et ma timidité. Mais ça paraît idiot de dire ça maintenant que je suis en prison pour meurtres.

Beth esquissa un sourire. C'était incroyable ! Si l'on avait demandé à n'importe qui de deviner laquelle des deux finirait par s'attirer des ennuis, c'est elle qu'on aurait désignée, jamais Susan.

— Et à part moi ?

— Un homme. L'espace de quelques mois, je suis devenue la femme que j'avais toujours rêvé d'être.

— Quel est cet homme qui t'a entrouvert les portes du paradis ? s'enquit Beth d'un ton désinvolte.

— Liam Johnstone, le père d'Annabel.

— Parle-moi de lui. Comment vous êtes-vous connus ?

Susan lui expliqua que Liam était venu entretenir le jardin et elle le décrivit. En évoquant leur relation, sa voix se fit très tendre. On sentait aussi qu'elle lui était reconnaissante d'avoir égayé cette période de sa vie.

— Quand il t'a proposé de revenir te chercher, tu avais l'intention de partir avec lui ?

— Je ne pensais qu'à ça, reconnut-elle d'un air rêveur. Mais je ne voyais pas comment je pouvais quitter ma mère. Je ne saurai jamais si j'en aurais eu le courage puisqu'elle est morte, et que mon père l'a suivie dans la tombe six semaines plus tard.

Beth pensa que c'était un heureux coup du sort, mais elle se contenta d'acquiescer et laissa Susan poursuivre.

— Je me suis donc retrouvée seule à la maison. C'était étrange de ne plus rien avoir à faire, mais je n'arrivais pas à me réjouir vraiment de ma liberté. J'étais trop en colère contre mon père, qui ne m'avait rien légué à part son satané revolver.

— Attends, l'interrompit Beth. Il ne t'a légué que son revolver ?

— Et aussi deux mille livres, admit Susan. Mais c'était bien peu, pour avoir passé seize ans de ma vie à m'occuper de lui et de ma mère, non ? Martin, qui a hérité du reste, n'a jamais levé le petit doigt pour nous aider.

— La maison devait valoir une fortune ! s'écria Beth en se rappelant la magnifique propriété au jardin ravissant qui descendait vers la rivière.

— Je n'y avais jamais réfléchi, mais Martin n'a pas perdu de temps. Il se contrefoutait de me mettre à la rue, précisa Susan avec un soupir. Il m'a autorisée à y demeurer jusqu'à ce qu'il la vende, mais à Noël il ne m'a même pas envoyé une carte. Il a toujours été égocentrique et cruel. Il ne pense qu'à lui.

Ses paroles firent resurgir un souvenir que Beth avait occulté. C'était pendant leur deuxième ou troisième été ensemble. Assises au bord de l'eau, près de l'écluse, derrière la maison de Susan, elles attendaient qu'un bateau se présente quand Suzie avait mentionné que son frère était arrivé la veille au soir.

Comme il avait l'âge de Serena, Beth avait cru que Martin et Suzie avaient le même genre de relations qu'elle et sa propre sœur. Serena lui faisait souvent de menus cadeaux, elle était aux petits soins pour elle, lui posait des tas de questions sur l'école.

« Qu'est-ce qui ne va pas ? demanda-t-elle en voyant son amie se mordre aussitôt la lèvre et pâlir.

— Je le déteste, avoua Susan d'une petite voix en se retournant pour vérifier qu'il n'était pas dans les parages. Il est méchant avec moi et me dit des horreurs.

— Quoi, par exemple ? »

Beth, qui tirait de Robert et Serena le réconfort et l'affection dont ses parents la privaient, avait du mal à imaginer qu'un frère ou une sœur puisse être cruel.

« Que je suis grosse et stupide, répondit Suzie, et une larme coula sur sa joue rebondie.

— Tu n'es ni grosse ni stupide, affirma Beth vigoureusement. Tu es douce et jolie. Il est vraiment bête s'il ne le voit pas ! »

L'arrivée d'un bateau avait dû détourner leur attention, Suzie ne lui parla plus jamais de son frère. Mais, à l'évidence, il avait toujours été un sale type. Et c'était encore une information que Beth n'avait pas prise en compte au sujet de son amie.

— Pourquoi n'as-tu pas contesté le testament ? s'enquit-elle, indignée. Les tribunaux sont très compréhensifs quand une personne qui a consacré une grande partie de sa vie à s'occuper d'un parent âgé n'hérite pas suffisamment pour subvenir à ses besoins.

— C'est ce que j'aurais sans doute fait si Liam n'avait pas reparu, déclara Susan en souriant avec placidité. J'étais folle de rage, mais, début décembre, Liam est venu frapper à ma porte, comme il l'avait promis. Entre-temps, j'avais vécu dans l'angoisse qu'il ne tienne pas parole, alors imagine un peu ma joie ! Soudain, la maison et Martin n'ont plus eu la moindre importance.

Beth remarqua que la voix de Susan avait un timbre rauque et sensuel lorsqu'elle parlait de Liam. Elle découvrait une femme qu'elle ne connaissait pas, tellement différente de son amie d'enfance ! Trente ans s'étaient écoulés depuis leur dernière rencontre, et l'image qu'elle avait de Susan était complètement dépassée. Elle trouvait incongru qu'une personne aussi timide et bien élevée tombe amoureuse d'un homme aux allures de Gitan. Elle n'aurait jamais imaginé que cette personne devienne mère célibataire ou qu'elle ait une liaison avec un vieux hippie dirigeant une communauté. Quant à tuer...

Steven était tout aussi déconcerté, mais son jugement n'était pas obscurci par les souvenirs comme celui de Beth. Il avait d'abord pensé que Susan était aussi douce qu'un agneau et la victime consentante de ses parents, de son frère et de Reuben. Mais si c'était le cas, comment avait-elle sauté le pas pour venger la mort de sa fille ?

Les deux avocats n'avaient pas encore trouvé la réponse ; toutefois, Steven estimait qu'ils devaient continuer à fouiller dans le passé de Susan pour la dénicher.

— Liam a sans doute été très choqué par la mort de tes parents, remarqua Beth, qui voulait savoir si cet homme n'avait pas été un coureur de dot comme Reuben.

— Il n'en croyait pas ses oreilles, répondit Susan en souriant. Oh, Beth, il était adorable ! Personne ne s'était soucié de moi auparavant. Il a été peiné que je me sois occupée des deux enterrements toute seule, et le comportement de mon frère le rendait furieux. Mais sa présence suffisait pour que je me fiche de tout. Il comprenait ce que je ressentais, il désirait me rendre heureuse.

Beth voulait bien le croire. Mais elle savait aussi que Susan était arrivée à Bristol sans lui. C'était comme si elle avait lu la dernière page d'un roman avant de l'avoir commencé.

— Plus rien, donc, ne s'opposait à votre histoire d'amour ?

— Non, rien ni personne, déclara Susan en pouffant : j'ai été très vilaine. J'ai ouvert une bonne bouteille de vin de mon père et nous avons dormi dans le lit de mes parents. C'était merveilleux !

— Tu méritais de te faire du bien après tout ce que tu avais enduré.

Beth imagina Susan en chemise de nuit de flanelle sous l'édredon en satin rose de ses parents. Mais Liam, le Gitan, ne cadrait pas avec le décor.

— C'était ton premier amant ?

— Oui, avoua Susan d'un air penaud. J'avais perdu tout espoir de ce côté-là. Alors, il fallait que je profite de l'occasion, tu ne trouves pas ? Sans penser aux conséquences...

Beth lui rappela une conversation qu'elles avaient eue à quatorze ans. Elles s'étaient demandé ce qu'elles feraient si elles tombaient enceintes. À cette époque, elles n'avaient même pas encore embrassé un garçon. Suzie avait affirmé qu'elle se suiciderait.

— Je ne m'en souviens pas, dit-elle en riant nerveusement. De toute façon, je n'aurais pas su parler de contraception avec Liam. De plus, à mon âge, ça n'avait pas vraiment d'importance.

Cela en aurait eu beaucoup pour Beth. Mais elle avait toutes les raisons de se méfier des hommes.

— Tu as donc sauté le pas ?

— Oui, sans hésiter. C'est bizarre comme certains détails restent gravés dans la mémoire. C'était la pleine lune et il gelait. Je tirais les rideaux de la chambre ; Liam s'est approché de moi et nous avons contemplé le jardin ensemble. La lune qui brillait juste au-dessus de la rivière dessinait un pont argenté dans l'obscurité et la gelée blanche scintillait sur l'herbe.

— C'est très romantique, commenta Beth, gênée.

Susan n'entendit pas sa remarque. Plongée dans ses souvenirs, elle revoyait Liam l'entourer de ses bras et l'embrasser sur la nuque.

« Il y a de la magie dans l'air, ce soir, chuchota-t-il. N'aie pas peur. »

Il glissa les mains sous son pull et défit son soutien-gorge. Quand il caressa ses seins, elle gémit de plaisir. Elle découvrait un monde complètement nouveau, un monde qu'elle n'avait jamais imaginé même dans ses rêves les plus fous : le torse nu de Liam contre elle, la douceur de sa bouche, son membre dur dans sa chair tendre. Là, dans le grand lit de ses parents où elle avait été conçue, elle comprit ce que l'extase signifiait. Ses inhibitions disparurent sous les caresses et les baisers ; elle s'entendit l'implorer de la prendre, encore et encore, se moquant de tout le reste.

— Une vierge de trente-quatre ans, remarqua-t-elle en gloussant. Je croyais être trop vieille pour tomber amoureuse, mais j'étais redevenue une jeune fille. Jamais je n'avais pensé que ce serait aussi fantastique. J'étais convaincue que j'aurais peur, que ce serait sale et que je me sentirais coupable. Mais absolument pas, c'était merveilleux… C'est ce que j'ai connu de meilleur !

— Et après cette nuit ? s'enquit Beth, troublée par le visage extatique de Susan.

— Il est resté avec moi jusqu'à la mi-janvier et j'avais l'impression qu'on ne dormait jamais.

— Quels étaient vos projets ? Ton frère savait que Liam vivait avec toi ?

— Je m'en contrefichais, répliqua Susan en éclatant de

rire. Je me sentais forte, j'étais heureuse et je n'y songeais plus. Je n'avais pas de projets. Je vivais dans le présent ; le passé et le futur n'avaient plus aucune importance.

— Mais quand Liam est parti, tu as dû souffrir ?

— C'était dur de me retrouver seule, mais il devait travailler, expliqua-t-elle avec circonspection comme si elle se l'était répété en boucle pour s'en convaincre. Il s'occupait de nombreux jardins dans toute la région. Il ne pouvait pas laisser tomber ses clients à cause de moi. Parfois il s'absentait un mois, mais le plus souvent il partait seulement une semaine ou deux. J'ai fait de mon mieux pour l'accepter.

— Combien de temps votre relation a-t-elle duré ?

Si Annabel était née en avril 1986, elle avait été conçue en juillet 1985, environ huit mois après la mort des parents de Susan.

— Jusqu'à ce que Martin vende la maison en août. Qu'est-ce qu'on s'est amusés, cet été-là ! La nuit, on se baignait tout nus dans la rivière, on buvait et on dansait sur la pelouse, on y faisait souvent l'amour aussi. Avec lui, j'étais sexy et téméraire. Comme je te le disais, pendant quelques mois, je suis devenue la femme que j'avais toujours rêvé d'être.

Beth sentit l'agacement la gagner. Elle ne voulait pas entendre parler d'ébats voluptueux sur l'herbe humide de rosée, ni de bains de minuit dans la rivière. Elle voulait savoir si Liam cherchait à se remplir les poches et pourquoi Suzie avait atterri seule à Bristol ; bref, elle voulait des faits.

— Allez, Suzie ! s'écria-t-elle avec impatience, tu étais au début de ta grossesse, en août. Bon sang, vous n'étiez pas des enfants ! Raconte-moi ce qui est arrivé à Liam.

Le visage de Susan s'assombrit.

— Un jour, mon frère a débarqué à l'improviste. Liam était absent mais Martin, au courant de notre relation, a piqué une véritable crise. Il m'a traitée d'idiote et de putain et m'a demandé comment j'osais héberger un Gitan dans sa maison. Il m'a donné l'ordre de m'en aller.

— Liam a décampé avant ton départ pour Bristol ?

— Mais non ! s'exclama-t-elle, indignée. Nous étions amoureux, tout était merveilleux entre nous. Liam n'était parti que pour quelques jours. À son retour, je lui ai parlé de la visite de mon frère et nous avons discuté de notre avenir. Il souhaitait que je m'installe à Stratford, mais il était difficile d'y trouver un appartement ou une maison. Moi, je pensais que je serais plus heureuse en recommençant tout de zéro dans un endroit où personne ne me connaîtrait. Je désirais éviter les commérages.

— Mais pourquoi Bristol ?

— On y allait quand j'étais petite. Nous restions chez une parente de ma mère à Clifton. Cette ville m'a toujours semblé belle et excitante, avec son zoo, ses parcs, ses grands magasins et ses docks. Liam n'aurait pas été trop loin de son travail et nous espérions qu'il ne tarderait pas à se faire d'autres clients sur place.

— Alors, Liam t'a accompagnée ?

— Euh... non, bredouilla Susan. Je n'avais pas encore réalisé que j'étais enceinte, et comme il avait un travail important à terminer, j'ai décidé de chercher un logement seule.

Beth se demanda comment une femme qui n'était pratiquement jamais sortie de son village pouvait se débrouiller pour dénicher une location dans une grande ville. Et si Liam était aussi amoureux, pourquoi l'avait-il abandonnée ?

— D'accord. Tu es allée à Bristol et tu as loué une maison. Et Liam ? lança-t-elle sans ménagement.

— Je ne pouvais pas le joindre quand il travaillait, c'est lui qui me téléphonait. Je suis retournée chez moi pour faire mes bagages, mais il n'a pas appelé. J'étais complètement paniquée, cependant je me suis dit qu'au pire, si je n'avais pas de nouvelles avant mon départ, je laisserais mon adresse aux voisins qui la lui transmettraient. Seulement, je ne l'ai jamais revu.

— Votre dernière rencontre a donc eu lieu avant que tu ailles chercher une maison à Bristol ?

Susan acquiesça d'un air sombre.

— J'aurais dû lui laisser une lettre au pub de La Cloche, où il allait souvent boire un verre. Je pense que Martin a interdit aux voisins de donner mon adresse.

Vu le caractère du frère, il était probable qu'il avait mis son grain de sel, songea Beth. Cependant, cela n'augurait rien de bon quant aux sentiments de Liam, car ce dernier s'était vite découragé. En fait, il avait dû se sentir piégé bien avant la vente de la maison. Peut-être même avait-il encouragé Susan à s'installer à Bristol de façon à ne plus jamais tomber sur elle...

Mais Beth préféra garder ces réflexions pour elle.

— Quelle déception tu as dû éprouver ! Surtout quand tu as découvert que tu étais enceinte.

— Curieusement, c'est ce qui m'a aidée à l'oublier, constata Susan d'un air songeur. Je sais que Liam était amoureux de moi, mais c'était un esprit libre, un véritable nomade. Même s'il avait réussi à me retrouver, je ne crois pas qu'il aurait pu s'adapter à une vie normale.

— Tu es très compréhensive, remarqua Beth avec une pointe de sarcasme. Je n'aurais pas réagi de la sorte si j'avais dû élever sa fille toute seule.

— Si je ne l'avais pas rencontré, je n'aurais jamais connu l'amour, rétorqua Susan. Tu vois ce que je veux dire, Beth ? Tomber amoureuses, faire l'amour, c'est ce qui nous rend femmes, non ?

Dans sa voiture, en route pour le bureau, Beth bouillait de colère. Elle ne comprenait pas pourquoi Susan avait accepté aussi facilement que Liam l'ait abandonnée. Et toutes ces âneries sur l'amour… Un tissu d'inepties ! Elle était pitoyable ! Son frère l'avait dépouillée sans qu'elle lève le petit doigt. Elle aurait dû attaquer en justice le Dr Wetherall quand Annabel était morte ; au lieu de quoi, elle était restée passive dans l'attente qu'un gourou l'escroque. Et pour finir, alors qu'elle était totalement démunie, elle avait décidé de passer à l'action et d'abattre deux personnes.

Elle devait être folle !

L'humeur de Beth ne s'améliora pas au cours de l'après-midi, car ses clients lui mentirent de façon éhontée, ou bien se montrèrent d'une telle effronterie qu'elle eut envie de les gifler. À dix-sept heures, elle quitta son bureau les nerfs à vif.

Lorsqu'elle ouvrit la porte de chez elle pour découvrir cinq centimètres d'eau dans l'entrée, ce fut le coup de grâce.

La coupable, manifestement, était la machine à laver le linge qu'elle avait mise en marche le matin. L'eau, qui avait coulé dans la salle à manger, imbibait le tapis. Beth hurla, donna un coup de poing dans le mur et éclata en sanglots.

— Beth !

Elle se retourna et vit Steven monter l'escalier en courant.

— Qu'est-ce qui se passe ? lança-t-il.

— Regardez ! s'écria-t-elle d'une voix rageuse en indiquant d'un doigt tremblant le sol de l'entrée. C'est cette foutue machine à laver !

Il posa une main sur son bras.

— Calmez-vous. Ce n'est pas très grave.

— Me calmer ? J'ai eu une journée épouvantable ! Et d'une minute à l'autre, les voisins du dessous vont se plaindre qu'ils sont inondés.

— Non, je pense que le sol est en béton.

Sans hésitation, Steven enleva ses chaussures et ses chaussettes, et entra dans l'appartement.

Beth s'effondra contre le mur, sanglotant toujours. Steven réapparut quelques minutes plus tard, armé d'un seau, d'une serpillière et de deux torchons. Il disposa les torchons sur le seuil de la salle à manger pour empêcher l'eau d'y pénétrer davantage, puis se mit à éponger.

— Il n'y a rien de catastrophique. Le plus gros est dans l'entrée, qui heureusement est carrelé ! Le tapis ne va pas tarder à sécher, et comme c'est de l'eau propre, il ne sera pas taché.

Sa vision optimiste de la situation n'aida pas Beth. Incapable de lui donner un coup de main, elle continuait à pleurer nerveusement.

— C'est bon. Vous pouvez entrer, l'invita enfin Steven en lui tendant la main. Venez vous asseoir. Je termine dans la cuisine et je vous prépare un thé.

Quelques minutes plus tard, les pleurs de Beth s'étaient apaisés et, une tasse de thé fumante à la main, elle faisait de son mieux pour ne pas renifler.

— Je suis désolée d'avoir réagi ainsi, déclara-t-elle, très gênée. Je ne sais pas ce qui m'a pris.

À cause de son apparence négligée, elle avait toujours pensé que Steven était incapable de changer un pneu ou une ampoule. Mais il avait été très rapide et efficace.

— Nous avons tous nos mauvais jours, la réconforta-t-il, perché sur l'accoudoir du canapé. Vous voulez m'en parler ?

Elle avait honte. Il était demeuré pieds nus. Comme il avait roulé le bas de son pantalon elle voyait ses chevilles blanches et maigres ; et comme il avait retiré sa veste, elle remarqua que sa chemise n'était pas repassée. Quant à ses cheveux, ils étaient en bataille. C'était plutôt lui qui avait besoin qu'on s'occupe de lui.

Il avait un beau visage, songea-t-elle, un regard bienveillant et des lèvres pleines révélaient sa générosité. Pourquoi avait-elle été aussi garce avec lui ?

— Ce matin, Susan m'a agacée et mes clients m'ont exaspérée tout l'après-midi. Quand j'ai ouvert la porte et que j'ai vu l'eau, j'ai piqué une crise. C'est idiot. Mais qu'est-ce qui vous amène ?

— J'ai essayé de vous rattraper lorsque vous avez quitté le bureau pour vous demander comment ça s'était passé avec Susan, mais vous alliez à toute blinde. Ma voiture était garée dans le parking près de chez vous et vous aviez laissé la porte de l'immeuble ouverte, aussi j'ai décidé de monter. En vous entendant crier, j'ai cru que vous aviez été cambriolée.

— Je me sens stupide, confessa-t-elle d'un air penaud en tapotant ses yeux avec un Kleenex.

À sa grande honte, elle découvrit alors que son mascara avait coulé.

— Merci d'avoir tout épongé.

— Ce n'est rien. Je vais juste jeter un coup d'œil à la machine à laver. Après, je vous laisserai. Vous devez vous reposer.

— Non, ne partez pas ! lança-t-elle, estimant qu'elle devait lui transmettre un minimum d'informations en retour de son amabilité. Mais je vais d'abord me laver le visage, je dois être affreuse.

Dans la salle de bains, Beth se contempla dans le miroir, horrifiée. Son visage était strié de traînées noirâtres, elle avait complètement perdu le contrôle d'elle-même – et devant Steven, par-dessus le marché !

Comme elle l'entendait déplacer la machine à laver, elle se souvint des remarques cinglantes qu'elle lui avait adressées. Elle ne méritait vraiment pas sa gentillesse.

Cependant, elle espérait qu'il garderait cet incident fâcheux pour lui, car elle imaginait la jubilation de certains de ses collègues s'ils apprenaient qu'elle piquait des crises de nerfs.

Quand elle arriva dans la cuisine, Steven avait remis la machine en place, sous le plan de travail. Il avait le tuyau dans la main.

— Il a un trou. Je vais le prendre et j'en achèterai un autre. C'est très facile à remplacer.

— Vous avez été adorable. Je vous en remercie beaucoup.

— Les jeunes filles en détresse, je m'y connais, déclara-t-il en souriant. Vous avez envie de me parler de Susan ou vous préférez attendre ?

— Liam, le père d'Annabel, l'a abandonnée, lâcha-t-elle aigrement. Mais elle est si pitoyable qu'elle trouve qu'il lui a fait une faveur en la mettant enceinte.

— Ça n'est pas pitoyable. La plupart des femmes veulent un bébé ; c'était peut-être plus important pour elle qu'une relation amoureuse durable.

— C'est irresponsable !

— Nous le sommes tous à un moment ou un autre de notre vie. Elle n'a donc pas été anéantie par sa disparition ?

— Absolument pas. Elle n'a pas cessé de déblatérer sur l'amour qui l'avait rendue femme. C'était très ennuyeux.

— Alors, c'est ça qui vous a énervée, constata-t-il en éclatant de rire. Voulez-vous encore du thé ? Dites-moi ce que vous avez sur le cœur, ça vous soulagera.

Elle lui relata en détail son entretien avec Susan, puis conclut en lançant :

— Pourquoi s'est-elle laissé piétiner ?

— Certains d'entre nous ne sont pas assez forts pour se défendre.

Percevant une note de mélancolie dans sa voix, Beth le regarda avec intérêt.

— Vous avez ce problème ?

Il ouvrit la bouche, la referma, et elle comprit qu'elle avait touché une corde sensible.

— Allez-y ! Ce n'est pas bon de tout garder pour soi.

Il se gratta la tête et détourna le regard.

— Je ne peux pas, dit-il enfin.

— Pourquoi ? Vous me prenez pour une pipelette ?

— Absolument pas, répondit-il aussitôt.

Il rougit comme un collégien coupable.

— Je sais que vous ne parlerez pas de l'incident de ce soir au bureau, insista Beth. Alors, vous, faites-moi confiance !

— D'accord, lâcha-t-il avec un soupir. C'est Anna. Je devrais être plus ferme, mais je n'y arrive pas. Elle a un problème avec l'alcool.

Beth fut abasourdie. Si elle n'avait jamais rencontré Anna, elle avait vu sa photo dans le bureau de Steven – une jolie brune au sourire plein de vivacité – et elle avait toujours cru qu'ils formaient un couple idéal.

Ils habitaient un quartier résidentiel de maisons avec jardin. Comme Sophie et Polly étaient très bien élevées, Beth s'était imaginé Anna en pilier de l'association des parents d'élèves, le genre de femme capable de confectionner un superbe biscuit de Savoie tout en cousant un déguisement en un clin d'œil.

Soudain, la remarque de Sophie sur sa mère qui buvait trop de vin lui revint en mémoire et elle se rappela la réaction de Steven.

— Elle ne veut pas se faire aider ? Comment le vivent les enfants ?

— Elles sont très angoissées, avoua Steven d'une voix brisée par l'émotion. Elles ne savent jamais ce qui les attend quand elles rentrent de l'école. Elles ne peuvent absolument pas compter sur leur mère. C'est moi qui essaie d'organiser la vie familiale. Et dès que je parle d'une aide extérieure, Anna ne veut pas reconnaître qu'elle a un problème.

— Je suis vraiment désolée, Steven. Je n'ai jamais pensé que vous aviez des difficultés, vous êtes toujours si gai.

— C'est l'une des choses qu'Anna me reproche : je suis trop gai, trop embêtant, trop tout, pour elle.

— Où sont les filles en ce moment ?

— Chez des amis ; elles y passent la nuit. Sinon, il me faudrait rentrer en courant... Je ferais mieux d'y aller, vous avez eu une dure journée.

— Non, restez dîner avec moi, lança-t-elle impulsivement.

— Avec plaisir, dit-il en esquissant un sourire. Mais ne discutons plus de mon problème avec Anna. J'en parle pour la première fois, c'est déjà un grand progrès.

Beth prépara des spaghettis à la bolognaise tout en donnant à Steven de plus amples détails sur sa discussion avec Susan.

Tandis qu'ils mangeaient, ils évoquèrent son dévouement à sa mère et la décision injuste de son père de la déshériter au profit de Martin.

— Je devrais le rencontrer, déclara Steven, pour acquérir la certitude qu'elle dit la vérité.

— Vous en doutez ?

— Non. Elle me fait l'impression d'une personne trop résignée, trop avide de faire plaisir. C'est la raison pour laquelle elle s'est jetée à la tête du premier venu. Elle était tellement seule ! Pareil pour Reuben. Pas étonnant qu'elle ait pété les plombs quand sa seconde histoire d'amour s'est terminée !

Beth mit les assiettes dans le lave-vaisselle, fit du café et proposa à Steven d'aller dans le salon.

— Je n'arrive pas à comprendre pourquoi elle s'est entichée de deux hommes aussi similaires, remarqua-t-elle en s'asseyant face à lui. Après s'être brûlé les ailes auprès de

Liam et son idéal de liberté, elle aurait dû se méfier de Reuben.

— La plupart d'entre nous craquent toujours pour le même genre de personnes. Y compris lorsque nous connaissons les conséquences d'un tel choix.

— Vous parlez d'après votre expérience personnelle ou est-ce le fruit de vos observations ? s'enquit-elle avec ironie.

— Les deux. J'ai toujours été attiré par des femmes compliquées. Avec des résultats désastreux... Anna m'a dit un jour que, étant ennuyeux, j'avais besoin de donner du piment à ma vie, expliqua-t-il avec un rire sans joie.

Cette remarque agaça Beth. Elle avait mis un an pour se rendre compte que Steven n'était pas un boy-scout attardé, mais Anna l'avait épousé et était la mère de ses enfants. Ce n'était pas juste qu'elle le ridiculise et détruise son amour-propre.

— À mon avis, ceux qui accusent les autres d'être ennuyeux sont trop axés sur eux-mêmes pour voir ou entendre ce qui se passe autour d'eux.

— Peut-être, mais je suppose que je suis plutôt insipide, comparé aux hommes qui courent les femmes, picolent ou jouent. J'ai toujours été réglo, je m'efforce de respecter les valeurs selon lesquelles j'ai été élevé. Au début, les femmes s'en réjouissent mais une fois qu'elles m'ont mis le grappin dessus elles me trouvent terne.

Beth percevait sa souffrance et était vraiment désolée pour lui, car sa situation lui rappelait la façon dont son père avait traité sa mère.

— Est-ce qu'Anna avait un problème avec l'alcool quand vous l'avez rencontrée ?

— Pas vraiment. Mais c'était une fêtarde, et quand on sort, on a tendance à boire, bien sûr. Ses ex s'étaient tous montrés très possessifs ; d'après elle, ils n'aimaient pas la voir briller et voulaient la garder sous clé. Elle m'a dit très clairement que si j'agissais ainsi elle me laisserait tomber. Je n'ai jamais été jaloux, j'adorais la voir mettre de l'ambiance dans les soirées. Elle était belle, spirituelle, et son enthousiasme était communicatif.

— Je suppose qu'elle désire secrètement que vous soyez possessif. Sans ça, elle ne se sent pas aimée.

— Alors, pourquoi affirme-t-elle le contraire ?

— Les femmes sont souvent pleines de contradictions... Le problème est apparu à quelle époque ?

— Après la naissance de Sophie. Avec Polly, nous continuions à sortir et à recevoir. Mais avec l'arrivée de Sophie, deux ans plus tard, Anna a eu le baby-blues pendant quelque temps. Lorsqu'elle a eu passé le cap, elle a semblé souffrir d'un manque de liberté. Elle souhaitait retravailler – avant, elle était graphiste. Cependant, elle n'a jamais vraiment essayé de trouver un emploi.

— Comment s'est-elle mise à boire ?

— Quand les enfants étaient petites, elle ne buvait que dans les soirées. Pour lui faire plaisir, j'ai commencé à garder les filles afin qu'elle puisse sortir avec des copines. Elle rentrait souvent complètement bourrée. Puis elle a invité ses amies pendant la journée et elles descendaient une ou deux bouteilles de vin. Le soir, je trouvais la maison dans un désordre indescriptible et Anna était ivre morte. À présent, elle n'est presque jamais à jeun.

— Pauvre Steve, compatit Beth. Est-ce que vous vous montrez ferme avec elle ?

— J'essaie. Mais si je joue les maris autoritaires, elle prendra ce prétexte pour me quitter.

— Serait-ce une si mauvaise chose ? demanda-t-elle doucement.

— Je ne supporterais pas que les filles perdent leur mère, même si celle-ci est loin d'être à la hauteur.

— Je pense qu'elles seraient plus heureuses sans elle... Je le sais à cause de mon père.

Beth n'avait jamais parlé à personne de son enfance. Si à

cet instant elle se sentait tenue de la raconter à Steven, c'était pour le bien de Polly et Sophie. Elle expliqua sa détresse et son sentiment d'isolement suite au comportement de son père, et comment sa mère ne l'avait jamais quitté, pour des raisons voisines de celles qu'il venait d'invoquer.

— Ce n'était pas un alcoolique, mais un propre à rien violent et mesquin. À mon avis, il souffrait d'un complexe d'infériorité parce que son père, son grand-père et son arrière-grand-père avaient été des gagnants. J'imagine aussi qu'il avait été gâté-pourri dans son enfance... Anna n'a pas le droit d'entraîner toute la famille dans sa chute. Le pire, pour des gens comme mon père et elle, c'est qu'ils ont un énorme amour-propre. En se prêtant à leurs exigences et en les laissant faire à leur guise, vous flattez leur ego et ils se sentent encore plus puissants.

— Elle n'est pas égotiste, soutint-il. C'est plus fort qu'elle.

— Balivernes ! l'interrompit-elle avec feu. Si vous acceptez qu'elle vous serve cette excuse bidon, elle n'est pas près de dessoûler. Si ma mère nous avait emmenés loin de mon père, nous aurions vécu dans une maison paisible au milieu des rires.

Elle marqua une pause, hésitant à poursuivre, et décida de le faire.

— J'ai fini par détester mon père, Steven. L'occasion s'en serait présentée, je l'aurais tué avec plaisir. Si vous ne prenez aucune mesure, vos filles nourriront les mêmes sentiments envers leur mère. Pire, elles risquent de devenir alcooliques ou de se marier avec un alcoolique. C'est ce qui arrive à ces enfants, en général.

Soudain, Steven éclata en sanglots. Beth le contempla, horrifiée : son visage se décomposa, tandis que les larmes coulaient sur ses joues. Il était pitoyable. Elle avait conscience de n'avoir pas mâché ses mots, mais n'avait pas pensé une seconde qu'il craquerait.

— Excusez-moi, déclara-t-elle en venant s'asseoir à côté de lui. J'aurais mieux fait de tenir ma langue.

Pour le réconforter, elle le prit dans ses bras et lui posa la tête contre son épaule en lui caressant les cheveux. Elle agissait ainsi pour consoler sa mère quand son père la frappait, elle s'étonna de retrouver les mêmes gestes.

— Ne me prenez pas au mot. Allez voir un spécialiste qui vous conseillera.

— Ce n'est pas à cause de ce que vous avez dit, assura-t-il en reniflant. Je crois que je décompresse. Je cache l'alcoolisme d'Anna depuis si longtemps ! Je raconte aux filles que leur mère est malade... J'ignorais que vous aviez eu une enfance malheureuse. C'est courageux de votre part de m'en avoir parlé.

— Nous faisons vraiment la paire, tous les deux ! s'exclama Beth en s'efforçant de rire pour masquer son émotion. C'est la première fois que je me confie. Je crois que nous avons besoin d'un remontant.

Elle se dégagea pour se rendre à la cuisine et rapporta deux verres de cognac. Steven s'était séché les yeux et calmé.

— Vous êtes une femme très étrange et captivante, affirma-t-il en faisant tourner le liquide ambré dans son verre. J'étais persuadé que vous ne perdiez jamais votre sang-froid et je ne vous aurais jamais imaginée dans le rôle de consolatrice.

— Mon comportement de ce soir est anormal, reconnut-elle. Mais toute cette journée a été bizarre. Suzanne m'a agacée avec ses histoires de baignade à poil dans la rivière. Elle gloussait sans arrêt, comme une gamine. Elle voulait sans doute me prouver qu'elle avait été désirable.

Elle s'arrêta net, consciente de ne pas être logique.

— Je n'ai pas jugé opportun de continuer l'interrogatoire dans cette voie, reprit-elle sans conviction.

— Elle est parfois bizarre, admit Steven. Prenez le cas du revolver ! Si ç'avait été tout ce que mon père m'avait laissé, je l'aurais jeté dans la rivière. Je ne l'aurais certainement pas gardé avec un enfant dans la maison. Et pourquoi l'emporter au pays de Galles ? Vous parlez d'un souvenir !

— Elle ne m'a jamais dit qu'elle savait tirer quand nous étions enfants. Alors que beaucoup s'en seraient vantés, vous ne trouvez pas ?

— C'est un truc bizarre à enseigner à une fille, de toute façon.

— À mon avis, il serait utile que nous rencontrions les hommes de sa vie. Ça nous permettrait de la voir sous un jour nouveau. Elle a l'art d'éluder certaines questions.

Ils prirent un deuxième cognac, puis un troisième, et tout à coup Beth prit conscience qu'elle parlait avec Steven en toute liberté. Cela ne lui était jamais arrivé avec un homme. Ils discutèrent d'affaires qu'ils avaient défendues, se racontèrent des histoires drôles sur les tribunaux et s'entretinrent de la culpabilité éprouvée quand ils gagnaient un procès en sachant pertinemment leur client coupable. Ils étaient fascinés qu'une personne élevée au sein d'une bonne famille se transforme en criminel, et que d'autres, entourées de bandits, deviennent d'honnêtes citoyens.

— Regardez ma famille : malgré notre père, nous avons tous bien tourné, constata Beth en souriant. Enfin, Robert et Serena au moins mènent une vie absolument normale mais ils ont bien meilleur caractère que moi.

— Vous étiez la plus jeune, vous avez compris très tôt la faiblesse de votre mère et vous étiez déterminée à être différente.

— Je me suis toujours sentie différente des autres, reconnut-elle avec amertume. J'ai demandé un jour à Serena si elle éprouvait la même chose, mais ce n'était pas le cas. À l'école, je me tenais à l'écart. Je n'arrivais pas à m'intégrer à un groupe.

— Je n'étais pas très populaire non plus. J'étais le bûcheur de service et je ne cassais rien comme sportif. Mais à la fac, j'ai été très heureux. Et vous ?

— Je me suis trouvée mieux, admit-elle en leur servant un autre verre. Parce qu'il y avait plein de filles bien plus bizarres que moi. Je me suis aussi créé une nouvelle personnalité, une allure mystérieuse – grand chapeau noir, manteau maxi, longue écharpe qui traînait derrière moi... Après, ç'a été facile de jouer un rôle... Une de mes colocataires m'appelait Greta Garbo, précisa-t-elle en pouffant.

— J'y ai pensé aussi, la première fois que je vous ai vue. Belle et distante avec un cœur de pierre. Qu'avez-vous pensé de moi ?

Beth fut touchée qu'il l'ait trouvée belle, mais elle ne pouvait se permettre d'être franche et de lui avouer qu'il lui avait paru insignifiant.

— Vous m'avez fait l'effet d'un boy-scout. Un peu trop serviable et sérieux. J'ai changé d'avis au fil des mois.

— Anna dit que je suis doucereux, fit-il d'un air malheureux. Ce n'est pas vrai, hein ?

— Absolument pas, assura-t-elle avec fermeté. J'ai l'impression qu'elle se défoule pour justifier son comportement.

— La plupart des femmes que j'ai rencontrées ont été méchantes avec moi.

— Vous savez pourquoi ? Parce que vous êtes trop gentil. Cela leur donne envie de vous piétiner.

— Quels sont les hommes qui vous attirent ?

— Aucun. Enfin, plus maintenant. C'est trop douloureux.

Elle se rendit compte qu'elle était ivre : elle n'aurait jamais parlé d'elle de façon aussi personnelle, autrement.

Steven lui prit la main, qu'il serra dans la sienne sans lui demander d'explications.

— Nous sommes deux cœurs blessés, déclara-t-il après un long silence, et nous passons nos journées à défendre des gens comme nous.

Beth n'avait jamais pensé ressembler à ses clients, mais tout à coup elle comprit que c'était vrai et se mit à pleurer.

— Qu'est-ce qui vous arrive, Beth ? s'enquit Steven en l'attirant contre lui.

— Je ne sais pas par où commencer, confessa-t-elle en sanglotant contre son épaule.

Il mit une main sous son menton et lui releva la tête en la regardant tendrement.

— J'ai noté le changement qui s'est opéré en vous depuis que Susan est réapparue dans votre vie. Alors, pourquoi ne pas me raconter votre amitié ?

11

— Nous nous sommes rencontrées au bord de la rivière, à Stratford. Nous avions toutes les deux dix ans, nous étions très seules, et avec le recul, je pense que nous cherchions désespérément de la compagnie.

Beth expliqua à Steven qu'elle s'était retrouvée chez sa tante Rose parce que son père avait battu sa mère. Son oncle et sa tante habitaient une maison modeste, mais pour elle c'était le paradis car elle était lumineuse, propre et très confortable. Sa mère occupait la chambre d'ami rose qui, par les fanfreluches, dentelles et volants dont elle était bourrée, rappelait la façon dont s'habillait tante Rose. Beth dormait dans une petite alcôve. Mais le plus agréable, c'était que cette maison était près du centre. La diversité des commerces fascinait Beth : on trouvait de tout, des bonbons jusqu'au manteau de fourrure. Les touristes – ils étaient nombreux – passaient leur temps à prendre des photos des vieux bâtiments, et sa tante lui avait dit qu'ils visitaient la ville où était né Shakespeare. Beth n'avait jamais entendu ce nom, et elle n'avait aucune idée de ce que cet homme avait fait pour être aussi connu, mais elle n'avait pas osé le demander, de peur de paraître stupide.

Le premier jour, après un long trajet en voiture très ennuyeux, s'était passé à la maison parce que les adultes étaient fatigués. Sa mère pleurait et tante Rose préparait sans cesse du thé en maugréant : « Cela te pendait au nez. Si tu m'avais écoutée... »

Mais le lendemain, oncle Eddie était retourné à son travail. Il aménageait des caravanes, avait expliqué tante Rose à Beth, et le ton sur lequel elle avait précisé qu'il était artisan indiquait clairement que sa mère aurait dû chercher un homme tel que lui. Dans la matinée, elles avaient fait les courses, et une fois rentrées, sa tante avait dit à Beth d'aller se promener pour les laisser discuter, sa mère et elle. Comme elle lui avait donné de l'argent pour s'acheter à manger, Beth comprit qu'elle était libre jusqu'au goûter.

Au début, regarder les magasins et les gens lui parut excitant, et elle s'amusa à essayer de deviner d'où ils venaient. Mais au bout d'un moment elle se sentit seule et la chaleur accablante l'incita à descendre à la rivière pour contempler les bateaux de plaisance. C'était là qu'elle avait vu la fillette assise sous un arbre.

Elle portait une de ces robes à smocks aux manches bouffantes, avec une large ceinture à nœud dans le dos, dont Beth avait toujours rêvé. Rose imprimée de fleurs mauves. Ses sandales bleues qui brillaient, ses socquettes d'un blanc immaculé et ses cheveux au carré impeccable la renforcèrent dans l'idée que cette gamine avait tout pour être heureuse.

À l'école, les filles dans son genre ignoraient toujours Beth – elle prit donc son courage à deux mains pour lui adresser la parole. Mais, à son grand étonnement, celle-ci semblait elle aussi vouloir se lier d'amitié. Elle se présenta, lui raconta qu'elle vivait à Luddington, un village des environs, et qu'elle attendait que son père passe la prendre.

Il était incroyablement facile de lui parler. Suzie ne minaudait pas et lui confia que, comparée à ses camarades de classe, elle était plutôt bête ; Beth n'en fut pas convaincue car Suzie avait lu les mêmes livres qu'elle, et savait que William Shakespeare était le plus grand auteur dramatique d'Angleterre.

Mais ce qui lui plut le plus dans sa nouvelle amie, c'est que celle-ci ne la voyait pas comme une grande perche : Suzie lui assura qu'elle était ravissante en short, que ses cheveux bouclés étaient magnifiques et que son teint la faisait ressembler à Blanche-Neige. Beth rentra à la maison sur un petit nuage. Elle pria pour que tante Rose lui prête sa bicyclette et qu'on l'autorise à fréquenter Suzie. Elle se dit qu'elle en mourrait si on le lui refusait.

Pendant ces vacances, Beth en apprit beaucoup sur sa mère. Elle était aussi snob que son père. Lors d'une dispute, tante Rose affirma qu'elle avait épousé Montague pour la seule raison qu'elle le croyait plein aux as. À l'entendre, sa sœur souffrait de la folie des grandeurs, et elle récoltait maintenant ce qu'elle avait semé. Si elle avait du cran, elle le quitterait ; mais elle n'en ferait rien parce que, comme son mari, elle ne voulait pas travailler...

La mère de Beth avait soutenu que ce n'était qu'un tissu de mensonges. Pourtant, la première chose qu'elle demanda concernant Suzie fut le nom de son école, que, bien sûr, Beth ignorait. Et tante Rose, qui le savait, lança alors de façon sarcastique :

— Ne t'inquiète pas, je connais la famille. La gamine va dans une école privée, son père dirige une grosse compagnie d'assurances et ils habitent dans une très belle maison à Luddington.

Du coup, Beth fut libre de voir Suzie tous les après-midi. Sa mère pensait peut-être qu'elle jouait dans le jardin de son amie, mais elle ne lui posa jamais la question. Elle était bien trop heureuse de pouvoir lire ou sortir avec sa sœur.

En général, Suzie attendait Beth devant le portail avec sa bicyclette et semblait avoir hâte de s'en éloigner. Quant à Beth, elle invita rarement son amie chez tante Rose, prétextant que les magasins ou le parc étaient plus intéressants.

— Nous cachions nos secrets de famille, expliqua Beth à Steven. Je ne voulais pas que Suzie sache que nous étions très pauvres ou que mon père battait ma mère. J'avais décrit les écuries de notre maison et la grande allée mais pas les fenêtres cassées, les trous dans la toiture ou les souris dans la cuisine. Et Suzie ne voulait pas que je constate la sénilité de sa grand-mère, que j'imaginais occupée à tricoter pendant que sa mère confectionnait des gâteaux… Il y avait autre chose, aussi… Suzie pensait que j'étais intrépide, intelligente, jamais à cours d'idées plus excitantes les unes que les autres. Elle aurait aimé me ressembler. Alors que de mon côté, j'enviais sa douceur, sa féminité et sa vie au sein d'une famille heureuse dans une belle maison.

— Quand avez-vous découvert la vérité l'une sur l'autre ?

— Cela ne s'est jamais produit. Nous n'étions ensemble qu'un mois par an.

— Pourtant, vous vous écriviez le reste de l'année…

— Oui. Mais vous savez ce que s'écrivent les enfants : ils parlent de ce qu'ils ont fait, des livres qu'ils ont lus.

— Combien d'étés avez-vous passés à Stratford ?

— Cinq. À partir du deuxième été, on m'a mise dans le train, ma mère restant à la maison avec mon père. Mais, l'année de mes seize ans, mon père m'a interdit de m'y rendre.

— Pourquoi ?

— Parce qu'il était mesquin… Il ne voulait pas que je m'amuse ! lança Beth avec véhémence. Après le décès de sa grand-mère, Susan m'avait invitée chez elle. Nous espérions aller danser et draguer les garçons.

Elle marqua une pause et sourit.

— L'année précédente, nous traînions dans les cafés en

nous faisant passer pour des Françaises. Nous allions avoir seize ans au mois d'août et nous nous considérions comme des adultes.

Beth se revoyait lire et relire la lettre d'invitation de Suzie. On était en avril, elle était assise sur son lit et son cœur battait la chamade.

Il pleuvait des cordes, et elle entendait l'eau tomber avec un bruit métallique dans la baignoire en étain qu'ils avaient mise sur le palier sous la fuite du toit. Comme il gelait dans la pièce, elle s'était emmitouflée dans l'édredon. Mais penser à Suzie et à Stratford la réchauffait. Elle prit un papier et un crayon pour calculer la somme dont elle disposerait en août si elle économisait tout l'argent récolté en faisant sa tournée de distribution des journaux.

Elle était payée une livre cinq par semaine seulement alors qu'elle parcourait chaque jour plus de vingt kilomètres à bicyclette en commençant à six heures du matin. Mais elle n'avait pas le choix. À l'occasion de ses quatorze ans, son père lui avait annoncé qu'il n'avait plus l'intention de dépenser un centime pour elle, pas même pour ses vêtements. Selon lui, il était temps qu'elle gagne sa vie.

De toute façon, il ne lui avait jamais donné d'argent, sauf une petite pièce dans ses rares moments de bonne humeur. Quant aux vêtements, elle héritait toujours de ceux de sa sœur, et la plupart étaient si démodés qu'elle aurait préféré mourir plutôt que de les porter. C'était Serena qui lui achetait son uniforme scolaire et ses chaussures.

Au printemps et en été, son travail ne la dérangeait pas : avoir de l'argent pour s'offrir des vêtements compensait largement le fait de se lever à l'aube. Mais l'hiver, c'était horrible. Elle devait se mettre en route dans l'obscurité, or les chemins étaient très boueux. Le froid glacial cinglait ses joues, ses mains et ses jambes, et elle n'avait pas la possibilité de prendre un bon bain chaud avant de se rendre à l'école. Elle enlevait donc la boue de ses jambes à l'eau froide, puis enfilait son uniforme, avalait son petit déjeuner à toute vitesse et pédalait jusqu'à l'école, encore transie de froid.

L'approche du printemps et la perspective des vacances à Stratford la réconfortaient. Tout irait bientôt mieux. Peut-être qu'en septembre elle trouverait un meilleur emploi dans un magasin le samedi. Et elle pourrait sans doute économiser quinze livres d'ici au mois d'août, ce qui lui permettrait de s'offrir une robe à la mode et des chaussures pour aller danser.

Elle descendit dans la cuisine pour terminer ses devoirs. Sa mère devait être au village. Étalant ses livres sur la table, le plus près possible du poêle, Beth se mit au travail.

Depuis qu'elle avait vu la cuisine de Suzie à Luddington, la sienne lui faisait terriblement honte. Elle était propre, sa mère passant son temps à la frotter, mais si vieille et misérable que ces nettoyages incessants n'amélioraient pas grand-chose. De nombreux carreaux du sol étaient cassés, d'autres manquaient ; la peinture des placards s'effritait. Rien n'étincelait comme chez les Wright, tout semblait usé jusqu'à la corde – comme sa mère qui était au bout du rouleau – et le faible éclairage en rajoutait encore. Enfin, deux vitres cassées ayant juste été recouvertes de carton, seule la chaleur du poêle rendait la pièce supportable.

Son père arriva quelques minutes plus tard.

— Où est ta mère ? Je n'ai pas eu mon café.

— Je vais te le préparer.

Pourquoi ne pouvait-il pas se le faire ? Quand il était jeune, d'après sa mère, il était grand et très beau, avec de larges épaules et d'épais cheveux noirs. À présent, il ne restait rien de toute cette splendeur : il avait des kilos en trop, un gros ventre et des bajoues. Il commençait à perdre ses cheveux, devenus gris et ternes ; des taches constellaient le devant de son gilet et le col de sa chemise était douteux. Mais ce que Beth détestait le plus en lui, c'était son regard très dur. Il passait son temps à fureter dans les pièces et à martyriser sa famille.

D'après Serena, comme la plupart des hommes violents, leur père était un lâche, effrayé à la perspective de devoir chercher un emploi s'il y était un jour acculé, et résolu à jouer au châtelain tant qu'il toucherait les loyers des quelques locataires qui lui restaient.

Cette explication n'aidait pas Beth à l'estimer d'avantage. Elle mit la bouilloire sur le feu et se rendit dans le garde-manger. Le bocal à café était vide.

— Il n'y a plus de café, annonça-t-elle nerveusement. Je pense que maman est allée en chercher.

— Pas de café ? rugit-il. Elle sait que je le prends toujours à onze heures.

— Je vais te faire un thé à la place.

— Le thé, c'est pour le petit-déjeuner. Il n'y a que les ouvriers pour en boire à onze heures, rétorqua-t-il d'un ton cinglant.

Il se délectait autant à décrire les mœurs des ouvriers que sa « position à tenir ». Il disait que les ouvriers stockaient le charbon dans leur baignoire, s'essuyaient le nez sur leurs manches et avaient de nombreuses autres habitudes dégoûtantes. Il pouvait parler ! Beth l'avait vu pisser par la fenêtre de son bureau parce qu'il était trop paresseux pour se rendre au premier, et il se lavait et se rasait rarement en hiver.

Beth essaya de le calmer en lui assurant que sa mère n'allait pas tarder ; elle proposa même de se rendre au village à bicyclette pour acheter du café.

— Fais ça, ordonna-t-il d'un ton brusque.

Lorsqu'elle vit par la fenêtre les trombes d'eau qui tombaient, Beth frissonna. Elle avait déjà été trempée ce matin-là en distribuant les journaux, et son manteau et ses chaussures étaient encore humides. Cependant, si elle se plaignait, il la frapperait.

— Tu peux me donner de l'argent ?

— De l'argent ? C'est ta mère qui a l'argent du ménage.

— Mais elle n'est pas là.

— Alors, prends le tien.

— J'économise pour mes vacances à Stratford.

— Tu n'y remettras plus jamais les pieds, ma fille, répliqua-t-il en plissant les yeux avec méchanceté. Tu travailleras tout l'été. Si tu crois que je vais te payer le train pour voir ta mégère de tante, tu te trompes lourdement.

— Mais, papa, Suzie m'a invitée chez elle. S'il te plaît, laisse-moi y aller ! l'implora Beth.

Il fondit sur elle, l'attrapa par l'épaule, et lui donna un coup de poing si violent qu'elle tomba contre le poêle et se brûla la main.

— Tu n'iras nulle part ! hurla-t-il. À partir de maintenant, tu travailleras tous les étés et tu donneras la moitié de ta paie à ta mère pour participer aux frais du ménage. C'est compris ?

Beth avait eu un œil au beurre noir et la lèvre fendue – les blessures que son père infligeait à sa mère régulièrement. Étendue sur le carrelage glacial de la cuisine, elle l'avait maudit et s'était juré de se venger.

— C'était un véritable monstre ! s'écria Steven en la serrant fort dans ses bras. Pas étonnant que vous le détestiez.

— Je ne pouvais pas me résoudre à avouer la vérité à Suzie, déclara Beth en s'essuyant les yeux, réconfortée par son étreinte. Je lui ai écrit que j'avais trouvé un travail intéressant. Mais ça n'avait pas d'importance : sa mère a eu son attaque à ce moment-là, et Suzie n'aurait de toute façon pas été disponible pendant les vacances.

— Vous avez donc travaillé tous les étés ?

— Oui, y compris les samedis chez un marchand de chaussures à Hastings. Mon père attendait ma paie, il en empochait la moitié et ma mère n'en a jamais vu la couleur.

Steven lui caressa les cheveux et soupira.

— Vous étiez obligée de rester, je suppose, si vous vouliez entrer à l'université...

— Oui. Mais sans Suzie, je serais partie. C'est elle qui m'a aidée à tenir le coup. Quand je lui écrivais que je voulais quitter la maison – sans en donner les véritables raisons –, elle me pressait de ne pas le faire ; elle m'a énormément soutenue, et c'était son opinion qui comptait pour moi. De plus, mon père avait sans doute dit à mon frère et ma sœur que j'étais stupide, car ils ne semblaient pas beaucoup miser sur moi. Ils me suggéraient souvent de prendre un boulot de nounou.

— Mais ils savaient ce que vous enduriez à la maison – ce qui n'était pas le cas de Susan, n'est-ce pas ? fit remarquer Steven.

— Tout à fait. Mon frère, ma sœur, mes professeurs, les voisins, tout le monde s'apitoyait sur mon sort. Ce comportement sape vos ambitions, mine votre détermination, et vous donne le sentiment d'être une nullité. Suzie, elle, n'avait pas pitié de moi. Elle m'admirait. À treize ans, après avoir vu avec elle un film sur la justice, j'avais déclaré vouloir être avocate. Je devais avoir été convaincante, car ensuite elle m'y a toujours encouragée. Le jour de la remise de mon diplôme, j'ai pensé très fort à elle. J'aurais tant voulu qu'elle soit là !

— Dommage que vous ne soyez pas restées en contact. Si vous aviez été amies à la mort de ses parents, vous l'auriez conseillée pour son héritage.

— Je sais. Et avant, j'aurais pu l'inciter à les quitter pour mener sa propre vie. J'y songe sans arrêt depuis que je l'ai revue.

— Nous aimerions tous revenir en arrière, parfois, constata Steven avec un soupir. Mais je suppose qu'à l'université, vous avez rencontré des amis plus excitants...

— Absolument pas. J'ai continué à être une solitaire. Je n'ai plus jamais été la fille que Suzie avait connue.

Son ton était si plaintif que Steven pivota sur le canapé pour la regarder. Sa lèvre inférieure tremblait et ses yeux verts étaient d'une tristesse infinie. Il se souvint de la remarque de Susan. Évoquer le passé avait manifestement rouvert une ancienne blessure chez Beth. Et cette blessure lui avait été infligée entre sa dernière visite à Stratford et son entrée à l'université, puisqu'elle avait expliqué qu'elle s'y était construit une nouvelle personnalité.

— Que vous est-il arrivé ensuite, Beth ?

Elle soutint son regard puis détourna les yeux d'un air coupable, une expression qu'il avait souvent surprise sur le visage de ses clients.

— Il se fait tard, lâcha-t-elle en se raidissant. Il est temps que vous rentriez.

Elle avait raison, bien sûr : il était minuit passé. Mais son attitude confirmait le fait qu'il avait vu juste.

— Je vous ai parlé d'Anna parce que je vous fais confiance, insista-t-il. Je savais que vous me pousseriez à affronter la situation et que vous seriez de bon conseil. Alors, s'il vous plaît, faites-moi confiance à votre tour et laissez-moi vous aider.

— Vous cherchez à négocier, comme au tribunal ? répliqua-t-elle avec dédain.

Steven prit son courage à deux mains.

— L'esprit et le corps ne sont pas comme votre machine à laver, commença-t-il prudemment. Quand l'un et l'autre sont blessés, il n'est pas possible d'acheter une pièce de rechange. On doit les guérir. Je n'en ai pas le pouvoir, mais au moins parlez-en.

— Vous vous prenez pour un psychiatre ? rétorqua-t-elle, d'un ton cinglant cette fois. Vous ne savez même pas repasser une chemise et vous voilà prêt à m'analyser !

Steven rougit.

— Je n'ai pas le temps de repasser les vêtements des filles non plus, encore moins de me pomponner. N'essayez pas de me blesser pour dissimuler votre souffrance.

— Vous avez un sacré culot ! s'écria-t-elle en bondissant du canapé. Vous débarquez à l'improviste, poursuivit-elle en faisant les cent pas, je vous invite à dîner pour vous remercier de vous être occupé de ma fuite d'eau ; et, parce que je vous ai raconté mon enfance, vous estimez avoir le droit de fouiner dans ma vie privée. Eh bien, détrompez-vous ! Je me suis confiée à vous dans le but de vous expliquer ma relation avec Susan, c'est tout.

Steven se leva. Il avait peur de tout gâcher en s'obstinant. Mais il sentait qu'il était proche de la vérité. Beth n'avait pas ouvert la porte pour le flanquer dehors, et son indignation l'incitait à penser qu'inconsciemment elle avait envie de tout déballer.

— C'est arrivé entre vos seize ans et vos dix-huit ans, déclara-t-il doucement mais avec fermeté. Un événement si dévastateur que vous ne pouviez même pas en parler à Suzie. Voilà pourquoi vous l'avez laissée tomber, n'est-ce pas ? Une fois à l'université, vous n'avez pas osé lui rendre visite de peur que ça vous échappe. J'ai raison, non ?

Beth le dévisageait, les yeux écarquillés, le visage blafard, la mâchoire pendante. On aurait dit une enfant terrorisée prise la main dans le sac. Il l'enlaça.

— Vous êtes en sécurité avec moi, Beth, chuchota-t-il en la serrant fort contre lui. Je désire juste votre bien.

Les muscles de son corps se détendirent, et Beth se mit

de nouveau à pleurer contre son épaule comme une petite fille.

— Ils m'ont violée, lâcha-t-elle d'une voix rauque. Trois garçons, dans une ruelle, l'un après l'autre.

De stupeur, Steven resta sans voix. Il ne s'était pas du tout attendu à ça ; il avait pensé qu'elle était tombée enceinte ou qu'elle avait été plaquée par un petit copain. Mais, dans son travail, il avait rencontré beaucoup de femmes victimes de viol, et il savait à quel point cela avait brisé leur vie.

Avec une tendresse toute paternelle, il la fit allonger sur le canapé et la berça.

— Vous avez dit le plus difficile, déclara-t-il d'un ton apaisant. Racontez-moi comment ça s'est passé.

— C'était pendant les vacances de Noël, début janvier 1968, à Hastings, débita-t-elle comme si elle voulait en finir au plus vite. Nous faisions des soldes, au magasin de chaussures où je travaillais. À la fermeture, au lieu de rentrer directement à la maison, je me suis arrêtée au bar Rococo. Les élèves du lycée s'y retrouvaient régulièrement, c'était *le* lieu de rendez-vous. Je n'y allais que pendant la journée car je n'avais pas le droit de sortir le soir. Il était environ dix-huit heures quand je suis arrivée et j'ai pensé rester jusqu'au bus suivant qui passait à dix-neuf heures trente. J'avais préparé une excuse pour mon père : on m'avait retenue pour l'inventaire.

Le visage crispé, elle agrippa le bras de Steven avant de reprendre son récit.

Elle était restée à Hastings, malgré le froid glacial, parce qu'elle avait rencontré dans le bus un garçon, Mike, qui lui avait beaucoup plu, et elle savait qu'il fréquentait le Rococo. Elle se sentait plus jolie dans la minijupe noire et le pull chaussette qu'elle devait mettre pour travailler qu'avec l'uniforme de l'école.

Le Rococo, situé au-dessus d'un magasin, était un bar enfumé à la lumière tamisée, meublé de fauteuils très bas. Une musique assourdissante sortait du juke-box. À sa grande déception, Mike n'était pas là. Elle but plusieurs cafés, bavarda avec des copines, mit des disques dans le juke-box et finalement, à dix-neuf heures vingt, partit, découragée, pour prendre le bus.

Le gel brillait sur les pavés, et elle eut l'impression d'être coupée en deux par le vent qui soufflait du large. Il était étrange de voir les vitrines des magasins encore allumées, car il n'y avait plus personne dans les rues.

On la siffla, et sur le trottoir d'en face elle vit deux garçons qui lui faisaient des signes de la main. Dans l'obscurité, elle crut reconnaître Mike et courut à sa rencontre.

En s'approchant, elle s'aperçut qu'elle s'était trompée : le garçon en question avait des cheveux blonds coupés à la Beatles, comme Mike, mais la ressemblance s'arrêtait là.

— Je vous ai pris pour quelqu'un d'autre, expliqua-t-elle, très gênée.

Il lui dit s'en fiche comme d'une guigne et la charria sur sa taille.

Elle en avait l'habitude, mais ces plaisanteries la piquaient au vif et elle contre-attaquait toujours.

— C'est votre impression parce que vous êtes plutôt rabougri, riposta-t-elle de sa voix la plus snob avant de tourner les talons.

— T'as dit quoi, là ? cria-t-il d'un ton agressif en la rattrapant.

Elle n'aurait jamais dû lui répondre. Son haleine empestait l'alcool. Et, avec son blouson en cuir et son jean sale, il avait tout du voyou.

— Excusez-moi, mais ce n'est pas très agréable d'entendre toujours les mêmes blagues, expliqua-t-elle en s'éloignant.

— On devrait t'mettre une ampoule sur la tête pour te transformer en réverbère, lança l'autre garçon en hurlant de rire. Hé, Bob, t'as vu ses cannes !

— Plus on est près de l'os, plus la viande est tendre, répliqua le blond.

Beth prit ses jambes à son cou mais ils la suivirent en se moquant de ses cheveux, de son manteau et de ses grands pieds. Les rues étaient désertes et elle avait peur qu'ils montent dans le bus avec elle. Elle s'arrêta et se retourna.

— Laissez-moi tranquille, s'il vous plaît.

— « Laissez-moi tranquille, s'il vous plaît », répéta Bob en parodiant sa voix. T'es une vraie snobinarde. J'ai toujours voulu baiser une bourgeoise.

Ignorant sa remarque, Beth repartit, et crut en être débarrassée quand elle vit un homme surgir d'une rue perpendiculaire et les appeler.

Beaucoup plus âgé que les deux autres, il était grand et bien bâti. Vêtu d'un pardessus, il avait le crâne rasé et arborait une grosse moustache. Tandis que les jeunes s'arrêtaient pour discuter avec lui, Beth pressa le pas.

Mais le dénommé Bob l'interpella et lui demanda si elle voulait faire la connaissance de Bonio.

— On l'appelle comme ça parce qu'il est bon », précisa-t-il avec un gros rire.

Elle n'était qu'à quelques mètres de l'arrêt d'autobus. Seulement il n'y avait pas un chat à l'horizon.

C'est alors qu'elle les entendit courir derrière elle. Terrorisée, elle pria intérieurement pour que le bus arrive ; elle foncerait pour l'attraper et serait sauvée...

Soudain, les deux jeunes se retrouvèrent à ses côtés et ils lui attrapèrent chacun un bras.

— Bonio a un truc dur à t'montrer, dit Bob.

Elle poussa un cri qu'une main étouffa. Ils la traînèrent dans un passage au bout duquel il y avait une ruelle sombre et étroite.

Beth se débattit, mais ils étaient trop forts. Lorsqu'elle envoya des coups de pied à Bonio, il rigola.

— Fougueuse, la poulette ! J'aime ça. Y a pas beaucoup de nanas qui veulent se battre avec moi.

Jusqu'à ce que Bonio déboutonne son pardessus et baisse la fermeture éclair de son pantalon, elle avait imaginé qu'ils allaient la tabasser. En comprenant qu'ils voulaient la violer, elle fut terrifiée. Elle hurla et tenta de se dégager, mais ils la maintenaient fermement. Ils la forcèrent à s'allonger par terre, et celui dont elle ne connaissait pas le nom lui fourra un mouchoir ou un foulard dans la bouche pour la réduire au silence.

Beth avait dix-sept ans, et son expérience des garçons se résumait à quelques baisers. L'homme releva sa jupe d'un coup sec, déchira ses collants et sa culotte, et la lorgna tout en ordonnant aux deux autres de bien la tenir pendant qu'il « tirait son coup ».

Beth sentait autour d'elle des odeurs de pisse de chat et de poubelles, mais il faisait si sombre qu'elle distinguait seulement les murs dressés de part et d'autre de la ruelle. L'homme s'allongea sur elle pour la pénétrer. Comme elle essayait de crier malgré le bâillon, il posa la main contre sa gorge.

— J'parie qu'elle est vierge, dit le blond, en gloussant près de son oreille. C'est étroit, Bonio ?

La douleur fut insoutenable, Beth eut l'impression d'être déchirée en deux. L'homme se releva, Bob prit sa place en marmonnant qu'elle mouillait et qu'elle était sexy.

Quand le tour du troisième arriva, elle était trop anéantie pour continuer à se débattre. Elle vit Bonio se tourner contre le mur pour se soulager tout près de sa tête, et cette négation totale de sa personne fut aussi atroce que le viol.

— C'est un vrai sac à sperme maintenant, déclara le troisième homme en se relevant.

Tandis qu'elle restait par terre, trop dévastée pour

pleurer, il lui donna un coup de pied dans les côtes et ajouta :

— Salope. T'as aimé ça, hein ?

Ensuite, ils filèrent comme des rats dans l'obscurité, la laissant sur la chaussée crasseuse tel un détritus.

— Oh, Beth ! Je ne sais pas quoi dire...

La voix de Steven ramena Beth dans le présent, et elle vit des larmes couler sur ses joues.

Elle était choquée d'avoir pu tout raconter de façon aussi réaliste, mais elle se sentait soulagée d'un grand poids. Durant les semaines qui avaient suivi le viol, alors qu'elle s'efforçait d'effacer de sa mémoire cet événement traumatisant, elle avait été habitée par la honte. Maintenant qu'elle l'avait revécu, elle éprouvait surtout un chagrin énorme en constatant à quel point il avait marqué sa vie.

— Que peut-on dire ? répondit-elle avec un soupir. Je sais aujourd'hui que très peu d'hommes sont des violeurs en puissance, mais pendant très longtemps, tous m'ont terrifiée.

— Qu'est-il arrivé après ? Avez-vous porté plainte ?

Bouleversé, Steven avait honte du genre masculin. Il avait espéré qu'en se confiant Beth trouverait un apaisement. Mais comment parvenait-on à se remettre d'une chose aussi monstrueuse ?

Beth garda le silence quelques instants. Elle tremblait comme ce soir-là, quand elle s'était relevée péniblement, souillée et meurtrie à jamais.

Ils avaient détruit sa jeunesse et son innocence, pulvérisé sa confiance. Déjà à cette époque, elle se méfiait des hommes à cause de son père ; cependant, comme toutes les jeunes filles, elle attendait aussi le premier amour. Elle se languissait en écoutant des chansons romantiques, et se posait des questions sur les désirs qu'elle sentait naître en elle. Après cette agression brutale, tout lui était devenu hideux.

Beth se dégagea de l'étreinte de Steven pour aller se poster devant la fenêtre. Sur le velours noir de la nuit, les lumières scintillaient tels des millions de diamants. Mais, dans la ville apparemment endormie, des femmes subissaient des violences…

Steven la rejoignit. Son épaule touchait celle de Beth.

— Je suis sortie de la rue en titubant et j'ai hurlé, lâcha-t-elle. Je suis tombée sur une bande de copines en goguette. Elles m'ont tout de suite emmenée au commissariat de police.

— C'était comment ? interrogea Steven, mais en la voyant frissonner, il eut peur de la pousser à bout.

— Ils ont montré bien peu de compassion ou de tact, dit-elle sèchement en évitant son regard. Dieu merci, ce n'est plus comme ça pour les victimes de viol… Ils m'ont bombardée de questions ; certaines étaient si intimes que j'ai eu l'impression d'être de nouveau violée. Puis ils m'ont laissée seule dans une pièce pendant qu'ils allaient chercher mes parents. Nous n'avions pas le téléphone à la maison.

Depuis cette époque, Beth avait vu bien des salles d'interrogatoire, mais elle reconnaîtrait celle de son adolescence même si on l'y conduisait les yeux bandés. Elle était carrée, d'environ huit mètres de côté, peinte en vert pomme, sans fenêtre, et empestait le tabac froid. Une table et deux chaises composaient l'unique mobilier. Beth se rappelait une phrase gribouillée sur le mur : « Jésus est vivant, c'est moi qui suis mort. » Ce message lui parut plein de sens, ce soir-là. Elle sentait l'odeur des hommes sur elle et aurait voulu se frotter jusqu'au sang pour l'effacer. On lui apporta une tasse de thé, mais elle fut incapable de le boire tant elle tremblait.

— Monty, mon père, est arrivé. Il avait dû ordonner à ma mère de rester à la maison. Il était rouge de colère.

Vous savez pourquoi ? Il était furieux qu'on l'ait dérangé au beau milieu de son film par une nuit glaciale. Et devinez quelles furent ses premières paroles…

— « Je vais les attraper et les tuer », suggéra Steven sans conviction.

— Il m'a lancé : « C'est bien toi, toujours à te fourrer dans le pétrin ! Je suppose que tu les as allumés. »

Steven la dévisagea, ahuri. La cruauté de certains parents l'étonnerait toujours.

— Le policier qui l'accompagnait en a été estomaqué. Il lui a expliqué que je venais de subir une terrible épreuve et que ce n'était pas le moment de m'engueuler. Mais il aurait aussi bien pu parler à un mur. Mon père avait une cravate à pois, et il n'arrêtait pas de tirer dessus comme si elle l'étouffait. Je devais être examinée par le médecin de la police et faire une déposition, mais mon père a refusé. Il a dit que j'étais une idiote et qu'il me ramenait à la maison.

— Il ne voulait pas que la police arrête ces types ? s'exclama Steven, ahuri.

— Vous savez ce qu'il a sorti au médecin ? « Mon brave, regardez la longueur de sa jupe. Elle l'a bien cherché. » J'ai eu envie de mourir. Et il n'en est pas resté là : il a demandé au brigadier de nous raccompagner à la maison et, une fois dans l'entrée, il m'a frappée avec sa pantoufle. « Tu pues ! » a-t-il crié. Il m'a punie, après tout ce que j'avais enduré !

Steven la prit dans ses bras mais, de nouveau, aucune parole réconfortante ne lui vint à l'esprit. Il se demandait comment Beth avait fait pour ne pas devenir folle.

— Et votre mère ? Elle a forcément réagi différemment…

— Elle a fait comme d'habitude : elle ne s'est pas opposée ouvertement à lui, expliqua Beth. Elle est montée dans ma chambre, plus tard, pendant que mon père dormait, pour essayer de me réconforter.

— Et ensuite ? Vous êtes retournée à l'école ?

— Les jours suivants, ma mère n'a pas arrêté de pleurer. De mon côté, je me suis repliée sur moi-même. Je ne me souviens pas vraiment de cette période. Mais mon père a sans doute eu des remords car peu après il m'a déclaré qu'il s'était conduit ainsi pour me protéger. D'après lui, si on avait attrapé et inculpé ces hommes, ç'aurait été moi qui aurais le plus souffert au tribunal car tous les regards auraient été braqués sur moi, et je ne m'en serais jamais remise.

— Ça n'a pas dû vous remonter le moral, remarqua Steven, en la serrant toujours dans ses bras.

— En effet. J'aurais voulu qu'il s'excuse de sa dureté. Toutefois, des années plus tard, quand j'ai assisté à des procès pour viol et que j'ai vu ce que la victime endurait, j'ai compris qu'il n'avait pas tort.

— En avez-vous parlé à d'autres personnes ?

— Non, jamais. Pas même à Robert ou Serena. À part mes parents, vous êtes le seul à être au courant.

— C'est un secret terrible à garder pour soi. Comment avez-vous fait ?

— En organisant ma fuite, répondit-elle simplement. J'ai travaillé comme une folle pour mon bac pendant le printemps. L'université était ma porte de sortie, je devais y entrer à tout prix. Je me disais que si j'échouais je finirais comme mon père.

Soudain, elle éclata de rire et Steven la regarda d'un air consterné.

— Ne vous inquiétez pas, je ne craque pas : je repensais à la revanche que j'ai prise sur lui. Après mon admission à l'université, je me suis montrée très claire, lors de mes rares visites à la maison : je ne revenais que pour voir ma mère. Je n'ai jamais adressé un mot gentil à mon père. Quand il est devenu vieux et frêle, j'ai été aussi dure avec lui qu'il l'avait été avec moi, en me moquant de ses douleurs et en le rabaissant à tout bout de champ. Je lui ai fait croire que j'avais répandu des rumeurs à son sujet dans le village et il n'a plus osé sortir. J'expédiais ma mère en vacances et le laissais se débrouiller seul. Quand elle est morte, j'ai dit à mon père qu'il avait intérêt à accepter d'aller dans une maison de retraite, sinon je raconterais le viol à Robert. Mon frère et ma sœur ont été stupéfaits qu'il vende la maison aussi facilement pour payer les frais.

Steven se sentit mal à l'aise. L'homme avait été un monstre, mais le poursuivre de sa rancune puis le faire chanter lui semblait excessif.

— Vous devriez essayer de lui pardonner.

Beth se retourna vers lui et, à son grand étonnement, elle lui embrassa la joue.

— J'aimerais bien, reconnut-elle en posant les mains sur ses épaules et en le regardant droit dans les yeux. Vous êtes le premier homme auquel j'aie été capable de me confier, Steven. Vous ne trouvez pas ça triste ?

— Oui, c'est triste. Mais vous avez franchi un grand pas en m'en parlant.

Elle lui sourit et, pour la première fois depuis qu'il la connaissait, son regard était chaleureux.

— Vous êtes tellement gentil ! lança-t-elle avec un soupir. Mais vous devez agir, au sujet d'Anna. Promettez-le-moi.

— Je vous le promets.

Steven comprenait à présent l'admiration que Susan éprouvait pour Beth. Courageuse et obstinée, elle avait choisi le droit criminel pour venir en aide aux autres. Elle avait réussi à utiliser son expérience traumatisante pour servir une noble cause.

— Ensemble, nous allons tirer Susan d'affaire, dit-elle en lui tapotant la joue. Et nous resterons amis ?

— « Un pour tous et tous pour un », déclara-t-il. Maintenant, il faut que je rentre.

12

Dans les semaines qui suivirent ses révélations à Steven, Beth sentit un changement s'opérer en elle. Rien de spectaculaire, mais elle était moins indifférente aux autres, plus ouverte et optimiste. Si le lendemain de leur conversation elle avait paniqué à l'idée qu'il puisse ébruiter ses confidences, dès qu'elle le revit au bureau elle comprit qu'il ne la trahirait jamais.

C'était peut-être ce qui lui rendait tout plus léger : jusque-là elle n'avait jamais pu faire confiance à personne. Noël approchait à grands pas sans qu'elle éprouve son abattement habituel. À l'heure du déjeuner, elle achetait des cadeaux pour ses neveux et nièces, et elle y trouvait du plaisir. Quand Serena l'appela pour l'inviter à le passer en famille, elle accepta immédiatement sans demander si son père serait là.

Par chance, car elle n'était pas encore prête à le revoir, sa sœur l'informa ensuite qu'il resterait dans sa maison de retraite.

De son côté, Steven avait posé un ultimatum à Anna. À son grand étonnement, elle ne sauta pas sur l'occasion pour le quitter, mais se rendit chez un médecin. Celui-ci lui conseillant d'aller dans une clinique pour une cure de désintoxication, elle réserva une chambre sur-le-champ.

À présent, de retour chez eux, elle était aidée par les Alcooliques anonymes et le couple se serrait les coudes.

Tout en se réjouissant qu'Anna ait accepté de se soigner, Steven savait que la partie était loin d'être gagnée, et il avait du mal à ne pas appeler sa femme pendant la journée pour la surveiller.

Beth était très touchée par l'écoute et la tolérance de Steven. Un jour, pendant le déjeuner qu'ils prenaient désormais souvent ensemble, elle lui dit combien son amitié lui était précieuse.

En fait, c'était de l'amour qu'elle éprouvait pour lui, mais elle ne le lui avoua pas, de peur qu'il se méprenne. Il s'agissait d'un amour platonique : elle aimait sa compassion, les petites attentions qu'il prodiguait autour de lui. N'ayant jamais eu de confident auparavant, elle découvrait le réconfort et les bienfaits d'une amitié partagée. Avec Steven, Beth parvenait à rire d'elle-même – une grande nouveauté ! À son contact, elle s'humanisait.

Susan s'était adaptée au régime de la prison et semblait même y trouver une sorte de contentement. La liberté, comme Roy Longhurst l'avait souligné, ne signifiait pas grand-chose pour une personne qui l'avait peu connue.

Beth devait s'occuper d'affaires urgentes. Elle n'avait donc pu lui rendre visite qu'une seule fois mais Steven la tenait au courant. Il attendait le rapport psychiatrique concernant Susan et une réponse à la demande qu'il avait adressée à Martin Wright de s'entretenir avec lui.

Quant à Roy, Beth ne l'avait pas oublié, même si elle était débordée. Aussi, lorsqu'il lui téléphona, quelques jours avant Noël, pour l'inviter à dîner, elle fut enchantée. Sa voix grave la fit frémir d'excitation et elle accepta sans hésiter.

— J'en suis ravi et soulagé, reconnut-il. J'avais un peu anticipé en réservant au Bateau de Verre. Je savais que ce serait l'enfer pour avoir une table dans un bon restaurant juste avant Noël.

— Qui auriez-vous invité si je n'avais pas été libre ? s'enquit-elle, amusée.

— Personne. J'aurais annulé en prétextant une maladie quelconque. Après avoir réservé, j'ai eu la frousse : j'ai pensé que vous m'enverriez promener. Comme vous le voyez, je manque d'assurance. J'ai peur d'être rejeté.

Beth éclata de rire, et ils convinrent de se retrouver à vingt heures. Elle se rendit compte ensuite que, quelques semaines auparavant, ce genre de déclaration, vraie ou fausse, l'aurait agacée. De toute évidence, elle se détendait.

Beth avait entendu dire que Le Bateau de Verre était un excellent restaurant, mais elle n'y était jamais allée. Quand le taxi la déposa près du pont de Bristol et qu'elle vit le restaurant flottant dont les lumières se reflétaient dans l'eau sombre, elle se sentit soudain électrisée comme une jeune fille se rendant à son premier rendez-vous.

La robe rouge à manches courtes, sobre et moulante, avec à l'encolure de petites plumes rouges qu'elle avait achetée pour Noël la mettait en valeur. Comme elle n'avait pas eu le temps d'aller chez le coiffeur, elle s'était lavé les cheveux et les avait séchés en les ébouriffant. En général, elle n'aimait pas les avoir détachés, car elle se faisait l'effet d'une hippie vieillissante ; mais ce soir-là, le volume de ses boucles s'accordait à sa tenue. Elle se demanda si Roy, qui l'avait toujours vue en tailleur avec un chignon, la reconnaîtrait.

Il se tenait déjà au bar devant un verre. Au moment où elle arriva, il releva la tête, détourna les yeux, puis les reporta sur elle, et son visage se fendit alors d'un large sourire.

— Beth ! s'exclama-t-il en se levant. Vous êtes superbe !

— Vous n'êtes pas mal non plus, dit-elle en souriant.

Il portait un très beau costume sombre et une chemise d'un blanc immaculé.

— Comment allez-vous ?

— Je suis surmené, mais je me sens d'humeur festive. Et vous ?

— Pareil, répondit-elle en parcourant la salle des yeux.

Les décorations de Noël étaient splendides ; la profusion de bougies et de fleurs rendait le restaurant à la fois chic et chaleureux.

La soirée fut mémorable. Dans l'ensemble, les clients formaient des groupes bruyants, mais leur gaieté contribuait à l'atmosphère de fête. La cuisine était délicieuse, le service empressé mais discret. Chaque fois que Beth jetait un coup d'œil par la fenêtre, elle était charmée par le pont illuminé et les cygnes qui fendaient majestueusement les flots noirs du fleuve.

Roy était un compagnon très agréable, et il la fit beaucoup rire avec ses anecdotes sur la police et ses travaux.

— Alors, votre cottage a avancé ?

— J'y ai beaucoup travaillé ces derniers temps. Mais vous devez venir voir par vous-même. J'ai fait une petite allée en gravier ; comme ça, vos élégantes chaussures ne seront pas couvertes de boue.

Quand ils prirent un café accompagné d'un cognac, Beth n'avait pas envie que la soirée s'achève. Roy était drôle, intéressant et sexy.

En le regardant se diriger vers les toilettes à l'étage, elle s'étonna de considérer son côté sexy comme un atout. D'habitude, elle était très mal à l'aise avec ce genre d'homme.

Lorsqu'il redescendit l'escalier, il cachait quelque chose derrière son dos en affichant un sourire malicieux. Il resta debout près de la table à la dévisager.

— Qu'est-ce qu'il y a ? demanda-t-elle.

— On a envie de vous manger.

— Vous avez encore faim ? répliqua-t-elle en pouffant.

— Abracadabra ! s'écria-t-il en produisant un brin de gui. Je me contenterais d'une petite friandise : un baiser.

Ses yeux noirs pétillaient et sa bouche sensuelle l'attirait irrésistiblement.

Ce fut un baiser parfait. Comme les lèvres chaudes et douces de Roy s'attardaient, Beth eut envie qu'il la serre très fort dans ses bras.

La table d'à côté applaudit, et Beth rougit.

— Cette friandise était délicieuse, lança Roy d'un air rêveur en se rasseyant.

Soudain, l'angoisse familière réapparut chez Beth. Il voudrait aller chez elle. Cela sembla se confirmer quand Roy demanda au serveur d'appeler un taxi. Mais, à son grand étonnement, il se pencha, lui embrassa le front et déclara :

— Il me laissera à Queen Charlton après vous avoir déposée. Trouver un taxi en période de fêtes est un exploit ; deux, c'est impossible.

Ils remontèrent le quai pour gagner à pied le pont de Bristol, car les voitures ne pouvaient accéder au Bateau de Verre. Après la chaleur du restaurant, le froid les surprit. Beth, qui ne portait qu'un léger châle sur les épaules, avait de plus quelque difficulté à marcher sur les pavés. Roy passa un bras autour de sa taille et l'enlaça étroitement.

Des lumières colorées décoraient les arbres. Il s'arrêta sous l'un d'eux pour l'embrasser de nouveau, et Beth se sentit fondre contre lui tandis que ses peurs s'envolaient. C'est Roy qui se détacha le premier. Il plongea son regard dans le sien.

— Vous êtes superbe, mademoiselle Powell, chuchota-t-il. Et je n'ai jamais vu une aussi belle bouche. Elle est faite pour les baisers. Joyeux Noël !

Jamais Noël n'avait été aussi réussi pour Beth. Ils s'étaient encore embrassés passionnément dans le taxi, mais Roy n'avait pas cherché à passer chez elle. Le lendemain, il lui envoya des fleurs magnifiques accompagnées d'un mot la remerciant pour cette merveilleuse soirée. Il lui souhaitait de bonnes fêtes et assurait qu'il lui téléphonerait à son retour.

Il avait trouvé l'équilibre parfait : amoureux, mais pas de façon insistante – ce qui l'aurait rendue nerveuse. La veille de Noël, elle quitta Bristol à midi sans rencontrer d'embouteillage et atteignit le village de Brightling, où résidait sa sœur, à dix-sept heures trente.

Quand Beth habitait Londres, elle voyait Serena au moins quatre fois par an. Depuis son installation à Bristol, elle ne lui avait rendu visite qu'une fois. Elle sentait que sa sœur lui en voulait un peu ; mais Serena l'accueillit chaleureusement avec son mari, Tony.

Ses deux nièces, Becky et Louise, âgées respectivement de dix-huit et seize ans, lui firent un accueil de reine, l'escortant dans la petite chambre d'ami et l'aidant à ranger ses affaires. Elles se pâmèrent devant ses vêtements et ses chaussures.

Serena portait bien son nom ; elle respirait la sérénité. Elle était également très belle : ses cheveux noirs et bouclés coupés court mettaient en valeur de grands yeux tout aussi noirs qu'on disait hérités de leur grand-mère, et elle avait la chance d'avoir la peau mate.

À cinquante-quatre ans, malgré des filets de cheveux blancs, quelques rides autour des yeux et une silhouette un peu empâtée, on se retournait toujours sur son passage. Elle s'habillait de vêtements fluides aux couleurs vives et se parait de gros bijoux ethniques qui lui donnaient l'air d'une fleur exotique. Serena aimait recevoir et elle avait un sens de l'organisation hors pair. Le cottage décoré pour les fêtes ressemblait à la grotte du père Noël ; il y avait de quoi nourrir un régiment et elle avait prévu un emploi du temps très chargé pour les trois jours à venir.

Cela commença après le dîner, quand ils se rendirent chez les voisins pour boire un verre puis allèrent à la messe de minuit du village. Le jour de Noël, ils ouvrirent leurs cadeaux, et lorsque son frère Robert, sa femme Penny et leurs deux fils, Simon et Edward, arrivèrent à midi, de nombreux amis vinrent se joindre à eux pour l'apéritif.

Les visites se poursuivirent jusqu'au lendemain, où Serena donna sa grande réception annuelle. Comme toujours, Beth admira sa capacité à être aux petits soins pour ses invités tout en s'occupant d'une ribambelle d'enfants, qu'elle installa devant une vidéo au premier sans s'énerver et en restant impeccable.

Mais c'est le troisième jour des vacances que Beth apprécia le plus. Dans la matinée, Tony emmena Becky et Louise à Brighton pour laisser sa femme quelques heures seule avec sa sœur. Elles s'installèrent dans le salon devant le feu de cheminée pour bavarder.

— Tu as l'air plus heureuse, remarqua Serena. Plus gaie et détendue. C'est ton travail ou un homme ?

Comme Serena avait dix ans de plus que Beth, leur relation s'apparentait assez à celle d'une tante et d'une nièce. Serena, qui avait quitté la maison à dix-huit ans pour les mêmes raisons que Beth, s'était toujours inquiétée pour sa cadette. Elle avait compensé son absence en la couvrant de cadeaux et en la soutenant. Elle se réjouissait du succès professionnel de sa cadette, mais que cette dernière n'ait pas fondé une famille la confortait dans l'idée qu'elle n'avait pas assez veillé sur elle.

Beth en avait conscience, et la culpabilité de Serena à son égard l'attristait. Elle songea qu'elle lui ferait un très beau cadeau de Noël en lui parlant de son bonheur et de son épanouissement.

— Mon travail *et* un homme, répondit-elle avec un large

sourire. J'aime Bristol, j'y suis très heureuse et je suis amoureuse.

— Oh, Beth, je suis si contente ! s'écria Serena très excitée. Raconte-moi tout sur lui.

Beth n'eut aucune difficulté à présenter Roy sous les traits de l'homme idéal : son travail, son cottage, son sens de l'humour, son physique, tout était séduisant. Son visage rayonnait en l'évoquant.

— J'espère que c'est aussi un bon amant, déclara Serena en pouffant.

Sa sœur était toujours si directe !

— Nous n'avons pas encore couché ensemble.

— Mais pourquoi ?

— Je ne le connais pas depuis longtemps.

Elle lui relata alors leur rencontre. Serena, captivée, découvrit que la femme dont on avait parlé à la télé était une vieille amie de sa sœur et que celle-ci était très impliquée dans cette affaire. Beth lui expliqua pourquoi Susan avait abattu le docteur et la réceptionniste, et comment elle avait été amenée à côtoyer Roy.

— Le destin vous a réunis, Suzie, Roy et toi, fit remarquer Serena. Il doit y avoir une raison derrière tout ça. Je suis convaincue que Roy est l'homme de ta vie.

C'était typique de sa sœur de penser que des forces spirituelles étaient à l'œuvre. Serena croyait dur comme fer que tout était écrit. Mais, pour une fois, Beth avait envie d'y croire, elle aussi.

Beth partit en fin d'après-midi pour rentrer à Bristol. En conduisant sur des routes désertes, plongées dans l'obscurité, elle médita sur Robert et Serena. Alors qu'elle-même s'était toujours vue comme le vilain petit canard de la famille, son frère et sa sœur étaient affectueux et généreux ; ils n'étaient pas susceptibles et s'enthousiasmaient facilement. Mais Serena lui avait avoué ce jour-là qu'ils avaient eu tous deux du mal à se remettre de leur enfance, et vécu plusieurs relations désastreuses avant de trouver le bonheur avec leurs conjoints actuels.

« Je devenais comme maman, avait-elle expliqué. Je laissais les hommes me marcher sur les pieds. Apparemment, je croyais ne pas mériter mieux. Robert, lui, était cruel avec les femmes, il ressemblait à papa. Sur les conseils d'une amie, je suis allée voir un psychiatre. De son côté, Robert a eu une liaison avec une femme mûre qui l'a aidé. Nous avons appris à ne pas reproduire le couple de nos parents et à nous chercher. »

Ç'avait été un choc pour Beth, qui n'aurait jamais supposé d'angoisse existentielle chez ses frère et sœur.

« Et moi ? avait demandé Beth. Je sais me défendre et je ne suis pas violente. Mais ça ne m'empêche pas de penser souvent à mon enfance. »

Elle avait brûlé de lui parler du viol, pour que sa sœur comprenne la véritable raison de son mal-être. Mais elle n'avait pas pu s'y résoudre. Elle ne voulait pas la bouleverser. De plus, elle avait promis à sa mère de ne jamais le dire à son frère ni à sa sœur, et elle tenait ses promesses.

« Tu es tout le contraire de moi, lui avait assuré Serena. Je voulais absolument être aimée, aussi j'ai accumulé les petits copains à l'adolescence. Mais la froideur n'est pas une solution non plus. Fais un effort, cette fois-ci, Beth – pour moi –, donne une chance à cet inspecteur. »

Beth arriva très tard chez elle, et son appartement lui parut bien vide et austère après les couleurs vives et les décorations scintillantes de la maison de Serena. Mais la lumière rouge du répondeur clignotait, et en écoutant le message, elle se sentit mieux. C'était Roy. « Je voulais juste savoir si vous étiez bien rentrée. Appelez-moi, même tard. Il y a du verglas sur les routes, et je ne dormirai pas tant que je ne vous aurai pas eue. »

Elle téléphona au numéro qu'il lui avait communiqué au restaurant.

— Je suis chez moi. Vous pouvez dormir, maintenant.

— Vous avez passé un bon Noël ?

— Super. Et le vôtre ?

— Il a été plus agréable que prévu. Mais j'ai travaillé la majeure partie du temps. Je vous rappelle demain pour qu'on se donne rendez-vous ?

— D'accord. J'ai hâte de vous revoir. Faites de beaux rêves.

Le lendemain, Steven se présenta dans le bureau de Beth juste après son arrivée. Ils se racontèrent leurs Noëls respectifs, et Steven avoua avoir traversé des moments pénibles avec Anna.

— On m'avait averti que les fêtes sont une période difficile pour les personnes en cure de désintoxication. Il y a tellement d'alcool qui circule ! Anna était à cran, et tout ce que je lui disais l'agaçait. Mais elle n'a pas replongé et je suis très fier d'elle. N'empêche, je suis ravi de reprendre le travail.

— Anna a de la chance d'avoir un mari aussi compréhensif.

— En fait, je m'évadais dans mes pensées, et j'ai beaucoup réfléchi à Susan. Nous devons progresser et parler aux hommes de sa vie.

Beth était d'accord.

— Vous avez reçu une réponse de son frère ?

— Elle est arrivée ce matin. Il est bien tel que nous l'imaginions : il refuse de venir à Bristol, mais daigne me recevoir chez lui le 6 janvier. On doit aussi retrouver la trace de Liam et de Reuben.

— Il n'y a pas grand-chose à faire jusqu'au 2 janvier. Cependant, je peux mener une petite enquête à Stratford le samedi d'après, suggéra Beth. Je rendrai visite aux anciens voisins de Susan, ils savent peut-être où est Liam.

— J'aimerais beaucoup aller avec vous, mais il faut que je reste avec Anna. Elle est encore très fragile, elle s'énerve facilement et risque de piquer une crise si je m'absente, expliqua Steven d'une voix lasse.

— Il n'y a pas de problème. Peut-être que mon inspecteur préféré m'accompagnera. Pas en tant que policier, comme ami.

Steven sourit. Il était au courant de leur soirée au Bateau de Verre et il avait remarqué combien Beth était rayonnante le lendemain.

— Pourquoi souriez-vous bêtement ? s'enquit-elle d'un ton affectueux.

— J'espère juste que ça va marcher pour vous deux. Et en ce qui concerne Reuben ?

— Nous aviserons quand nous aurons mis la main sur Liam. Nous avons déjà assez de pain sur la planche.

Roy accueillit la proposition de Beth avec enthousiasme, et il lui suggéra de passer le week-end sur place.

— Je connais un très bon hôtel qui a un restaurant fantastique... Nous prendrons deux chambres séparées, ajouta-t-il rapidement.

Beth accepta mais dès qu'elle eut raccroché elle se rendit dans le bureau de Steven.

— Vous croyez que c'est une bonne idée ?

— Vous l'aimez beaucoup ? Sur une échelle de un à dix ?

— Dix, répondit-elle sans hésiter. Mais j'ai peur.

— Vous ! L'indomptable Mlle Powell, vous avez peur ? la taquina-t-il. Je parie que le pauvre Roy tremble également comme une feuille.

— Ne soyez pas stupide. Pourquoi aurait-il peur ?

— Parce que lui aussi a été blessé et qu'il tient beaucoup à vous. Les hommes n'ont pas la belle assurance qu'ils affichent en matière de sexualité. Allez-y Beth, amusez-vous et vous verrez bien. Roy n'est pas le genre d'homme qui vous tournera le dos si vous ne l'invitez pas dans votre lit.

Elle resta silencieuse, à contempler la place.

— Qu'est-ce qui vous tracasse ?

— Vous pensez que je devrais lui en parler ?

— Oui, si vous l'aimez.

Steven se leva et vint poser une main sur son épaule.

— Cela lui permettra de vous comprendre.

— Vous êtes un amour, affirma-t-elle en lui tapotant la joue. Vous ne réalisez pas à quel point vous m'aidez.

— Filez et prenez du bon temps... mais n'oubliez pas de chercher Liam !

Beth passa le nouvel an seule. Roy travaillait. Elle avait été conviée à une soirée à Bath, mais avait décliné l'invitation : elle savait qu'elle n'arriverait pas à trouver un taxi pour rentrer. À minuit, elle mit son manteau et se rendit sur son balcon avec un verre pour regarder le feu d'artifice.

L'année précédente, elle était seule et déprimée avec son bras cassé. Elle avait écouté les cloches de l'église sonner à la volée en songeant qu'elle s'interdisait de vivre.

Mais elle se sentait bien différente, maintenant. Les cloches semblaient lui annoncer que le passé était mort et enterré, et qu'un avenir plein de promesses l'attendait. Lorsque Roy lui téléphona quelques minutes plus tard pour lui souhaiter une bonne année et lui dire qu'il avait hâte d'être à samedi, elle comprit qu'elle se trouvait dans le même état d'esprit.

Il arriva chez elle à huit heures trente. Ils voulaient se mettre en route de bonne heure, car vers seize heures, il ferait nuit. Pendant que Roy conduisait, Beth le mit au courant de ce que Steven et elle avaient découvert au sujet de Susan.

— Dites-moi, demanda-t-il quand elle eut terminé, vous êtes toujours attachée à elle ? En d'autres circonstances, vous seriez redevenues amies ?

Beth réfléchit quelques instants.

— Je ne sais pas. C'est un impondérable. Elle est en prison et je suis avocate. Trop de choses sont arrivées depuis nos quinze ans.

— D'accord, mais vous touche-t-elle malgré tout ? Une fois, j'ai arrêté un vieil ami à moi. Nous ne nous étions pas vus depuis une quinzaine d'années, il avait participé à une attaque à main armée dans une société de crédit immobilier. Mais je me suis rendu compte que je l'aimais toujours beaucoup. Et il ressentait la même chose envers moi, alors que je l'avais pincé.

— C'est difficile à dire. Se revoir dans la salle d'interrogatoire de la prison nous empêche d'être spontanées. À certains moments, je retrouve l'ancienne Suzie, mais dans l'ensemble elle est très différente de celle que j'ai connue.

— De quelle façon ?

— Elle est plus vulgaire. À douze ans, on parlait des baisers, et l'idée de s'embrasser avec la langue la dégoûtait, se rappela-t-elle avec amusement.

— Nous en sommes tous passés par là, remarqua Roy en éclatant de rire. Mais son séjour dans la communauté l'a sans doute rendue moins bégueule.

— Voilà ce que j'ai du mal à comprendre. La liaison avec le jardinier ne me pose aucun problème, elle avait un côté romantique. N'importe quelle femme aussi seule qu'elle et sans aucune perspective d'avenir aurait agi de même. La vie que Susan a menée avec Annabel lui correspond aussi tout à fait : elle adorait cette enfant qui la comblait. Si elle avait tué le docteur et la réceptionniste juste après sa mort, tout serait cohérent.

— Mais le passage avec Reuben vous paraît bizarre, pas vrai ?

— Oui. D'après ce que Steven m'a rapporté, Susan a retrouvé un équilibre grâce à lui. Alors, pourquoi a-t-elle sombré quand elle est revenue à Bristol ? Ça ne colle pas.

— Elle a peut-être pété les plombs ?

— Je le penserais si elle avait vécu une autre expérience traumatisante dans la communauté. Mais, selon Steven, elle y a juste perdu ses illusions. Est-il possible d'avoir des passages à vide, de reprendre pied puis de replonger ?

— Ça, c'est l'affaire du psychiatre, déclara Roy en haussant les épaules.

Ils arrivèrent à Stratford à dix heures trente et, après un petit déjeuner tardif accompagné d'un café, ils prirent la route de Luddington. Beth reconnaissait de nombreuses maisons, même si elles arboraient de nouveaux porches et s'étaient dotées de garages, mais elle ne retrouvait pas l'atmosphère de son adolescence.

— Ce doit être parce que nous sommes en hiver, remarqua-t-elle. C'est à la fois étrange et familier.

Par cette journée grise et glaciale, les champs à la terre retournée étaient d'un marron uniforme et il n'y avait aucune trace de la campagne verdoyante gravée dans sa mémoire.

En revanche, la petite place du village, les jolies chaumières à colombages et l'église n'avaient pas changé. La maison des « Corbeaux » était cachée par de grands arbres et des buissons ; ils la dépassèrent et durent faire demi-tour quand Beth s'en rendit compte.

Roy se gara en face de l'allée.

— Nous y sommes vraiment ? s'enquit-il, étonné. Plutôt sinistre.

Il avait raison. C'était le genre d'endroit où l'on y réfléchit à deux fois avant de remonter l'allée dans l'obscurité. Beth avait toujours trouvé cette maison mystérieuse à cause de toute la végétation qui l'entourait. Mais les arbres avaient beaucoup poussé depuis, et ils semblaient étouffer la vieille demeure dont ils dissimulaient la plupart des fenêtres.

Le portillon sur lequel Suzie se balançait en attendant Beth avait disparu. Peut-être que les nouveaux propriétaires n'avaient pas eu envie de l'ouvrir et de le fermer chaque fois qu'ils rentraient en voiture.

— Je me demande si le fantôme de la grand-mère sénile les empêche de dormir, lâcha Beth.

— Même si ce n'est pas le cas, les journalistes vont les harceler lorsque le procès de Susan commencera. Je ne pense pas utile de les rencontrer.

Beth regarda les deux petits cottages devant lesquels ils stationnaient. Dans les années 60, l'un d'eux faisait office d'épicerie. L'autre semblait habité par des personnes âgées, à en juger par les voilages démodés et le porte-bouteilles pour le lait sur le perron. Comme les fenêtres donnaient directement sur « Les Corbeaux », les locataires étaient probablement au courant de ce qui s'était passé de l'autre côté de la route.

— Essayons là, suggéra Beth.

Après ce qui leur parut une éternité, une très vieille dame aux cheveux gris répondit à leur coup de sonnette. Extrêmement frêle, elle disparaissait presque dans un gros pull qui lui arrivait aux genoux.

— Je suis désolée de vous déranger un samedi matin, commença Beth. Mais je suis à la recherche de mon amie qui vivait en face de chez vous. Suzie Wright. Nous nous sommes perdues de vue quand je suis partie vivre à l'étranger.

Apparemment, la vieille dame n'avait pas fait le lien entre son ancienne voisine et la meurtrière de Bristol, car elle considéra Beth avec bienveillance.

— Elle est partie lorsque la maison a été vendue, expliqua-t-elle en examinant ses visiteurs.

Ils durent réussir le test : elle les invita à entrer en disant qu'il faisait trop froid pour rester à bavarder sur le pas de la porte, et les conduisit à l'arrière de la maison, dans une salle à manger confortable et bien chauffée, meublée d'un petit divan et d'un fauteuil près du feu.

— Vous êtes très aimable, madame... ? s'enquit Roy en lui tendant la main.

— Mme Unsworthy, répondit-elle en la lui serrant.

— Beth, ma fiancée, aimerait beaucoup retrouver Suzie. Nous voulons qu'elle vienne à notre mariage.

Beth lui jeta un coup d'œil stupéfait, mais il ne broncha pas et ajouta :

— Quand la maison a-t-elle été vendue ?

— Je ne sais plus, il y a huit ou neuf ans peut-être, déclara la vieille dame en les invitant à s'asseoir. Quel coup, pour Suzie ! Elle avait soigné sa pauvre mère depuis qu'elle était toute jeune, puis celle-ci est morte, son père l'a suivie dans la tombe quelques semaines plus tard... et sa fripouille de frère a vendu la maison.

— Mon Dieu ! s'exclama Beth. Martin a fait ça ? Racontez-moi.

Le visage de Mme Unsworthy s'anima. Elle leur prépara du thé et leur offrit un cake plutôt rassis avant de se lancer dans son histoire.

Les Unsworthy avaient emménagé deux ans avant la mort de la grand-mère de Susan.

— Ce n'était pas drôle pour Margaret, la mère de Suzie. Je parlais souvent avec la gamine – une bonne petite, très serviable et plutôt vieux jeu –, je la voyais lorsque je faisais du jardinage et qu'elle rentrait de l'école. J'ai plus connu sa mère après la mort de la vieille dame. Mais la pauvre femme a eu une attaque quelques mois plus tard, et Suzie est ensuite restée là à s'occuper d'elle.

Beth pensa que Mme Unsworthy ferait un très bon

témoin pour la défense, car elle ne cachait pas son indignation en décrivant la vie de recluse de Susan.

— Elle a passé toute sa jeunesse à soigner sa mère, et son père a laissé la maison à Martin ! C'était parfaitement injuste ! La pauvre chérie est venue sangloter ici comme une enfant lorsqu'elle l'a appris. Elle n'en revenait pas, et nous non plus.

Beth décida d'orienter la discussion dans une autre direction.

— Une amie m'a dit que Suzie avait eu une liaison avec le jardinier, lança-t-elle en gloussant comme si elle n'en croyait pas un mot. Est-ce vrai, madame Unsworthy ?

— Oui, admit celle-ci, les lèvres pincées. Nous les entendions faire les fous la nuit dans le jardin. Sa fourgonnette était toujours garée devant chez nous – jusqu'à ce que John, mon mari, lui demande de la mettre ailleurs. Elle était très vieille et toute rouillée.

— Pourquoi ne se garait-il pas dans l'allée ? s'enquit Roy.

— Je suppose que Suzie ne voulait pas qu'on sache qu'il passait la nuit chez elle. Ou peut-être avait-elle peur que Martin la voie.

— Cette relation vous a choqués ? On nous a raconté qu'il ressemblait à un Gitan, déclara Roy.

— Je n'aime pas les commérages, répliqua la vieille dame en croisant les bras contre sa poitrine. Cette pauvre petite méritait de s'amuser un peu, après tout ce qu'elle avait subi. Mais elle aurait pu trouver mieux… Ne vous méprenez pas, je ne suis pas snob. Seulement, à part sa fourgonnette, il ne possédait rien. Comme nous pensions que Susan hériterait de la maison, nous avions peur qu'il en ait après sa fortune.

— Elle est partie avec lui quand la maison a été vendue ? demanda Beth.

— Non, elle a dû retrouver ses esprits. À moins que son frère lui ait fait la leçon. Elle est partie seule dans une camionnette avec ses meubles. Et vous savez quoi ? Elle ne nous a même pas dit au revoir !

— Vraiment ! s'écria Beth.

Susan avait affirmé avoir donné un message pour Liam à ses voisins, et Beth était sûre qu'il s'agissait des Unsworthy.

— Elle n'a pas laissé une adresse ?

— Pas un mot. Elle ne m'a même pas dit qu'elle s'en allait. Un jour, nous avons vu une camionnette, mais comme je croyais que c'était Martin qui emportait des affaires, je ne me suis pas dérangée.

Il était clair que la vieille femme avait adoré Suzie. Elle en parlait comme d'une personne très capable, calme et gentille. Soudain, ses yeux se remplirent de larmes.

— Pourquoi est-elle partie sans venir me voir ? J'ai eu beaucoup de peine. C'est incompréhensible. Elle se réfugiait toujours ici lorsque son frère la maltraitait. Mon mari était convaincu qu'elle nous écrirait, mais nous n'avons jamais rien reçu. Pas même une carte de Noël.

Beth était plongée dans la perplexité. Susan avait toujours eu de bonnes relations avec les gens âgés, et elle n'était pas du style à blesser une personne qui s'était montrée aussi bonne avec elle.

— A-t-elle laissé son adresse à quelqu'un d'autre ?

— Pas que je sache, répondit la vieille dame en reniflant. Beaucoup de gens du village m'ont posé la même question. Tout le monde l'aimait, ici. La conduite de son frère nous a tous rendus malades.

— Aurait-elle donné ses coordonnées aux nouveaux propriétaires des « Corbeaux » ? s'enquit Roy.

— Non, ils me les ont demandées quelques mois après leur emménagement. Ils avaient du courrier pour elle. Comme ils savaient que le frère et la sœur ne s'entendaient pas, ils ne voulaient pas l'adresser à Martin.

— Est-ce que le jardinier l'a cherchée ?

— Il n'est pas venu ici.

— Vous l'avez revu depuis ? Il travaillait dans le coin, je crois...

— Je ne l'ai jamais rencontré.

— Il y a des personnes dans le village qui sauraient où le trouver ?

— Peut-être au pub de La Cloche. Il allait souvent y boire un verre.

— C'est très étrange, déclara Beth en retournant à la voiture. Pourquoi Susan m'a-t-elle menti ?

— Parce que son histoire d'amour était terminée ? suggéra Roy. Elle s'est peut-être fait un véritable roman pour ne pas affronter la réalité.

— Elle m'a convaincue, en tout cas. J'ai juste trouvé bizarre qu'elle semble avoir oublié Liam aussi vite.

— Et si elle n'avait pas salué Mme Unsworthy et ne lui avait pas écrit à cause de sa grossesse ? Apparemment, elle était plutôt vieux jeu ; elle devait avoir honte et ne désirait pas qu'on la sache mère célibataire.

Beth acquiesça. Comme elle-même était très secrète, elle comprenait parfaitement cette attitude.

— Allons au pub voir si nous apprenons quelque chose.

Le pub de La Cloche était très décevant. Beth avait imaginé qu'il posséderait le charme des cottages anciens de la région, mais il n'avait même pas de cheminée ; une moquette affreuse recouvrait le sol, les habituelles machines à sous trônaient dans le fond, et la musique d'ambiance était soporifique.

Heureusement un sapin de Noël et des décorations égayaient l'atmosphère. Quant à la clientèle, comme ce n'était pas une période touristique, elle se composait d'autochtones.

Roy commanda une bière, et Beth, un verre de vin. Ils restèrent au bar à observer la salle. De vieux fermiers vêtus de vestes en tweed et chaussés de grosses bottes bavardaient près du billard.

— Si on tentait notre chance auprès d'eux ? suggéra Roy.

— Allez-y tout seul. Je me joindrai à vous si vous flairez une piste.

— Je croyais que vous étiez pour l'émancipation de la femme, remarqua Roy en souriant.

— Absolument. Mais des hommes de cet âge parlent plus volontiers aux hommes. De plus, c'est vous le fin limier.

Roy prit sa bière et se dirigea vers le petit groupe.

— Je me demande si vous pourriez m'aider… Je cherche Johnstone, un jardinier. On m'a dit qu'il venait souvent ici. Vous le connaissez ?

Ils échangèrent des regards.

— C'était le nom du manouche aux cheveux longs, non ? lança l'un d'eux à un homme grand et fort qui portait un gilet marron sous sa veste.

— Oui, et son prénom était Liam, répondit-il. On buvait souvent un verre ensemble. Je ne l'ai pas vu depuis des années.

— Quel dommage ! s'exclama Roy. Il s'occupait du jardin d'un de mes amis. Je trouvais qu'il travaillait très bien. Vous ne savez pas où il est ?

Le grand gaillard secoua la tête.

— Beaucoup de personnes me l'ont demandé. À mon avis, il est parti dans le Sud.

— Vous le connaissiez bien ? s'enquit Roy.

Ce vieil homme à la peau tannée, fort et solide malgré ses soixante-quinze ans sans doute bien sonnés, lui plaisait.

— Oui, on discutait facilement autour d'une bière. Je l'aimais bien, même s'il ressemblait à un manouche.

— Je vous offre un verre ? suggéra Roy à l'ensemble du groupe, en espérant que ça leur rafraîchirait la mémoire.

— Je m'appelle Stan Fogetty, dit le vieil homme en lui serrant la main.

Quand on les eut tous servis, Roy se tourna vers lui.

— Il paraît que Liam avait une petite amie à Luddington. Elle pourrait m'aider à le retrouver.

— La seule fille que je lui ai connue, c'était Susan Wright. Mais elle n'habite plus ici.

Stan raconta ensuite comment le frère de cette pauvre Suzie avait vendu la maison. Et ses compagnons exprimèrent leur indignation au sujet du testament du père.

Beth en profita pour se glisser dans le groupe. La version de Stan était très similaire à celle de Mme Unsworthy ; de plus, natif de Luddington, il avait très bien connu les parents de Suzie.

— Le jeune Liam était désolé pour cette fille. De nombreuses personnes croyaient qu'il en avait après son argent, mais c'était faux.

— Comment était-il ? questionna Roy.

— Très bizarre, répondit Stan d'un air pensif. Intelligent, bien élevé et gentil. Mais il adorait la nature, détestait les grandes villes et se fichait éperdument de l'argent. Il a rencontré Suzie en faisant le jardin pour les Wright. Il l'aimait bien et estimait qu'elle méritait mieux que d'être coincée dans cette maison à s'occuper de sa mère et de son père… Il nous en parlait souvent, pas vrai ? lança-t-il à la ronde, et ses amis acquiescèrent.

— Les parents sont morts, et qu'est-il arrivé ensuite ?

— Liam est resté avec Suzie. Il avait peur qu'elle ne puisse pas se débrouiller toute seule.

— Où est-elle allée, quand la maison a été vendue ?

— Aucune idée. Elle a disparu du jour au lendemain sans rien dire à personne.

— Liam était encore ici, si j'ai bien compris ?

— Non, il est parti au même moment.

— Ils sont peut-être partis ensemble, alors ?

— Oh non ! Liam n'était pas du genre à se caser, affirma Stan avec un large sourire. La veille de la vente de la maison, je lui ai demandé s'il allait suivre Suzie, et il m'a dit qu'elle avait besoin d'un homme plus stable. Et aussi qu'il commençait à en avoir assez qu'elle essaye toujours de le remettre sur le droit chemin.

— Qu'entendait-il par là ?

— Être aux petits soins pour lui, des repas à heures fixes, vous savez comment sont les femmes !

Roy se retourna pour sourire à Beth, qui intervint :

— Il semblerait que la pauvre fille n'ait pas été gâtée par la vie. Pourquoi, à votre avis, son père a-t-il tout laissé à son fils ? Elle a fait quelque chose qui l'a braqué contre elle ?

— Ma chère enfant, expliqua Stan en lui adressant un regard appréciateur, Charles était très conservateur. Les fils héritent, on ne change pas la tradition. Si on lègue des biens à une fille, elle se marie, et la propriété sort de la famille.

— C'était cruel pour Suzie, qui avait vécu ici aussi longtemps, rétorqua Beth.

— Charles était un imbécile, déclara Stan en lui souriant. Dans le passé, j'allais à la chasse avec lui. Sans être un mauvais bougre, il a toujours déconné. Son fils est né pendant la guerre. Lorsque Charles est rentré, le gamin avait été gâté-pourri par la mère et la grand-mère. De plus, à sa grande déception, il était mou et du genre intellectuel. Charles ne s'est jamais bien entendu avec son fiston. Puis Suzie est née, et elle est devenue la prunelle de ses yeux. Il lui a même appris à tirer ! Pour une fille, elle était douée – je l'ai souvent vue à l'œuvre.

— Pas possible ! s'exclama Beth. Mais c'est vraiment bizarre : il l'a idolâtrée, et ensuite il l'a rejetée… Pourquoi ?

— Comme je vous l'ai dit, Charles a toujours déconné. Quand sa femme a eu son attaque, il a changé d'attitude envers Suzie du jour au lendemain. Il n'en avait plus que pour son fils : il était le plus intelligent, il avait réussi comme un chef à Londres… Ça nous énervait, car nous savions tous que Martin était un sale morveux qui se foutait de sa famille.

— Êtes-vous en train de suggérer qu'il a tout légué à Martin pour compenser le peu d'attention qu'il lui avait accordé dans son enfance ? interrogea Beth pour essayer d'y voir clair.

— En quelque sorte, oui, admit Stan avec un haussement d'épaules. Certains pensent qu'il a fait ça pour se venger de Susan, parce qu'elle s'est mise en rogne quand elle a appris qu'il s'envoyait une autre femme. D'autres ont affirmé que Martin lui avait forcé la main. Quoi qu'il en soit, c'était honteux. Si Suzie était restée ici, elle se serait mariée avec un gars du pays et aurait eu des enfants. C'était une vraie campagnarde.

— Quelle triste histoire ! s'exclama Beth avec un soupir, tout en se demandant comment ces gens réagiraient lorsque le procès de Susan commencerait. Quand je pense qu'on voulait juste trouver Liam pour entretenir notre jardin ! Lui connaissiez-vous des amis qui seraient en mesure de nous renseigner ? Où d'anciens employeurs ?

— Je pourrais vous donner une douzaine de noms, mais comme je vous l'ai dit, personne n'a son adresse. Et s'il avait de la famille, il n'en parlait jamais. Le seul endroit où vous obtiendrez des informations, c'est au commissariat.

— La police ! s'exclama Roy, surpris.

— C'est eux qui ont remorqué sa fourgonnette. Il avait toutes ses affaires dedans.

— Ça s'est passé quand ?

Stan se gratta la tête.

— Il y a des années. Il l'avait laissée en face de l'allée des Wright. Une Volkswagen rouillée et toute déglinguée. Elle est restée là pendant des mois, puis quelqu'un a volé les roues. Comme on n'a pas revu Liam, on a fini par appeler la police pour qu'ils s'en occupent.

13

— C'est très bizarre que Liam ne soit jamais revenu ici, remarqua Roy d'un air songeur pendant le dîner. Je comprendrais qu'il ait filé quelque temps, s'il craignait de se faire éreinter pour avoir abandonné Susan. Mais il avait besoin de travailler, et dans le coin, de nombreux employeurs l'appréciaient beaucoup.

Ils se trouvaient à environ deux kilomètres de Stratford, dans le restaurant de l'hôtel Welcombe, un élégant manoir avec un terrain de golf où Roy avait réservé. Beth s'était attendue à un petit établissement campagnard ; mais le lieu était somptueux, avec un immense salon doté d'une grande cheminée, de divans et de fauteuils confortables. Les fenêtres du restaurant donnaient sur des jardins à la française éclairés par des projecteurs, et elles offraient une vue superbe sur le terrain de golf et la campagne environnante. En pleine saison, ils devaient afficher complet. Cependant, en ce début de janvier, les rares clients étaient de la région.

Stan leur avait communiqué l'adresse de deux couples qui avaient embauché Liam dans des villages voisins, et ils s'y étaient rendus juste après avoir quitté le pub. Heureusement, ces personnes ne connaissaient pas Susan Wright, ils n'eurent donc pas à réécouter l'histoire de son ignoble frère.

Ils avaient à présent une bien meilleure idée de Liam ; honnête et cultivé, c'était un garçon digne de confiance qui travaillait dur, malgré ses airs de Gitan et son style de vie peu orthodoxe. Les deux couples parlèrent de lui de façon très affectueuse. Ils regrettaient son départ, qu'ils situaient en 1986.

Mme Jackson, la femme du chirurgien, pensait que Liam s'était établi en Écosse, car il lui avait dit y travailler souvent l'hiver pour l'Office des forêts.

— Pourquoi aurait-il abandonné sa fourgonnette ? demanda Roy en servant à Beth un verre de vin.

— Elle était peut-être en panne, et la réparer lui aurait coûté trop cher, suggéra-t-elle. Pouvez-vous vérifier auprès du commissariat de Luddington ?

— Ça m'étonnerait qu'ils aient encore le rapport. De plus, je peux m'attirer des ennuis si l'on apprend que j'ai mené une enquête alors que je ne suis pas en mission officielle.

— Vous êtes juste tombé sur une histoire bizarre alors que vous accompagniez une amie, lâcha-t-elle en plaisantant.

— Je ne crois pas qu'ils le prendraient comme ça, répondit-il en souriant. D'abord, nous avons fait parler Mme Unsworthy sans lui révéler la véritable nature de notre intérêt. C'est moi qui ai arrêté Susan, ne l'oubliez pas ! Puis, au pub du coin, nous avons prétendu chercher un jardinier. Si Stan et Mme Unsworthy se concertent, ils risquent d'appeler le commissariat et de porter plainte.

Beth le comprenait tout à fait.

— À votre avis, dois-je dire à Susan que je suis venue ici ?

— N'en faites rien – pas tout de suite, du moins. Attendons de voir la suite des événements.

Le lendemain matin, Beth se réveilla de bonne heure et, pendant quelques secondes, elle ne sut où elle se trouvait. Elle chercha la lampe de chevet à tâtons : mais, dès qu'elle vit la chambre au charme désuet avec ses rideaux de chintz, elle reprit ses esprits.

Elle se leva pour se préparer une tasse de thé, et frissonna car le chauffage ne marchait pas la nuit. En attendant que l'eau bouille, elle tira les rideaux et regarda dehors.

La chambre donnait sur des champs et des bois. C'était l'aube, et le gel couvrant le sol était si épais qu'on aurait cru de la neige. L'atmosphère lui parut magique. Elle songea à Susan, qui avait vécu la majeure partie de sa vie dans un lieu magnifique et qui, depuis son arrestation, ne s'était jamais plainte d'être privée d'espace.

Le sifflement de la bouilloire interrompit sa rêverie. Elle se fit rapidement une tasse de thé puis retourna se mettre au chaud dans son lit. Roy était-il réveillé ? Et, si c'était le cas, pensait-il qu'elle était frigide ?

La veille, après le dîner, ils s'étaient rendus au salon où ils avaient bu plusieurs verres devant le feu. S'ils avaient été seuls, elle aurait pu lui parler en toute liberté, lui tenir la main, et quelques baisers l'auraient encouragée à l'inviter ensuite dans sa chambre. Mais un autre couple s'était joint à eux, et lorsque le bar avait fermé Beth tombait de sommeil. Roy l'avait embrassée devant la porte de sa chambre et elle avait passé la nuit seule.

Son indécision la minait. Quand elle sautait le pas et découvrait que faire l'amour s'avérait aussi horrible que d'habitude, elle perdait immédiatement ses illusions. Mais elle tenait à Roy. Elle se sentait tellement bien avec lui ! Il était amusant, attentionné et stimulant. Il ne la brusquait pas et n'essayait pas non plus de lui en mettre plein la vue.

Par ailleurs, il l'impressionnait. Son charme naturel incitait les gens à se confier facilement et il posait les bonnes questions. Cela venait de son métier, mais aussi de l'intérêt qu'il portait aux autres. Lorsqu'ils avaient quitté le vieux couple qui avait employé Liam, Roy avait compris beaucoup de choses à leur sujet. Dans la voiture, il avait déclaré que leurs enfants ne se préoccupaient pas d'eux.

« Ils ont plein de photos de leurs petits-enfants bébés. Mais à présent, ce sont des adultes. Et la vieille dame a glissé dans la conversation que la campagne n'offrait pas beaucoup de distractions pour les jeunes. C'était sa façon de dire que personne ne leur rend visite. »

Il avait raison. Cela expliquait sans doute pourquoi ils s'étaient pris d'affection pour Liam. Mais Beth n'y aurait pas pensé.

Quand Roy perdrait-il patience ? Les relations de Beth s'étaient pour la plupart terminées de cette façon : au fil des années, on l'avait traitée d'allumeuse ou de garce et elle se rappela son histoire avec James Macutcheon.

James était un avocat charmant et drôle, comme Roy. Elle avait trente-quatre ans à l'époque, James un an de moins. Grand et blond, il avait cette assurance que donne une famille unie et aisée. Elle était tombée amoureuse de lui lors de leur troisième rendez-vous ; au cinquième, elle redoutait qu'il ne se lasse si elle ne couchait pas avec lui. Quand il l'invita à dîner dans son bel appartement de Chelsea, elle était prête à se jeter à l'eau.

Tout semblait si parfait ! De la musique douce, des bougies, un délicieux repas chinois commandé chez un traiteur. Ils s'étaient allongés sur le canapé pour se câliner. Beth le désirait comme elle n'avait jamais désiré un homme auparavant.

Soudain, il l'embrassa bestialement et glissa la main sous sa jupe. Elle souhaitait qu'il l'excite en douceur, mais il introduisit ses doigts en elle si violemment qu'il lui fit mal, et son désir s'évanouit. Elle essaya de plaisanter, lui demanda d'être moins rapide ; il répliqua en chuchotant qu'elle était du genre à vouloir être prise brutalement, et il baissa sa culotte d'un coup sec.

Elle réussit à se dégager de son étreinte et se rhabilla. À ce souvenir, sa gorge se serra.

« Je ne veux pas qu'on me prenne brutalement, lui avait-elle lancé en larmes. Je veux qu'on m'aime, pas qu'on me viole !

S'il s'était levé pour s'excuser et l'embrasser, cela se serait passé de façon différente. Mais il resta allongé sur le canapé, la fermeture éclair de son pantalon baissée, à la regarder avec mépris.

« Arrête tes enfantillages, Beth, avait-il lâché d'une voix glaciale. Tu es venue ici pour te faire baiser, non ? »

Elle était partie comme une furie et avait descendu King's Road en courant, ses chaussures à la main, à la recherche d'un taxi.

Pendant des mois, elle avait inlassablement repassé les événements de cette soirée dans son esprit. Pourquoi James était-il persuadé qu'elle aimait être prise brutalement ? Pour elle, quand une femme ne couchait pas avec un homme dès le premier soir, il devait comprendre qu'elle désirait être séduite en douceur.

Le pire, c'était qu'elle l'avait cru amoureux. Elle s'était trompée sur toute la ligne : James ne chercha jamais à la recontacter pour s'excuser. Avec lui, elle avait revécu ses dix-sept ans ; elle se sentait à nouveau souillée et humiliée.

Elle ne fit plus jamais confiance à un homme, après cette expérience. Elle acceptait un rendez-vous de temps à autre, mais rentrait seule en taxi. En menant une vie de célibataire, elle se protégeait et évitait de souffrir.

Pelotonnée sous les couvertures, elle songea que Roy était très différent de James. Il avait connu un grand chagrin, il était sensible et humain. Elle devrait trouver le courage de lui parler de ses problèmes.

Après un solide petit-déjeuner, ils mirent leurs bagages dans le coffre de la voiture de Roy et partirent se promener à pied. Beth mit un bonnet en laine rouge, assorti à ses gants et à son écharpe, et Roy déclara que son nez devenait rouge pour rester dans la note, puis il déposa un baiser dessus.

— J'adore marcher sur le sol gelé et entendre ce crissement sous mes pas, dit-elle joyeusement alors qu'ils s'engageaient sur un sentier.

— Je préfère casser la glace, remarqua-t-il en enfonçant son talon dans une flaque gelée avec un sourire malicieux.

Tout à coup, Beth ressentit le besoin de s'épancher. Elle l'enlaça et frotta son nez froid contre le sien.

— Vous êtes sur la bonne voie pour faire fondre le glaçon que vous avez devant vous : à votre contact, je me réchauffe. Ne perdez pas patience, Roy, j'ai mes raisons pour être comme je suis.

Elle retint sa respiration, attendant des questions auxquelles elle ne pourrait pas répondre, ou un long silence embarrassant. Mais il prit son visage entre ses mains et la regarda avec bienveillance.

— Je l'ai compris. La patience, j'en ai à revendre, et je sais aussi écouter. Vous m'en parlerez quand vous en aurez envie.

— Comment avez-vous deviné ? s'enquit-elle plus tard, tandis qu'ils marchaient main dans la main à travers champs.

Leur respiration formait de petits nuages dans l'air glacial, et le ciel plombé annonçait la neige.

— Vous êtes toujours sur la défensive, expliqua-t-il. La première fois que je vous ai vue au tribunal, ça m'a frappé. Et lorsque nous avons pris un verre ensemble, vous sembliez à l'aise, mais vous vous êtes bien gardée de révéler quoi que ce soit sur votre vie privée.

— C'est normal, non, lors d'une première rencontre ? répliqua Beth en fronçant les sourcils.

— Pas vraiment, répondit-il en souriant. La plupart des gens se dévoilent plus ou moins. Ensuite, vous n'avez visiblement pas apprécié que je vous demande si vous aviez un homme dans votre vie. Ce n'est pas une réaction normale pour une femme aussi ravissante que vous, Beth ! En général, les femmes éclatent de rire, puis vous expliquent en long, en large et en travers, pourquoi elles sont seules.

— Ah oui ? s'étonna-t-elle.

— Elles s'en abstiennent si elles estiment que l'homme est stupide, mais donner un tour plus personnel à une conversation aide à nouer des amitiés.

— C'est sans doute la raison pour laquelle j'ai peu d'amis, constata-t-elle en souriant d'un air contrit. Alors, qu'est-ce qui vous a poussé à me revoir ?

— J'étais intrigué, surtout quand j'ai appris que Susan était une amie d'enfance, et que j'ai constaté à quel point vous étiez bouleversée. J'ai entrevu la fille que vous aviez été, la femme que vous pourriez être si vous vous départiez de votre froideur. Je me suis demandé aussi pourquoi vous vous protégiez autant.

Beth prit une inspiration profonde.

— Je vous en parlerai bientôt. Mais pas aujourd'hui, je n'ai pas envie de gâcher cette journée.

Steven conduisait au pas le long de l'avenue des Acacias à la recherche du numéro 27. C'était une journée triste et grise, avec des chutes d'une neige molle ; mais heureusement il n'y avait pas eu de bouchons sur l'autoroute et il avait fait bonne route.

Il s'était attendu que Martin Wright vive dans une belle maison. Windsor était un quartier résidentiel, et il avait récupéré beaucoup d'argent en vendant « Les Corbeaux ». Cependant, Steven fut tout de même surpris par l'avenue majestueuse bordée d'arbres, aux vastes pelouses impeccables. Les allées très larges menaient à des maisons plus luxueuses les unes que les autres. On imaginait la piscine dans le jardin, la kyrielle de domestiques et les enfants fréquentant des écoles privées.

Il se gara devant le numéro 27. Il s'agissait d'un petit manoir des années 30, au toit de tuiles vertes et aux vitraux Arts déco. La façade peinte en blanc s'ornait d'un portique au-dessus de la porte d'entrée. L'allée, très chic, était constituée de pavés posés serré, où pas une mauvaise herbe ne pouvait s'aventurer. On était loin de la petite maison mitoyenne de Steven à la pelouse rabougrie et aux fenêtres obturées par les œuvres d'art des enfants.

« Et à des années-lumière de la chambre sordide où ta sœur a terminé », marmonna-t-il entre ses dents en coupant le moteur. Le grand portail en fer forgé était fermé ; Steven en déduisit que Martin Wright se montrerait un interlocuteur difficile. Un homme aussi impitoyable et indifférent à sa sœur l'était forcément. Steven était nerveux. Il se réjouissait à présent que Beth l'ait obligé à porter un costume et à aller chez le coiffeur. Elle lui avait conseillé aussi de glisser son nom dans la conversation, afin que Martin sache que Susan avait une amie.

Il sonna. Une femme d'une cinquantaine d'années vint lui ouvrir la porte. Elle avait des lunettes à monture en or et arborait un air supérieur.

— Madame Wright ? demanda Steven même si, à la connaissance de Susan, Martin ne s'était jamais marié.

— Non, je suis sa gouvernante.

— Steven Smythe, du cabinet Tarbuck, Stone et Aldridge. J'ai rendez-vous avec M. Wright.

Elle l'invita à entrer, puis le fit patienter dans le hall tandis qu'elle se rendait à l'arrière de la maison.

— M. Wright va vous recevoir, annonça-t-elle peu après en lui indiquant une porte dans le fond.

Martin Wright se tenait debout devant la cheminée d'une pièce qui tentait de ressembler à la bibliothèque d'un gentleman victorien – avec des fauteuils en cuir, des murs tapissés de livres et un bureau ancien en bois de rose incrusté de nacre. Mais c'était raté car ses proportions ne s'y prêtaient pas. Par ailleurs, le tapis et les rideaux lie-de-vin rendaient l'atmosphère oppressante plutôt qu'opulente.

« Beaucoup d'argent, mais pas de véritable classe », songea Steven malicieusement. Il décida de demander à utiliser les toilettes à la fin de leur entretien pour se faire une meilleure idée de la maison.

— Steven Smythe, annonça-t-il en tendant la main à son hôte. Merci d'avoir accepté de me recevoir.

Steven l'avait imaginé petit et corpulent, mais il était aussi grand que lui, mince, droit comme un I, et ses cheveux noirs grisonnaient à peine. C'était un bel homme aux traits réguliers, très peu ridé pour ses cinquante-quatre ans. Sa ressemblance avec sa sœur se limitait à ses yeux d'un vert tirant sur le bleu.

— Je tiens à vous dire d'entrée que je ne vois pas l'intérêt de discuter avec vous, annonça-t-il sèchement en s'asseyant à son bureau. La police est déjà venue m'interroger, et il n'est pas question que je comparaisse comme témoin de la défense.

Steven fut tenté de l'informer que, si on le convoquait, il serait obligé d'obtempérer, mais il s'en abstint.

— Je cherche à réunir le plus d'informations possible sur Susan, expliqua-t-il aimablement. Puis-je m'asseoir ?

Martin lui indiqua le fauteuil le plus éloigné de son bureau. Steven l'ignora et prit un siège en face de lui.

— Quelle a été votre réaction quand vous avez appris

l'arrestation de votre sœur et son inculpation pour meurtre ?

— Ma réaction ? répéta Martin en levant ses sourcils. J'ai été horrifié, évidemment !

— Vous n'avez pas été surpris ?

— Absolument pas. Suzie n'a jamais été rationnelle, elle s'est toujours montrée très émotive, déclara-t-il en évitant le regard de Steven.

— Vous n'avez pas éprouvé de compassion ? Vous savez qu'elle a tué ces deux personnes parce qu'elle les tenait pour responsables de la mort de sa fille ?

— Il y a des façons de régler ce genre de situation sans devoir recourir au meurtre, rétorqua Martin d'un ton brusque. Non, vraiment, je n'éprouve aucune compassion pour elle.

— Avez-vous rencontré Annabel ?

— Qui est Annabel ?

Wright essayait de déstabiliser Steven, et il y parvenait.

— Sa fille, monsieur Wright. Votre nièce qui est morte de méningite.

— Non, je ne l'ai jamais vue.

— Mais vous étiez au courant de son existence ?

— Oui. Suzie m'a envoyé une photo, accompagnée d'une lettre débordant d'enthousiasme pour me rappeler que cette enfant était ma nièce. J'ignore ce qu'elle attendait de moi.

— À mon avis, elle n'attendait rien du tout. C'était sa façon à elle de faire la paix.

Wright se leva et se dirigea vers la fenêtre avec raideur. Il portait un costume gris anthracite parfaitement coupé.

— Si je comprends bien, vous avez eu droit à l'histoire de Cendrillon, dit-il en posant une main sur le châssis de la fenêtre. Suzie a toujours eu le goût du drame, poursuivit-il en contemplant le jardin. La vérité est que mon père était très conservateur ; pour lui, c'était forcément le fils aîné qui héritait. Je n'ai fait que respecter sa volonté.

Steven eut envie de répliquer qu'un homme d'honneur aurait assuré l'avenir de la sœur célibataire qui avait consacré sa jeunesse à s'occuper de leurs parents. Mais il s'était déplacé pour mieux connaître Martin Wright, pas pour se disputer avec lui.

— Vous avez conscience que Susan aurait très bien pu contester le testament, articula Steven d'une voix égale. Elle aurait sans doute gagné, vu le nombre d'années passées à veiller sur vos parents. Mais elle s'en est abstenue et elle a vécu dans la gêne. À mon avis, en vous écrivant pour vous parler d'Annabel, elle désirait vous montrer qu'elle ne vous en voulait pas.

— Depuis combien de temps la connaissez-vous ? demanda Martin d'un ton méprisant.

— Environ trois mois.

— Eh bien, je la connais depuis sa naissance et je sais parfaitement pourquoi elle m'a écrit cette lettre : elle voulait de l'argent.

Steven se hérissa. Il avait éprouvé l'euphorie des jeunes parents et leur fort désir de partager leur joie avec la famille et les amis.

— Je ne pense pas que ce soit la raison pour laquelle elle vous a contacté, rétorqua-t-il en s'exhortant au calme. Vous êtes son frère. Elle espérait simplement que vous vous intéresseriez à votre nièce.

— Pour Suzie, cela signifiait de l'argent. Elle a toujours été une parasite.

— Ce n'est pas ce que m'a dit Beth Powell, une associée de mon cabinet d'avocats.

La surprise se peignit sur le visage de Wright. Il avait donc été au courant de son amitié avec Susan.

— Beth a rencontré votre sœur quand elle avait dix ans. D'après elle, Susan n'a pas choisi de prendre soin de votre mère : ce rôle lui a été imposé à un âge où elle ne pouvait en comprendre les implications à long terme. Lorsqu'elle s'en est rendu compte, elle était prise au piège. Il semblerait que votre père ait toujours prétendu ne pas avoir les moyens de payer une infirmière. De plus, il a déclaré que si Suzie ne voulait plus s'occuper de sa femme, il mettrait celle-ci dans une maison de santé.

— Suzie a toujours adoré jouer les martyrs, lâcha Wright d'un ton dédaigneux. Il n'a jamais été question que mon père mette ma mère dans une maison de santé. Il l'adorait. Suzie est restée parce que c'était une solution de facilité pour elle.

— S'occuper d'une infirme et d'une aussi grande maison, sept jours sur sept et pour un salaire de misère, n'est pas ce que j'appelle avoir une vie facile, riposta Steven. Elle n'avait pas d'amis et ne sortait jamais. Je nommerais plutôt ça de l'esclavage.

Il comprit pourquoi Susan était intimidée par cet homme. Il avait la froideur d'un reptile. Et il mentait effrontément.

— Suzie appelle ce comportement, constata Wright en haussant les épaules. La vérité, c'est qu'elle était trop paresseuse pour se construire une vie. Il n'y avait aucun verrou sur les portes. Si elle l'avait vraiment voulu, elle aurait pu partir quand bon lui semblait.

— Les liens affectifs sont aussi forts que des verrous. Admettons qu'elle n'ait pas été obligée de veiller sur vos parents... ne pensez-vous pas qu'elle avait besoin d'aide et de compréhension, lorsqu'elle a perdu sa fille ?

— Je suis d'accord, c'était triste, admit Wright du bout des lèvres.

— Elle était anéantie, insista Steven. Et le plus dur, c'est qu'Annabel est morte suite à une négligence médicale. Susan était seule, sans aucun soutien ni réconfort. Elle n'avait plus rien dans son existence. Je n'approuve pas ce qu'elle a fait, mais je comprends ses motivations. Et vous, les comprenez-vous ?

— Pourquoi êtes-vous venu me voir ? Si c'est dans l'espoir que je lance un appel à la clémence, vous vous trompez.

— Absolument pas, monsieur Wright, déclara Steven, les dents serrées, en songeant qu'il n'avait jamais rencontré un tel cœur de pierre. J'ai des témoins qui comparaîtront au tribunal pour parler des injustices subies par Susan. J'ai juste voulu voir par moi-même qui vous étiez et comment vous viviez.

Il aurait aimé ajouter que l'attitude de Martin renforçait la crédibilité de Susan, mais il n'osa pas aller aussi loin.

— Qu'insinuez-vous par là ? demanda Wright d'une voix menaçante.

— Savez-vous que quand votre sœur a abattu ces deux personnes, elle était minée par le chagrin, qu'elle habitait dans une mansarde froide et humide, et qu'elle faisait des ménages dans des bureaux pour payer son loyer ? Un geste de votre part aurait pu transformer son quotidien.

— Je n'en avais aucune idée, dit-il, manifestant des signes de nervosité pour la première fois depuis le début de l'entretien.

— Mais si, vous le saviez, monsieur Wright, soutint Steven en ayant de plus en plus de mal à garder son calme. En mai 1993, peu de temps après son retour à Bristol, Susan a téléphoné à votre bureau. Elle vous a demandé de l'aide. C'est là qu'elle vous a appris la mort d'Annabel.

— Elle est tombée à un mauvais moment, affirma aussitôt Wright. Et elle ne s'est pas montrée très claire.

— Je pense que si ma sœur m'annonçait le décès de son enfant, ce serait très clair pour moi, rétorqua Steven d'un ton sarcastique.

— Cela aurait été hypocrite de ma part d'en faire tout

un plat alors que je ne connaissais même pas cette enfant ! Par ailleurs, je déteste qu'on m'appelle au bureau !

En réalité, Wright avait injurié sa sœur, et il avait refusé de lui prêter de l'argent pour la dépanner jusqu'à ce qu'elle trouve un emploi. Mais il était inutile de le mentionner maintenant.

— Susan n'avait pas d'autre moyen de vous contacter. Vous ne lui aviez pas communiqué votre nouvelle adresse, si j'ai bien compris.

— Pourquoi l'aurais-je fait ? Elle n'était rien pour moi. Dès qu'elle est née, j'ai été évincé…

Martin s'interrompit brusquement, et son visage empourpré trahit son embarras d'avoir laissé échapper la véritable raison de son animosité envers sa sœur.

Steven aurait beaucoup aimé approfondir cette question, mais il doutait que Wright fasse preuve de sincérité. Aussi prit-il juste note de cette réaction, pour en faire part à l'avocat de Susan lors de son procès.

— Beaucoup de pères n'ont pas connu leurs enfants à cause de la guerre, lança Steven. Susan n'y était pour rien. Quoi qu'il en soit, votre père s'est montré beaucoup plus gentil avec vous : il vous a laissé libre d'exercer la profession de votre choix et il vous a légué tous ses biens. Pour votre sœur, il n'a rien fait d'autre que l'accabler de responsabilités qu'il aurait dû assumer lui-même, lui apprendre à tirer et lui donner son revolver. Je dirais plutôt que c'est vous qui avez eu une vie facile.

Sur ce, Steven se leva avant que son hôte ne le mette à la porte. L'homme était odieux, et poursuivre cet entretien inutile.

— Merci de m'avoir reçu. Vous serez certainement appelé à témoigner lors du procès. Cela dépendra de Susan. Bonne année. Ne vous dérangez pas, je connais le chemin.

Début février, Beth se rendit au pays de Galles en voiture. Elle n'avait pas eu le courage de demander à Roy de l'accompagner, car le voyage nécessitait de passer une nuit à l'hôtel.

Depuis le nouvel an, ils étaient sortis ensemble à plusieurs reprises et elle l'avait reçu une fois chez elle à déjeuner un dimanche. Ils s'étaient embrassés et câlinés mais Roy n'avait pas tenté de pousser les choses plus loin et Beth ne se sentait toujours pas prête à lui parler.

Plus elle le fréquentait, plus elle était perdue. À certains moments, elle brûlait d'envie de le voir ; à d'autres, elle redoutait sa visite. Son incapacité à se confier à lui l'oppressait, et ce poids pesait lourdement sur sa conscience. Elle se disait parfois qu'il serait plus facile de cesser leur relation que de vivre dans cette angoisse permanente.

Elle espérait que partir seule pour le week-end l'aiderait à mettre de l'ordre dans ses idées. Elle n'avait jamais dépassé Cardiff, au pays de Galles, et comme, malgré le temps glacial, la météo n'avait pas prévu de neige, elle comptait faire de la randonnée.

Depuis le début de l'année, elle avait rendu visite à Susan trois fois – mais pas pour réunir des informations, c'était le travail de Steven. Elle la voyait en tant qu'amie, et les deux femmes se racontaient les événements qui s'étaient déroulés depuis leur séparation. Au fil de leurs conversations, Beth se rendit compte qu'elle appréciait toujours autant Susan : si sa candeur avait disparu après tout ce qu'elle avait vécu, son caractère chaleureux et la façon dont elle se souciait des autres demeuraient identiques.

Beth songeait parfois que Susan aurait fait une excellente assistante sociale. Elle avait le don d'attirer les confidences, et manifestait une profonde compréhension, à l'égard des détenues comme des gardiennes.

Un jour qu'elles s'entretenaient des crimes commis par des toxicomanes, Susan déclara que les drogués devraient bénéficier d'une cure de désintoxication, comme c'était le cas des années auparavant.

— La mafia n'importerait plus de drogue dans le pays, argumenta-t-elle avec fougue. Et on soignerait les toxicomanes dans des cliniques où ils apprendraient à décrocher.

Comme Beth n'était pas d'accord, Susan lui lança :

— Si tu passais deux jours ici, tu adopterais mon point de vue. Les femmes volent ou se prostituent pour se payer leur dose, elles n'ont pas d'autre choix. Mais en supprimant la nécessité de le faire, en quinze jours, tu diminuerais de moitié les crimes dus à la toxicomanie.

— Je ne te savais pas si calée sur les drogues et la dépendance, déclara Beth d'un ton légèrement sarcastique.

— Tu n'as pas changé, constata Susan en lui lançant un regard méprisant. Tu as toujours un peu joué au juge. On n'a pas besoin de se shooter à l'héroïne pour comprendre pourquoi on y succombe. Il suffit de se mettre à la place de ceux qui le font.

— Et d'avoir tué t'aide à comprendre un drogué, c'est ça ?

— En effet. Nous fonctionnons de façon similaire : sans nous préoccuper des conséquences de nos actes. Avec la drogue, on se détruit soi-même ; en commettant un meurtre, on détruit une autre personne. Mais, dans les deux cas, le geste découle d'une dépréciation de soi.

— C'était donc ton problème ?

Susan ne répondit pas.

— Vas-y, parle ! la pressa Beth d'un ton railleur.

— Ne cherche pas à me ridiculiser, répliqua Susan avec un regard froid. Évidemment que j'ai peu d'estime pour moi-même. Sinon, je me serais rebellée. Je n'ai jamais pu exprimer mes émotions, j'ai toujours tout gardé pour moi. Et c'est pareil pour les toxicomanes : ils n'ont une bonne opinion d'eux-mêmes qu'en prenant de la drogue ; mais comme cette impression ne dure pas, ils en reprennent et ne tardent pas à devenir accros.

— Essaies-tu de me dire que tu t'es sentie mieux après avoir tué Wetherall et Parks ?

— Absolument.

Beth la regarda avec attention. Susan était sincère, et elle frissonna.

— Ça signifie que si on ne t'avait pas arrêtée tu aurais récidivé ? lui lança-t-elle avec un frisson.

Susan éclata d'un rire sans joie.

— J'ai fait en sorte d'être arrêtée. C'était comme prendre une overdose : de cette façon, tu sais que tu ne pourras plus jamais recommencer.

Beth avait quitté la prison plongée dans un abîme de réflexions.

Depuis sa rencontre avec Martin Wright, qu'il avait trouvé encore plus détestable que le portrait peint par Susan, Steven avait un point de vue différent sur l'affaire. Il avait avancé l'idée que Susan avait commencé à craquer à la mort de ses parents, et non lors du décès de sa fille, car ses nerfs avaient été mis à rude épreuve pendant des années. Ces deux décès très rapprochés, le testament de son père et la cruauté de son frère avaient dû fortement affecter son équilibre. Selon lui, cela expliquait la liaison de Susan avec Liam, et son départ soudain du village, sans prendre congé de ses amis ni de ses voisins.

Steven avait montré à Beth un rapport médical expliquant que la grossesse dissipait souvent la dépression et l'angoisse, même chez des patientes qui en souffraient depuis longtemps. Il était établi aussi qu'après la naissance du bébé de nombreuses femmes ne rechutaient pas, car elles étaient comblées par la maternité.

Ayant consulté un psychiatre qui avait confirmé son jugement, Steven pensait qu'à la mort d'Annabel les anciennes blessures de Susan s'étaient rouvertes. Il était persuadé que son séjour au pays de Galles n'avait été qu'une rémission, et que, de retour à Bristol dans le dénuement le plus total, elle avait perdu la tête.

Beth partageait son point de vue. Si elle parvenait à prouver que Reuben avait été un salaud au cœur de pierre qui avait profité de Susan puis l'avait chassée, elle était convaincue qu'ils seraient en mesure de présenter un dossier de « responsabilité atténuée » inattaquable.

Beth arriva à Cardigan à vingt et une heures. Elle trouva sans difficulté la petite auberge de La Couronne, recommandée par une collègue du cabinet. Elle n'aurait qu'une quarantaine de kilomètres à parcourir pour se rendre à Emlyn Carlisle, le village le plus proche de « La Maison de la Colline », la communauté de Reuben.

Meublée et décorée à l'ancienne, bien chauffée et confortable, l'auberge correspondait à la description idyllique faite par sa collègue. Simon, le propriétaire se montra amical et attentionné. Quand Beth lui dit qu'elle se sentait trop fatiguée pour manger au restaurant, il proposa de lui apporter un plateau dans sa chambre.

Le lendemain matin, il faisait très froid, mais le ciel était d'un bleu lumineux. Beth se mit en route pour Emlyn Carlisle juste après le petit déjeuner. Simon l'avait informée en riant que le village était un repaire d'écologistes, de vieux hippies, de défenseurs des droits des animaux, de végétariens et autres marginaux de tout poil. Il lui suggéra de s'arrêter d'abord au pub de la grande-rue et de discuter avec le patron, car celui-ci lui indiquerait la route de la « Maison de la Colline ».

Beth portait des chaussures de marche, un jean et un manteau matelassé. Elle espérait qu'après avoir parlé à Reuben il lui resterait du temps pour explorer la campagne.

L'épicerie bio, de nombreuses boutiques d'artisanat et d'autres vendant des cristaux, des bougies et des cartes de tarot corroboraient les paroles de Simon. Le pub n'était pas encore ouvert, mais comme la porte était entrebâillée et qu'un homme réapprovisionnait les étagères, Beth se permit d'entrer. Elle s'excusa et expliqua que c'était Simon, de La Couronne, qui l'envoyait.

Typiquement gallois, le patron à la tignasse noire et au visage rougeaud était aussi petit et robuste qu'un cheval de mine.

— Vous cherchez « La Maison de la Colline »... Vous connaissez quelqu'un là-bas ? demanda-t-il, les sourcils froncés.

— Non. Je désire juste avoir une discussion avec le propriétaire, Reuben Moreland. C'est une communauté, n'est-ce pas ?

— À ce qu'ils prétendent. D'après moi, c'est un ramassis de sorcières, d'escrocs et de drogués, répondit-il, sur la défensive.

Beth jugea préférable de se présenter.

— Je suis avocate, déclara-t-elle en déposant sa carte sur le bar. Je défends une personne qui a vécu dans cette communauté il y a des années. Voilà pourquoi j'ai besoin de parler à Moreland.

L'homme prit la carte, la lut, et son visage se fendit d'un large sourire.

— Vous allez avoir du mal. On ne l'a pas vu depuis une éternité.

— Qui habite la maison, maintenant ? s'enquit-elle, ravie qu'il se détende.

— N'y allez pas seule ! s'écria-t-il, horrifié. Ils ont des

chiens, et les locataires sont très louches. Il peut vous arriver des bricoles.

— Vraiment ? s'exclama-t-elle, étonnée.

— Oui, c'est dangereux, poursuivit-il avec un air de conspirateur. Ils vivent dans la crasse, comme des animaux, ils sont cinglés à cause de la drogue. Ici, on les évite comme la peste.

Beth pensa qu'il exagérait sans doute, et que les habitants de « La Maison de la Colline » étaient simplement peu conventionnels. Mais mieux valait y être préparée.

— D'après mes informations, Moreland arnaquait des pauvres diables qu'il attirait ici.

L'homme acquiesça.

— J'ai vu certaines de ces épaves qui avaient fui la communauté. J'ai porté plainte ; mais, sans preuves, il est impossible à la police d'intervenir. En tout cas, Moreland n'est pas là.

— S'il est le propriétaire et que des gens occupent les lieux, ils doivent savoir où il se trouve, fit remarquer Beth.

— Sans doute, mais ils ne vous le diront pas.

Il se lança ensuite dans un catalogue au vitriol des parasites cradingues qui arrivaient l'été pour participer à des orgies. Les autochtones avaient peur de partir en vacances, car ils redoutaient les cambriolages. Il y avait eu des vols de voitures, les champs et les bois étaient jonchés d'ordures, les enfants trouvaient des seringues dans les fossés...

Cela ne devait pas se passer ainsi à l'époque de Susan, sinon elle l'aurait raconté à Beth. La situation semblait s'être dégradée depuis le départ de Reuben. Beth songeait à se rendre au commissariat de police pour leur demander conseil quand le patron du pub l'informa qu'une fille ayant fait partie de la communauté habitait maintenant dans le village.

— Elle est aussi déglinguée que les autres, précisa-t-il en fronçant le nez. Mais au moins, elle travaille. Elle est potière, et elle n'entretient plus aucune relation avec « La

Maison de la Colline ». Vous pourriez lui parler. Elle loue le dernier cottage à la sortie du village.

Beth le remercia pour son aide, puis, laissant sa voiture au parking du pub, elle marcha jusqu'au cottage en question.

Il était minuscule et miteux avec des murs blancs tachés de moisissure verte, et sur la porte d'entrée la peinture s'écaillait. Beth frappa ; une femme enceinte vêtue d'une blouse constellée de marques de peinture vint lui ouvrir. Ses cheveux blonds en bataille avaient besoin d'un bon shampooing.

Beth lui expliqua brièvement qu'elle recherchait Reuben Moreland.

— Je ne sais pas où il est, répondit la fille d'un air méfiant. Je n'ai plus rien à voir avec eux.

De légères inflexions galloises adoucissaient son accent londonien. Elle n'avait pas la trentaine, mais son visage fatigué au teint verdâtre la faisait paraître plus âgée. Beth se présenta en lui donnant sa carte puis l'informa qu'elle menait une enquête au sujet de Susan Fellows, qui avait vécu à « La Maison de la Colline ».

— Elle a tué deux personnes à Bristol, n'est-ce pas ? lança la femme. Je l'ai vue à la télé. Je n'en suis pas revenue, c'était une vraie dame.

— Vous l'avez connue ? Vous ne seriez pas Megan, par hasard ?

— Si, répondit-elle à contrecœur. Comment le savez-vous ?

— Simple supposition, Susan m'a parlé de vous. Elle vous considère comme une grande artiste. Puis-je entrer un moment ?

— Je ne veux pas avoir d'ennuis.

— Je ne suis pas là pour ça. Je réunis des informations, c'est tout.

Megan ouvrit la porte plus grand en soupirant.

— Ne faites pas attention au désordre. Je dois terminer un travail et je suis en retard.

« Désordre » était un euphémisme : la pièce principale, un atelier poussiéreux bourré à craquer, était meublée d'une grande table couverte de vases et de pieds de lampe que Megan avait commencé à peindre. Des poteries blanches s'empilaient d'un côté et, de l'autre, il y avait des boîtes remplies de ses productions terminées.

— Je les peins, ensuite ils les emportent pour les vernir et les cuire à nouveau.

— Susan vous trouve très douée, déclara Beth en examinant un pied de lampe dont les fleurs roses n'auraient pas paru déplacées dans un magasin Liberty. Elle a raison, vous avez beaucoup de talent.

— C'est tout ce que je peux faire, répliqua Megan avec un haussement d'épaules. J'aimerais avoir un véritable atelier avec un four, mais je n'ai pas à me plaindre : on me paie bien pour la décoration. N'empêche, je me demande comment je vais m'en sortir quand j'aurai le bébé.

Beth regarda autour d'elle. C'était un vrai taudis. Les murs avaient besoin d'une bonne couche de peinture, le petit feu dans l'âtre ne parvenait pas à réchauffer la pièce. La cuisine était envahie de vieux cartons. Beth n'imaginait pas comment Megan pensait élever un bébé dans ces conditions car elle doutait que le premier étage soit plus confortable.

La jeune femme s'assit sur un tabouret près de la table et invita Beth à s'installer devant la cheminée, sur l'unique fauteuil aux accoudoirs abîmés et au tissu déchiré.

— Ça vous dérange pas si je continue pendant qu'on parle ? demanda Megan en prenant un pinceau. Comme je vous l'ai expliqué, j'ai un travail urgent.

— C'est ce que vous faisiez dans la communauté ? s'enquit Beth en regardant une coupe décorée de minuscules violettes.

Elle était magnifique. En boutique, elle se vendrait plus de cinquante euros.

— Non, grimaça Megan. Nous fabriquions des petits cottages en plâtre. Des saloperies pour les touristes. Reuben n'aurait jamais investi dans un four.

Beth comprit que Reuben préférait la quantité à la qualité.

— Vous étiez déjà à « La Maison de la Colline » quand Susan est arrivée. Pouvez-vous me dire comment elle était à cette époque ?

— Cinglée, répondit Megan sans ménagement. Elle n'arrêtait pas de rabâcher que Dieu avait pris son bébé pour la punir.

— La punir ? Mais pour quelle raison ?

— J'sais pas. Elle n'a jamais été claire là-dessus. Mais comme elle avait pas l'air du genre à faire quelque chose de mal, j'en ai conclu que le chagrin l'avait rendue folle. De toute façon, la plupart des gens qui atterrissaient dans la communauté étaient bizarres. Peu à peu, j'ai apprécié Susan. Grâce à elle, la maison était propre et elle nous cuisinait des petits plats. Elle était très... – Megan fit une pause pour trouver le mot juste –... « maternelle », c'est ça. Elle aimait s'occuper des autres.

— Elle n'est donc pas restée cinglée ?

— Non. En quelques semaines, elle avait retrouvé un équilibre. Elle a vite aimé l'endroit. Elle y était heureuse : elle adorait la nature et se promener.

À son ton chaleureux, Beth sentit que Morgan avait beaucoup d'affection pour Susan.

— Que s'est-il passé ? Pourquoi est-elle partie ?

— Parce qu'elle a pigé que Reuben était un salaud.

— Mais Susan avait une liaison avec lui, non ?

— Il en avait avec toutes les femmes de la communauté – y compris moi, déclara Megan avec un rire sans joie. Il appelait ça « la guérison par le sexe ». C'était un pauvre type, il nous faisait croire qu'il nous aimait puis il passait à la suivante.

— Vous étiez toutes « ses femmes », alors ? s'étonna Beth.

— Évidemment, sinon pourquoi aurions-nous travaillé aussi dur pour lui ?

— Susan le savait ?

— Non, nous avions pour règle de ne pas en parler, répondit Megan en gloussant, un peu gênée. De toute façon, les deux dernières étaient parties avant l'arrivée de Susan. De mon côté, Reuben ne m'intéressait plus, et les deux autres filles qui restaient s'étaient trouvé de nouveaux mecs. En plus, Susan avait une bonne influence sur Reuben. Il s'est adouci ; il aimait la façon dont elle s'occupait de lui et de la maison. Et puis, je le tenais à distance pour que ça marche entre eux.

— Mais Susan a découvert le pot aux roses ?

— Elle a reçu une sacrée baffe : un soir, il a débarqué avec une nouvelle nana, Zoé.

— D'où venait-elle ?

Megan se contenta de hausser les épaules.

— Comment l'a pris Susan ?

— Pas si mal, finalement. Je l'ai surprise en train de pleurer plusieurs fois mais c'est tout. Elle disait qu'un de ces quatre elle lui réglerait son compte, et elle y est plus ou moins arrivée puisque la communauté s'est effondrée après son départ. À mon avis, c'est la raison pour laquelle Reuben s'est tiré.

— Qui habite là-bas, à présent ?

— Des tarés, répondit Megan avec une grimace de dégoût. Ils en ont fait un véritable dépotoir. Si Reuben ne se pointe pas pour les virer, la maison vaudra bientôt des clopinettes.

— Depuis quand est-il parti ?

— Environ deux ans. Je ne m'en souviens pas

exactement, et il est sans doute revenu entre-temps. Je me suis cassée un peu après Sue, c'était insupportable sans elle. Je voulais m'en aller tout de suite mais je n'avais pas d'argent.

Elle expliqua que ce cottage avait appartenu à un vieil homme, Evan, qui l'avait accueillie et laissée dormir dans la chambre d'ami.

— J'étais là depuis quelques semaines lorsqu'il a eu une crise cardiaque. Je peux le louer jusqu'à ce que le notaire trouve les héritiers.

— Vous risquez donc de devoir déménager d'un moment à l'autre ?

— Peut-être. Je n'ai aucune nouvelle depuis une éternité.

Beth commençait à se faire une idée de la personnalité de Megan, car celle-ci ressemblait aux clientes qu'elle voyait à son cabinet. Elle avait dû quitter sa famille très jeune, habiter dans des squats, prendre toutes sortes de drogues et être maltraitée par de nombreux hommes avant de rencontrer Reuben. Cependant, malgré ses conditions de vie sordide et son apparence négligée, elle avait un côté très convenable. Elle ne vivait pas aux crochets de l'État et apparemment, elle ne se droguait plus.

— Est-ce que le père du bébé vit avec vous ?

— Non, il a filé dès qu'il a appris que j'étais enceinte, déclara Megan avec un petit rire pincé. Mais tous les hommes sont des salauds, pas vrai ? Sue le disait toujours. Elle avait raison… C'est elle qui m'a encouragée à peindre.

— Vraiment ? s'écria Beth.

Mais au fond elle n'était pas étonnée… Susan avait le don de révéler les talents.

— Ouais, fit Megan avec un petit sourire satisfait. Un jour, elle m'a vue copier des fleurs à partir d'un livre. Elle m'a poussée à les reproduire sur des objets. J'ai fait une frise autour de la fenêtre de la cuisine, j'ai peint aussi sur du tissu et d'autres supports. Elle m'a assuré que j'avais du talent.

Beth perçut la fierté dans sa voix et sa gratitude envers la femme qui avait cru en elle. Cela lui rappela le soutien que Susan lui avait apporté pendant son adolescence.

— Avez-vous une idée de ce que les autres avaient donné à Reuben pour être acceptés dans la communauté ?

— Ça dépendait de ce qu'ils possédaient. Roger avait vendu sa belle voiture. Heather m'a raconté qu'elle lui avait remis deux mille livres. Mais c'est de Sue qu'il a obtenu le maximum.

— Pourtant, elle n'avait pas grand-chose...

— Elle le pensait aussi jusqu'à ce qu'elle découvre le papier des commissaires-priseurs de Bristol. Elle avait fouillé dans ses affaires pour savoir ce que lui rapportait la vente de notre artisanat. Mais si elle n'a rien trouvé à ce sujet, elle est tombée sur leur papier : il avait tiré sept mille livres de ses meubles. Elle était furax : elle ignorait que ça valait autant.

Cette information laissa Beth perplexe. Pourquoi Susan n'en avait-elle pas parlé à Steven ?

— Vous en êtes sûre ?

— Ouais, elle m'a montré le papier. Vérifiez si vous ne me croyez pas. C'est une société de ventes aux enchères tout ce qu'il y a de réglo à Bristol. Ils gardent des dossiers, non ?

Beth nota de contacter tous les commissaires-priseurs de Bristol. Cette preuve serait très utile.

— Seriez-vous d'accord pour m'accompagner à « La Maison de la Colline » ? demanda-t-elle.

Megan cessa de peindre et la regarda, horrifiée.

— Vous plaisantez ! Ils lâcheront les chiens sur nous.

— Combien de personnes vivent là-bas, à présent ?

— La dernière fois que j'en ai entendu parler, ils étaient

huit. Mais ça change sans arrêt. De toute façon, ils ne sauront pas où est Reuben : ils ne l'ont jamais rencontré.

— C'est pourtant bien lui le propriétaire ?

— Ouais, mais qu'est-ce que ça change ? Ils squattent, voilà tout.

— Écoutez, il faut que je voie cette maison, déclara Beth avec fermeté. Venez avec moi, vous resterez dans la voiture et, s'il m'arrive quoi que ce soit, vous utiliserez mon téléphone pour appeler la police.

— Et mon travail ? remarqua Megan en lui adressant un regard fuyant.

— Je vous donnerai vingt livres, proposa Beth.

— OK, dit Megan en posant son pinceau aussi sec. Mais on est bien d'accord : je reste dans la voiture.

À la sortie du village, Beth emprunta une route étroite qui montait à travers la campagne. Elles ne rencontrèrent aucune habitation. Puis Megan indiqua une piste entre des champs. Au printemps et en été, le coin devait être magnifique ; mais c'était trop sauvage et isolé pour Beth.

Megan était assise, le dos voûté, dans un vieux manteau en peau de mouton. Avec le chauffage de la voiture, Beth prit bientôt conscience qu'elle ne se lavait pas. Mais malgré son air morose, Megan bavarda, et elle lui raconta qu'au début la « Maison de la Colline » lui avait semblé paradisiaque, comparée à la banlieue où elle avait grandi près de Londres.

— On habitait dans un HLM. Cinq gosses et ma mère dans trois pièces. Je rêvais de grands espaces comme d'autres filles rêvent de stars de cinéma. Une nuit, dans un pub, je suis tombée sur un Gallois ; quand il m'a proposé de m'emmener dans son pays, je n'ai pas hésité une seconde. Il m'a larguée à Swansea. J'crois bien qu'il était marié.

— Vous aviez quel âge ?

— Seize ans, et depuis je suis restée dans les environs.

J'ai passé deux ans à Swansea à faire un peu de tout, ensuite j'ai rencontré Reuben et j'ai atterri ici. J'ai cru que la chance me souriait enfin.

Beth acquiesça. Elle imaginait sans peine ce que signifiait « un peu de tout ». Reuben avait dû lui apparaître comme un sauveur.

— Susan venait d'une bonne famille, non ? Elle était très maniaque. Elle n'arrêtait pas de nettoyer et de cirer. Je l'appelais « nickel chrome » pour plaisanter. Elle aurait dû être mariée avec un mec normal. Mais la mort de sa fille lui prenait la tête.

— Elle parlait d'elle ?

— Pas vraiment, ça la faisait trop souffrir. Le docteur qu'elle a tué, c'est celui qui l'a laissée mourir ?

— Oui. Elle en parlait ?

— Elle disait seulement que s'il avait été compétent il aurait su que la petite était très malade… Quand j'ai entendu son nom aux infos, je n'arrivais pas à croire que c'était elle. Elle ne tournait peut-être pas rond, mais je n'aurais jamais pensé qu'elle utiliserait une arme contre quelqu'un.

Beth sursauta.

— Vous saviez qu'elle avait appris à tirer ?

— Elle tuait des lapins et des pigeons ramiers avec un fusil de chasse. Elle ne vous l'a pas raconté ? Sans elle, on n'aurait jamais mangé de viande. Elle nous préparait de bons petits plats.

— C'était son fusil ?

— Non, il appartenait à Reuben. Mais lui, il ratait toujours sa cible. Je crois que ça le faisait chier qu'elle soit aussi douée.

Megan interrompit abruptement son bavardage à la vue de la maison.

La ferme se dressait à flanc de colline. Avec sa façade en pierres grises, percée de petites fenêtres, elle correspondait à ce que Beth avait imaginé, en plus délabré. Des mauvaises herbes poussaient sur le toit. De la fumée s'échappait de la cheminée, mais il n'y avait personne dehors, pas même les chiens dont on lui avait conseillé de se méfier.

— Soyez prudente, recommanda Megan d'une voix angoissée. Décampez s'ils vous menacent.

— Ne vous inquiétez pas. Je suis assez grande pour me débrouiller toute seule. N'utilisez mon téléphone qu'en cas d'urgence.

14

Beth s'arrêta net en voyant un chien famélique, au regard féroce, sortir de la ferme et foncer sur elle en aboyant comme un fou.

— Bon chien, lança-t-elle en espérant qu'il n'avait pas l'intention de la mettre en pièces.

Elle aimait les chiens et c'était réciproque, mais il y avait toujours une exception à la règle.

Le chien s'arrêta, la considéra avec curiosité, puis se mit à agiter la queue. Elle tendit la main pour qu'il la flaire avant de le caresser.

— Voilà qui est mieux, dit-elle en lui tapotant la tête. Vas-tu me laisser frapper à la porte ?

Des canettes de bière, des bouteilles et d'autres détritus jonchaient le sol boueux. Plus personne n'entretenant la maison depuis longtemps, elle s'affaissait sous le poids des ans. Dans la cour, les ordures s'empilaient près d'une vieille ambulance peinte en rouge. On lisait LES DISCIPLES DU DIABLE en grandes lettres jaunes sur le côté, l'un de ses pneus était à plat. Elle ne vit pas d'autre véhicule. La porte de ce qui avait dû être l'atelier d'artisanat à l'époque de Susan pendait, hors de ses gonds, et à l'intérieur elle distingua des pièces détachées de moteur.

En regardant la maison, Beth frissonna, car les nombreux carreaux cassés remplacés par des cartons n'auguraient rien de bon sur ses habitants et la porte avait visiblement reçu son lot de coups de botte. Elle n'imaginait pas Susan dans un bouge pareil.

Elle allait frapper quand la porte s'ouvrit brusquement sur un homme d'environ vingt-cinq ans aux longs cheveux noirs, avec une boucle d'oreille et un gros pull qui lui arrivait pratiquement aux genoux.

— Qu'est-ce tu veux ? demanda-t-il avec un fort accent de Birmingham.

— Je cherche Reuben, le propriétaire de la maison, répondit Beth avec un sourire aimable en continuant à caresser le chien pour montrer qu'elle était animée de bonnes intentions.

— Il est pas là, fous le camp.

Elle se dressa de toute sa hauteur et le fusilla du regard.

— Ne soyez pas agressif, rétorqua-t-elle avec fermeté. Je suis avocate et si vous refusez de répondre à mes questions je m'adresserai au commissariat de police. Pouvez-vous me dire où se trouve Reuben ?

— J'sais pas, marmonna-t-il en reculant, affolé. J'le connais pas.

— Est-ce que l'un de vous l'a rencontré ?

Le garçon se shootait sans doute à l'héroïne. Il était très pâle et squelettique, avec de grands cernes noirs. Il avait l'air très nerveux.

— Non. Sa copine est partie y a longtemps.

— À qui payez-vous le loyer ?

— On paie pas de loyer, répondit-il en détournant les yeux.

— Vous gardez la maison pour lui ? Pour qu'on ne la squatte pas ? demanda-t-elle en se tournant légèrement pour contempler la vue.

Même par une journée de février aussi glaciale, celle-ci était en effet splendide car la ferme dominait une vallée, avec des bois dans le lointain.

— C'est ça, ouais. Mais c'est pas tes oignons, alors dégage, fit le garçon en lançant un regard furtif vers la voiture.

— Qui paie les impôts locaux et l'électricité ?

Une femme apparut soudain derrière lui. Elle avait la quarantaine, une rose tatouée sur le front et une écharpe nouée sur la tête à la manière d'un turban.

— Qui est-ce, Tom ? s'enquit-elle en dévisageant Beth avec curiosité.

Malgré ses vêtements sales, sa longue veste verte flottant sur son pantalon avait une certaine élégance et elle paraissait cultivée. Beth expliqua la raison de sa visite.

— Je veux savoir qui paie les impôts et l'électricité, conclut-elle. Quelqu'un est bien obligé de régler ces factures, sinon la municipalité vous aurait expulsés depuis longtemps.

— Je n'en ai aucune idée, déclara la femme, mal à l'aise. Nous ne nous en sommes jamais souciés.

— Comment avez-vous emménagé ici ? Si vous ne versez pas de loyer et que vous ne pouvez pas fournir la preuve que Reuben vous a donné la permission de vivre chez lui, en théorie, vous êtes des squatters.

— Écoutez, nous ne faisons de mal à personne. Nous restons entre nous, assura la femme, paniquée, en élevant la voix. Ce sont des amis de Reuben qui nous ont indiqué la maison.

— Depuis combien de temps habitez-vous ici ?

— Environ quinze mois.

— Et Reuben n'est jamais revenu ?

— Non. Je ne l'ai jamais vu.

— Il reçoit du courrier ?

— Ouais, de temps en temps, intervint Tom.

— Et qu'en faites-vous ?

Soudain, Tom se précipita sur Beth et la poussa violemment.

— Casse-toi, sale fouineuse ! hurla-t-il. File avant qu'j'appelle les chiens.

— Allez-y et vous finirez devant un tribunal, répliqua-t-elle froidement. Vous aurez alors à répondre à bien d'autres questions.

Son violent coup de poing la prit par surprise. Il l'avait frappée près de la mâchoire, aussi tomba-t-elle lourdement sur le dos. Étendue dans la boue, elle le vit s'avancer pour lui envoyer un coup de pied. Elle eut en flash-back la vision des voyous de la ruelle. Mais cette fois-ci, elle n'avait pas l'intention de rester passive. Elle roula sur le côté et se releva d'un bond.

— Vous avez gagné, siffla-t-elle en se mettant hors de sa portée. Je vais à la police. Ils viendront avec un mandat de perquisition.

En fonçant vers la voiture, elle entendit Tom l'insulter, mais il ne chercha pas à la poursuivre. Quand elle sauta dans son véhicule, Megan avait pris le téléphone.

— J'appelle le commissariat. Je l'ai vu vous frapper.

— Dites-leur que nous partons maintenant, parvint-elle à articuler, le souffle court. Donnez-leur mon numéro pour qu'ils me rappellent dans quelques minutes.

Elle démarra à toute vitesse et remonta le sentier pour faire demi-tour sur le terre-plein devant la ferme. Ils avaient lâché un doberman noir, qui courut à fond de train le long de la voiture en sautant contre la portière et en grondant. Deux hommes s'étaient joints à Tom et la femme, et, à travers les vitres fermées, Beth perçut leurs voix menaçantes.

De retour sur la piste, elle se rendit compte que Megan s'était couvert le visage de son écharpe.

— Ne vous inquiétez pas. Ils ne vous auront pas reconnue, à cette distance.

— Ils ne tarderont pas à savoir que c'était moi,

rassura-t-elle d'un ton las. Je n'aurais pas dû venir. Vous ignorez de quoi ils sont capables.

— Je viens d'en avoir un aperçu, répondit Beth en se frottant le menton. Mais la police va leur régler leur compte, et je ferai en sorte qu'elle veille sur vous.

Beth ne regagna son auberge qu'après vingt heures. Un vilain bleu était apparu sur son menton et elle était encore très secouée.

Deux cars de police étaient venus à leur rencontre au bout de la piste. Un gendarme avait recueilli leurs dépositions pendant que trois policiers se rendaient à la ferme. Une heure et demie plus tard, ils redescendaient avec Tom, qu'ils avaient arrêté.

Beth déposa Megan chez elle, puis alla au commissariat. Elle y passa trois heures. Le brigadier lui expliqua que même si la police et les gens du coin avaient trouvé très bizarres Reuben et sa communauté, ceux-ci n'avaient jamais posé de problèmes pendant des années. Les ennuis n'avaient en fait commencé que dix-huit mois auparavant, quand Reuben s'était évanoui dans la nature.

Depuis, ils étaient submergés de plaintes, mais ils ne pouvaient pas faire grand-chose. N'arrivant pas à localiser Reuben pour lui demander de s'occuper de ses invités bruyants et bagarreurs, ils avaient contacté la municipalité et l'Office régional de l'électricité. Ils comptaient les expulser, en cas de non-paiement de leurs factures. Mais comme celles-ci étaient réglées par prélèvement mensuel automatique sur le compte bancaire de Reuben ils s'étaient retrouvés dans une impasse.

Lorsque Beth lui raconta pourquoi elle s'intéressait à Reuben, le brigadier devint très attentif. Il était au courant des meurtres de Bristol, mais il ignorait que Susan Fellows avait habité à la ferme.

Beth pensait que Reuben était passible d'une enquête pour extorsion de fonds, mais le brigadier se montra peu convaincu. Dans le passé, il s'était rendu deux fois à « La Maison de la Colline » et, pour lui, c'était une ruche joyeuse, pas un refuge pour âmes en peine. En plus de l'artisanat vendu dans des magasins et sur des foires, les occupants cultivaient un potager, et Reuben avait autorisé les fermiers à couper le foin de ses deux champs pour leur bétail. Le brigadier était persuadé que Reuben n'avait rien à cacher ; il voulait seulement que celui-ci revienne afin de virer les squatters. Néanmoins, comme Tom avait été arrêté et inculpé pour coups et blessures, il pensait pouvoir obtenir un mandat de perquisition permettant de fouiller la maison et d'enquêter sur les autres squatters.

Il était clair que le brigadier voulait se débarrasser d'eux bien davantage qu'aider Beth. Elle quitta le commissariat démoralisée et retourna voir Megan. Mais lorsqu'elle demanda à la jeune femme si elle accepterait de comparaître comme témoin pour la défense, celle-ci la regarda avec terreur.

— Je ne suis déjà pas très bien vue ici. Tout le monde me prend pour une garce, je n'ai pas d'amis. J'aimerais rendre service à Susan, mais je dois penser au bébé.

Beth lui expliqua que son témoignage ne nuirait pas à sa réputation et serait d'un grand secours pour Susan. Elle lui suggéra aussi de se rendre à la mairie pour bénéficier d'un logement social avant la naissance du bébé, en avril. Megan avait l'air d'ignorer qu'elle avait droit à des allocations pour se loger et élever son enfant.

Beth était sur le point de partir quand soudain, Megan se mit à parler de Zoé, la fille que Reuben avait amenée à la ferme.

— Je ne l'ai jamais aimée. C'était une fille de riches.

— Quel âge avait-elle ?

— Vingt-trois ans. Son père était dentiste à Bath. Elle nous méprisait et n'en foutait pas une rame.

Beth avait dressé l'oreille. Un dentiste de Bath serait facile à retrouver.

— Vous connaissez son nom ?

— Fremantle. Elle m'avait montré son passeport. Elle se vantait d'avoir visité la moitié de la planète et de toujours trouver des types qui raquaient pour elle. À mon avis, c'est la raison pour laquelle elle avait mis le grappin sur Reuben.

— Elle est donc partie avec lui ?

Megan acquiesça.

— Juste après le départ de Sue, précisa-t-elle, la pauvre en a eu assez de s'entendre rappeler du matin au soir par cette traînée que Reuben lui appartenait.

— D'après vous, est-ce que ça a pu faire perdre les pédales à Susan.

— Elle n'était pas du genre à faire des scènes et à hurler. Elle est devenue très silencieuse, elle devait en avoir vraiment gros sur la patate. C'était complètement inattendu : du jour au lendemain, elle a été larguée pour une fille jeune et jolie. À sa place, j'aurais explosé. Mais elle paraissait plutôt relax. Une nuit, pendant leur absence, elle nous a simplement informés qu'elle allait se tirer. Elle est partie le lendemain.

— Quelle a été la réaction de Reuben ?

— Ce salaud s'est contenté de rire. Il s'en contrefoutait. Peu après, il s'est cassé avec Zoé et tout a commencé à se déglinguer.

— Ils ont dit où ils allaient ?

— Non, ils n'en ont parlé à personne. Je ne les ai plus jamais revus.

Beth réfléchit quelques minutes à ce qu'elle venait d'entendre.

— Comment avez-vous vécu après son départ ? C'était Reuben qui apportait l'argent, non ?

— Nous nous sommes inscrits à l'ANPE. Nous leur avons expliqué que nous n'avions pas d'argent pour manger et ils nous ont donné des chèques restaurant. Mais certains ont exigé une allocation logement. Là, j'ai eu peur et j'ai mis les bouts.

— Pourquoi avez-vous eu peur ?

— C'est de l'escroquerie, pas vrai ? De faire croire qu'on paie un loyer quand on n'en a pas ?

Il y avait beaucoup d'autres questions que Beth voulait lui poser : comment Reuben avait rencontré Zoé, dans quel état était Susan en quittant la ferme… Mais elle sentit que Megan se désintéressait du sujet, et sa maison était si froide qu'elle-même se transformait peu à peu en glaçon. Aussi, après l'avoir persuadée de se rendre à la mairie et aux services sociaux, elle prit congé en lui laissant sa carte, afin que Megan lui téléphone au cas où elle aurait d'autres informations à lui communiquer.

Plus tard, plongée dans un bain très chaud, Beth se sentit très abattue. Elle se faisait une meilleure idée de la vie de Susan à la ferme, mais comme elle n'avait pas pu parler avec Reuben, qu'avait-elle vraiment appris ? Même si Megan acceptait de comparaître, Beth n'était pas convaincue que son témoignage aiderait beaucoup Susan. D'après elle, à son arrivée, Susan était folle ; et ensuite, elle avait retrouvé un équilibre en s'occupant de la maison. Une femme qui acceptait d'être remplacée par une fille plus jeune sans dire un mot et qui partait tranquillement paraissait tout à fait saine d'esprit. Mais il est vrai que Susan avait toujours été très forte pour cacher ses sentiments.

Beth n'avait pas eu une enfance facile non plus. Cependant, elle avait eu la possibilité de s'épancher auprès de Serena et Robert. De plus, elle avait un tempérament explosif, et était capable de se défendre quand elle était humiliée ou en colère. La douce Suzie n'avait pas cette soupape de sûreté.

Elle dîna tard, puis appela Roy, car elle eut soudain très envie d'entendre sa voix. Il fut horrifiée d'apprendre qu'elle avait été frappée, et elle eut l'impression qu'il aurait sauté dans sa voiture pour la rejoindre si elle le lui avait demandé. Elle se lança dans le récit de sa journée, pour conclure :

— Je vais bien, ne vous inquiétez pas. Mais vous pouvez me rendre un service : c'est d'enquêter sur Zoé Fremantle. On a une chance de retrouver Reuben par son intermédiaire.

— Je m'en occupe demain, lui assura-t-il.

Le lendemain, un dimanche, Roy arriva à six heures du matin au commissariat afin d'effectuer des recherches sur Zoé. En 1986, étudiante aux Beaux-Arts, elle avait été condamnée pour détention de cannabis, et l'année suivante pour vol à l'étalage. Dans les deux cas, elle avait payé une amende et communiqué l'adresse de ses parents, à Bath, au 19 Widcombe Hill.

S'il n'avait pas été aussi tôt, il aurait tout de suite téléphoné aux Fremantle pour leur demander où vivait leur fille à présent. Il préféra attendre un peu en consultant la liste des personnes disparues.

Zoé y figurait depuis 1993.

Quand il ouvrit le dossier, Roy constata que la police n'avait pas fait grand-chose – ce qui était compréhensible : Zoé était partie de chez elle un nombre incalculable de fois. De l'aveu de ses parents, elle était incontrôlable, ne donnait jamais de nouvelles et travaillait juste le temps nécessaire pour avoir de l'argent afin de voyager. En 1992, elle s'était évanouie dans la nature et était réapparue en Thaïlande. En 1993, la police avait enquêté auprès de ses amies à Bath, mais aucune piste n'avait abouti. Ses copines avaient juste confirmé que Zoé ne s'entendait pas bien avec sa famille.

Roy étudia la photo de la jeune fille prise sur une plage. Elle portait un haut de maillot de bain et un sarong. Grande et mince, elle était ravissante avec ses longs cheveux blonds et ses yeux bleus. Qu'est-ce qu'une fille de bonne famille avait en commun avec un hippie vieillissant ? Roy pensa aussitôt à la drogue. Il fit une recherche sur Reuben Moreland, sans succès. Il ne s'en étonna pas car il avait le pressentiment que ce n'était pas son vrai nom.

Il n'y avait aucune preuve que ce type soit un criminel. Cependant il avait dépouillé Susan et les autres membres de la communauté. C'était à l'évidence un type douteux. Aussi la communauté pouvait-elle fort bien lui avoir servi de couverture pour vendre de la drogue. Zoé, avec sa beauté et ses relations, l'avait peut-être encouragé à développer ce business. Et comme elle était portée disparue, Roy avait une bonne excuse pour mener une enquête plus approfondie…

Plus tard dans la matinée, Mme Fremantle lui ayant confirmé par téléphone la disparition de Zoé, Roy eut un entretien avec son patron, qui lui donna l'autorisation d'aller voir les parents de la jeune fille à Bath.

En fin d'après-midi, sur la route de Bristol, Roy, attristé, repensait au manque d'intérêt des Fremantle pour leur fille. Ils estimaient n'avoir rien à se reprocher car elle avait été élevée dans les meilleures écoles privées. Ils avaient signalé sa disparition à la police en mai 1993, parce qu'elle ne les avait pas contactés au moment de son anniversaire, fin avril. Et ce comportement, comme ils le déclarèrent d'un air maussade, ne lui ressemblait pas.

Roy avait dû écouter la longue liste des défauts de Zoé. La description de ses amis – « des sauvages » –, de ses voyages et de son incapacité à décrocher un travail « convenable ». Ils lui avaient parlé pour la dernière fois le 1er janvier 1993. Elle leur avait téléphoné d'un pub, sans donner de précisions. Le nom de Reuben ne leur disait rien mais de toute façon, ils ne connaissaient pas les noms de ses fréquentations. Roy avait entendu les mêmes histoires auprès de parents sans nouvelles de leur enfant ; mais tous avaient tenté de les retrouver d'une façon ou d'une autre, ne serait-ce que pour savoir s'ils étaient vivants et s'ils allaient bien et pour leur envoyer un message les assurant de leur affection.

Les Fremantle avaient largement les moyens de se payer un détective privé mais ça ne leur avait pas traversé l'esprit. « Nous supposons qu'elle mène une vie que nous désapprouverions », avaient-ils conclu. Roy comprenait que Zoé garde ses distances vis-à-vis de parents aussi revêches et moralisateurs. Il espérait qu'elle prenait du bon temps quelque part en Thaïlande, après avoir plaqué Reuben pour un homme plus jeune et moins manipulateur.

Ce ne serait que justice si ce type rentrait en Angleterre la queue entre les jambes, pour découvrir sa maison en ruine. Et Beth en serait enchantée. Elle n'avait pas semblé dans son assiette au téléphone, mais c'était normal, après avoir reçu un coup de poing en plein visage.

Roy n'avait jamais eu l'occasion de voir Beth à l'œuvre avec d'autres clients, mais il lui semblait que pour Susan elle prenait beaucoup de risques. Il avait l'impression qu'en fouillant dans le passé de son amie elle essayait de régler des problèmes personnels.

Roy pensait à elle constamment. Un jour sans la voir ou sans un coup de fil lui paraissait durer une éternité. Il admirait son intelligence, son sens de l'humour empreint d'ironie ; même sa froideur l'excitait.

Il la désirait comme un fou. La nuit, il rêvait de ses longues jambes, de ses hanches étroites, de sa chevelure splendide ; pourtant il devait attendre qu'elle fasse le premier pas. Il était si difficile de patienter en sachant qu'elle avait souffert à cause d'un homme ! Le besoin de savoir ce qui lui était arrivé le torturait, mais il avait peur, une fois qu'elle se serait confiée, d'être incapable de la rendre heureuse.

Beth appuya sur l'interphone pour Roy qui se présenta à dix-neuf heures précises comme convenu. Puis elle sortit sur le palier afin de le guetter dans l'escalier.

Il avait les bras chargés d'un bouquet de lis blancs et d'une bouteille de vin mais c'est la lassitude de son pas qui la toucha le plus. Arrivée du pays de Galles à midi, elle avait fait une petite sieste et, à part son menton douloureux, elle se sentait bien. En revanche, Roy avait travaillé non-stop.

— Bonjour, monsieur l'Inspecteur, cria-t-elle.

— Bonjour, mademoiselle de La Défense, répondit-il en parvenant à monter les dernières marches d'un bond. Mince, quel vilain bleu ! s'exclama-t-il en tendant la main pour caresser son menton avec tendresse. J'espère que les policiers l'ont mis aux fers et roué de coups.

Beth éclata de rire.

— Ce n'est rien, comme disait ma mère quand mon père la tabassait. Mais à quelque chose malheur est bon : si je n'avais pas appelé la police, ils n'auraient pas eu la possibilité de fouiller la maison de Reuben.

— J'ai déniché quelques informations, annonça Roy en l'enlaçant. Mais d'abord, je prendrais bien un verre.

Beth le fit asseoir sur le canapé et lui servit du vin.

— Nous avons du filet de bœuf, de la salade et des pommes de terre cuites au four. Tout est prêt, à part la viande qui prendra à peine quelques minutes. Dites-moi quand vous désirez manger, vous avez l'air épuisé.

— J'ai eu une dure journée, reconnut-il, puis il lui raconta sa conversation avec les Fremantle et lui montra la photo de Zoé.

— Waouh ! s'écria Beth. N'importe quelle femme péterait les plombs en se faisant larguer pour elle.

— Je ne vois pas ce que cette fille a pu trouver à un type comme Reuben et sa communauté de cinglés. Pour moi, elle croyait qu'il avait de l'argent. Par ailleurs, j'ai discuté avec le pasteur de l'église où Susan a rencontré Reuben. C'est un homme bien, dévoué et humain, du nom de Peter Langdon. Il se rappelait Susan, mais n'avait pas fait le lien avec les meurtres et il a été très secoué. Selon lui, Susan est une femme douce et timide. En revanche, il ne s'est pas montré tendre avec Reuben, qu'il soupçonne d'être un escroc même s'il n'a jamais pu en avoir la preuve. Il ignorait que Susan était partie avec lui.

— Croyez-vous qu'il acceptera de témoigner en sa faveur ?

— Sans aucun doute. Il a même proposé de lui rendre visite... Et la bonne nouvelle, c'est qu'il avait une photo de Reuben. Elle a été prise lors d'une fête de la paroisse.

Roy la sortit de sa poche et la tendit à Beth.

Elle éclata de rire. Reuben était pire que dans son imagination, avec son visage émacié, ses cheveux grisonnants tirés en queue-de-cheval et son gilet brodé tape-à-l'œil sur une chemise à col mao.

— Il a l'air d'un sale type. J'ai toujours éprouvé de l'aversion pour les hommes de la cinquantaine qui désirent paraître branchés. Mais je suppose que ça va avec l'image de « guérisseur psychique ».

Roy sourit.

— Peter Langdon était consterné que Reuben se présente ainsi... Par ailleurs, il n'a pas reconnu Zoé sur la photo : Reuben l'a rencontrée ailleurs. Peut-être que Susan saura où.

— Elle n'a jamais prononcé son nom, remarqua Beth en fronçant les sourcils. Elle a juste mentionné qu'il avait amené une nouvelle femme. Qu'en pensez-vous ?

— Elle ne vous a pas raconté non plus que Liam l'avait plaquée. Peut-être par orgueil, pour ne pas admettre qu'elle s'était fait avoir.

— Pauvre Susan, soupira Beth. Elle n'a pas eu de chance. Il faut espérer qu'on retrouvera rapidement Reuben pour qu'il comparaisse comme témoin.

— Demain, nous demandons l'accès à son compte bancaire. Nous aurons forcément une piste.

— Vous avez bien dit « nous », comme pour une enquête de police ?

— Oui, avoua-t-il d'un air penaud. Nous avons besoin de l'appréhender pour le questionner.

Dans la soirée du mercredi, Roy passa chez Beth avant de rentrer chez lui.

— Désolé de faire irruption chez vous sans vous prévenir, dit-il en pénétrant dans le hall. Mais j'ai pensé que vous aimeriez connaître les résultats de l'enquête sur le compte en banque de Reuben.

— Alors ?

— C'est de plus en plus curieux : il n'a effectué aucune opération depuis avril 1993.

Beth lui prépara un café tout en l'écoutant.

— À cette époque, son compte était créditeur de deux mille livres. Nous avons vérifié l'année précédente. Toutes les quatre ou cinq semaines, il déposait deux ou trois cents livres. Je suppose qu'il s'agissait de l'argent gagné avec l'artisanat. Il avait des prélèvements mensuels pour les impôts locaux, l'électricité, ainsi qu'une carte de crédit. Ces prélèvements se poursuivent, mais il n'y a plus ni retrait ni dépôt. Actuellement, il reste une somme de deux cent cinquante livres.

— Je ne vois pas où vous voulez en venir, déclara Beth en lui tendant un café. Quel est le problème ? Il ne peut pas approvisionner son compte puisqu'il ne s'occupe plus des ventes artisanales.

— Il est peut-être mort, lâcha Roy d'un ton sinistre.

— Ne soyez pas stupide ! s'écria-t-elle en riant. La banque ne paierait pas ses factures.

— Si elle n'est pas au courant de son décès, elle continue à payer. Les prélèvements s'effectuent automatiquement jusqu'à ce qu'on demande leur annulation ou qu'il n'y ait plus d'argent sur le compte.

— Il en a sans doute un autre. De nombreuses personnes en ont un pour les dépenses courantes et un second où elles placent de l'argent.

— C'est vrai. Mais il semblait utiliser celui-ci pour toutes ses transactions : le supermarché, l'essence, les vêtements. Nous avons même trouvé le chèque des commissaires-priseurs qui ont vendu les biens de Susan.

— Évidemment qu'il est vivant, assura Beth d'une voix sèche. Je parie qu'il est à l'étranger. Laisser de l'argent sur ce compte prouve que c'est un homme responsable.

— En effet, les relevés de banque donnent à penser que c'est un type organisé, reconnut Roy. Alors, dites-moi pourquoi un homme prudent et économe qui, comme nous le savons, n'est pas un altruiste, hébergerait des gens gratuitement et paierait l'électricité, sans se soucier que ces occupants saccagent sa propriété ?

— Et si ces personnes étaient censées payer un loyer ?

— Vous m'avez raconté qu'ils ne le connaissaient même pas !

La dureté de son ton laissait entendre qu'il n'était pas venu échanger des idées avec elle, mais qu'il avait considéré la question sous tous les angles et en avait tiré ses propres conclusions.

— Vous êtes persuadé qu'il est mort, c'est ça ? demanda-t-elle dans un souffle.

— Je ne vois pas d'autre explication, Beth. Reuben a acheté cette maison il y a douze ans. Il s'absentait de temps à autre, mais sinon il y a toujours vécu en en prenant le plus grand soin. Son commerce tournait bien. Qui serait assez fou pour partir pendant deux ans en abandonnant tout à une bande de paumés ?

— Il a peut-être essuyé un revers irrémédiable avec Zoé, suggéra Beth. Elle est jeune, extravagante, de bonne famille et très sexy. Cela suffit pour qu'un quinquagénaire perde la tête.

— J'espère que c'est le cas et qu'ils se terrent en Thaïlande en vendant de la drogue pendant que la maison de Reuben se transforme en porcherie, déclara-t-il avec un faible sourire. Mais je n'y crois pas.

— Pourquoi ?

— Si ses affairent marchaient, où qu'il soit, il aurait contacté un agent immobilier pour vendre sa maison. Comme vous l'avez remarqué l'endroit est magnifique ; même si la ferme tombe en ruine, le terrain vaut de l'or. En revanche, si ça s'était mal passé, il serait revenu depuis longtemps. Pareil pour Zoé : elle aurait téléphoné à ses parents afin de les informer qu'elle allait bien, ou leur aurait demandé de l'aide dans le cas contraire.

— Pas nécessairement, soutint Beth. Son père est peut-être aussi vache que le mien. Il est également envisageable qu'elle se soit fait la malle depuis belle lurette avec un autre homme. Les jeunes femmes sont imprévisibles.

— Toutes les femmes sont imprévisibles, rétorqua Roy avec un soupir. Vous en particulier. J'étais convaincu que vous saisiriez immédiatement l'implication de ces informations.

— Qu'aurais-je dû en déduire ?

— Le meurtre.

— Vous croyez que les squatters ont supprimé Reuben !

— C'est une des possibilités : Reuben est revenu, il s'est mis en rogne, une bagarre a éclaté, et Tom, celui qui vous a frappé, lui a réglé son compte. Il a été condamné à plusieurs reprises pour détention de stupéfiants et coups et blessures. Dieu sait ce que nous découvrirons quand nous vérifierons le casier judiciaire des autres !

— Vous soupçonnez également Susan, n'est-ce pas ? s'enquit Beth en frissonnant. Non, Roy ! C'est impossible.

— Pourquoi ? répondit-il avec calme.

Les yeux de Beth s'emplirent de larmes de colère.

— J'étais persuadée que vous éprouviez de la compassion pour elle, à cause d'Annabel ! s'écria-t-elle. Comment pouvez-vous penser une chose pareille ?

— Je suis un policier, dit-il doucement. Je n'accuse pas Susan, je n'ai aucune preuve que Reuben et Zoé soient morts. Ce n'est qu'un pressentiment. Mais la plupart des enquêtes commencent de cette façon.

Il l'attira dans ses bras avant d'ajouter :

— De nombreux clients vous ont bernée, comme j'ai interrogé beaucoup de gens en étant certain de leur innocence. J'ignore comment vous réagissez dans ces cas-là, mais de mon côté je suis toujours très déçu. Dans l'affaire qui nous occupe, c'est différent parce que Susan est liée à votre enfance et à votre adolescence, elle fait partie de vous, comme une sœur, et vous n'avez pas de recul.

Beth sanglota contre son épaule et Roy l'étreignit encore plus fort.

— Le moment pour vous l'avouer est mal choisi, mais je vous aime, chuchota-t-il, les lèvres contre sa nuque. Je laisserai tomber l'enquête si vous le souhaitez.

N'en croyant pas ses oreilles, Beth releva la tête et comprit à son air résolu qu'il était sincère.

— Ça ne me viendrait même pas à l'idée et vous le savez très bien, lança-t-elle d'une voix tremblante. Vous feriez mieux de partir, maintenant, Roy.

— Pourquoi ?

— Susan n'est plus ma cliente, mais je suis très impliquée dans cette affaire. Je ne peux pas courir deux lièvres à la fois et vous non plus. Ne me contactez plus jusqu'à la fin de l'enquête.

Roy la dévisagea, la mine décomposée.

— S'il vous plaît, Beth, ne me demandez pas ça, l'implora-t-il.

— Je n'ai pas le choix. Pas besoin de mettre les points sur les *i*. Je vous ai donné au sujet de Susan des informations que je n'aurais pas dû divulguer. Sans le vouloir, je vous ai indiqué la piste d'un autre crime. Il est hors de question que je continue à trahir ma vieille amie.

— Mais je pensais que nous nous aimions ! protesta-t-il d'une voix brisée par l'émotion.

— Moi aussi, reconnut-elle tristement. Je n'aurais jamais imaginé que notre travail nous séparerait.

15

Le lendemain matin, Beth arriva au bureau épuisée. Elle n'avait pratiquement pas fermé l'œil de la nuit. Roy était un bon policier, perspicace et intuitif, il ne se lancerait pas dans une enquête sur la disparition de Reuben et Zoé s'il n'était pas convaincu qu'un crime avait été commis.

En ce moment, il en débattait avec son supérieur, et d'ici peu Susan serait à nouveau interrogée. Cette fois-ci, sa vie au pays de Galles serait passée au crible.

— Vous avez l'air mal fichue, aujourd'hui. Ça va ?

Beth releva la tête en reconnaissant la voix de Steven. Il descendait l'escalier pour se rendre au tribunal.

— J'ai quelque chose d'important à vous dire..., chuchota-t-elle.

La porte du secrétariat était ouverte et elle ne voulait pas qu'on entende leur conversation.

— ... mais vous êtes sur le point de partir.

— Je peux vous consacrer cinq ou dix minutes, dit-il en la regardant avec inquiétude. Est-ce suffisant ?

— J'irai à l'essentiel.

Ils se réfugièrent dans le bureau de Steven et, dès qu'il eut fermé la porte, elle lui raconta tout.

— Oh, merde ! s'écria-t-il en blêmissant. Vous pensez qu'il a raison ?

— Concernant la mort de Reuben, sans doute : mais je

refuse de croire que Susan y soit mêlée, déclara-t-elle, les lèvres tremblantes. Si seulement je n'étais pas allée fouiner au pays de Galles ! Et surtout, si je ne m'étais pas assuré le concours de Roy pour rechercher Zoé ! J'ai le sentiment d'avoir trahi ma vieille amie.

— Vous n'avez rien à vous reprocher, affirma Steven en lui posant une main sur son épaule pour la réconforter. Vous avez accéléré le processus en lui confiant ce que vous aviez découvert, mais la police du pays de Galles serait parvenue aux mêmes conclusions.

— Susan ne verra pas les choses de cette façon, répliqua-t-elle. Elle pensera que la police s'intéresse de nouveau à elle à cause de moi.

— Elle n'a rien à craindre si elle ignore pourquoi Reuben a disparu... Je dois filer, ajouta Steven en consultant sa montre. Ne vous laissez pas abattre. Nous nous verrons au déjeuner.

Plus tard dans la matinée, Beth se retrouva avec une demi-heure de libre avant l'arrivée d'un client. Elle aurait dû s'atteler à sa correspondance mais à la place elle se mit à la fenêtre et contempla le jardin du square. Les sacs en plastique pris dans les branches des arbres dénudés et la pelouse clairsemée et boueuse la renvoyèrent à sa tristesse. La veille, Roy s'était déclaré. Elle aurait dû s'en réjouir car elle en était amoureuse, mais comment être heureuse avec cette affaire qui les séparait ?

Comme d'habitude, le passé venait gâcher les bons moments de son existence. Elle se revit le jour de sa remise de diplôme. Parce qu'elle ne voulait pas que son père y assiste, elle n'en avait parlé à personne, pas même à Robert et Serena. Elle avait reçu les honneurs du jury sans être entourée de sa famille ou de ses amis. Elle s'était éclipsée pendant que les étudiants se prenaient en photo et, dans sa chambre meublée, elle avait pleuré au lieu de fêter l'événement.

À la naissance du premier fils de Robert, elle s'était précipitée à l'hôpital pour voir le bébé, excitée comme une puce. En apercevant son père assis près du berceau, elle avait fait demi-tour.

Mais ce n'était pas toujours celui-ci qui lui empoisonnait la vie : la plupart du temps, Beth n'avait à s'en prendre qu'à elle-même. Elle n'avait pas d'amis, ne sachant comment nouer et développer une amitié. Elle avait méprisé sa sœur qui, selon elle, gaspillait son temps précieux à papoter au téléphone avec des copines et qui, souvent, coinçait dans un agenda déjà très chargé un rendez-vous amical pour déjeuner. Serena ne ratait aucun anniversaire, elle était là pour les autres quand ils étaient seuls ou malades. Sa liste de cartes de Noël à envoyer faisait quatre pages, et elle dépensait une fortune en cadeaux et réceptions.

Grâce à son amitié avec Steven, Beth comprenait qu'au lieu de se protéger elle s'était punie en maintenant les gens à distance. Elle aurait donné n'importe quoi pour pouvoir téléphoner à une amie. Afin, non de s'épancher, mais plutôt de se changer les idées, de rire et dire des bêtises – comme avec Susan.

Beth soupira. Qu'est-ce qui lui avait pris de discuter de l'affaire de Susan avec Roy ? Ce n'était pas professionnel. Elle eut honte de s'être rendue à Luddington avec lui pour rechercher Liam, et elle éprouva même de la colère contre elle-même pour lui avoir demandé d'enquêter sur Zoé Fremantle. Elle aurait dû prévoir que leur échange d'informations déboucherait sur un conflit d'intérêts.

Comment en vouloir à Roy ? Il faisait son métier. Ils ne se verraient plus jusqu'à la fin de l'enquête. Mais cette décision honorable et juste lui coûtait cher.

Deux semaines s'écoulèrent avant que Beth ne rende visite à Susan. Roy l'avait interrogée l'avant-veille en présence de Steven. Ce dernier lui avait rapporté que l'interrogatoire n'avait pas été serré, Roy ayant fait en sorte que les questions concernant son séjour au pays de Galles semblent la suite logique de l'enquête initiale. Susan s'était montrée très convaincante lorsqu'elle avait affirmé être partie en l'absence de Reuben et Zoé, mais la date qu'elle avait donnée ne correspondait pas avec celle de son arrivée dans sa chambre de « Belle Vue ».

En effet, Roy avait contacté son propriétaire, et celui-ci avait assuré qu'elle avait loué cette chambre quinze jours plus tard. Interrogée à ce sujet, Susan avait soutenu qu'il se trompait.

Quant à Liam, elle finit par le reconnaître : elle savait qu'il ne la rejoindrait pas à Bristol, et c'était la raison pour laquelle elle n'avait pas laissé son adresse aux voisins. Par ailleurs, ainsi qu'elle le souligna, cela ne regardait qu'elle.

Comme Roy avait respecté sa demande, Beth n'avait aucune idée de la progression de l'enquête. Cette ignorance la mettait dans tous ses états ; elle dormait très mal, avait perdu l'appétit et, à de nombreuses reprises, elle avait été tentée d'appeler Roy pour qu'il la tienne au courant.

Elle devait expliquer à Susan le renouveau d'intérêt de la police à son égard et le rôle qu'elle y avait joué, afin d'alléger sa conscience.

Beth arriva à la prison l'estomac noué et les nerfs à vif. Elle désirait que Susan la persuade qu'elle n'avait rien à voir avec la disparition de Reuben et Zoé.

— Pourquoi es-tu venue ? lança Susan en rentrant dans la salle d'interrogatoire. Pour me soutirer des informations que tu refileras ensuite à ton petit ami ? poursuivit-elle, le visage empourpré de colère.

Beth, qui ne l'avait pas vue depuis plusieurs semaines, fut frappée par sa transformation : elle avait perdu beaucoup de poids et flottait dans son survêtement bleu marine. En général, les femmes grossissaient en prison à cause de la nourriture bourrative et du manque d'exercice. Était-elle devenue anorexique ?

— Ne sois pas stupide, Susan, répondit-elle en s'efforçant de garder son calme. Je ne raconte pas nos conversations. Dis-moi plutôt pourquoi tu as autant maigri ?

— Qu'est-ce que ça peut te faire ? Tu as peur que je devienne plus mince que toi ?

Les détenues lui faisaient souvent ce genre de remarques ; que sa vieille amie se comporte comme elles la déprima encore plus.

— Tu es ridicule, répliqua-t-elle sèchement. Je m'inquiète à ton sujet, voilà tout.

— Je vois ! Tu t'inquiètes tellement que tu essaies de me mettre d'autres crimes sur le dos.

Le cœur de Beth se serra.

— J'ai recherché Liam et Reuben pour qu'ils témoignent en ta faveur.

— Et ils ont disparu ! Je t'ai dit que c'étaient des vagabonds. Quant à cette salope de Zoé, elle est sans doute avec un vieux qui l'entretient. C'est son truc. Je ne suis pas responsable de toutes les disparitions d'Angleterre. Quelle sorte d'amie es-tu, si tu penses que je les ai supprimés ?

— Ce n'est pas ce que je pense ! s'indigna Beth. Il faudrait que je l'apprenne de ta propre bouche pour pouvoir le croire.

— Mais tu n'as pas perdu de temps pour moucharder.

— Comme tu le sais, l'inspecteur Longhurst travaille sur ton affaire depuis le début. Il m'a accompagnée à Luddington en tant qu'ami pour retrouver la trace de Liam. Comment aurais-je pu lui cacher ce que j'avais découvert au pays de Galles ? Je lui ai seulement demandé de rechercher Zoé Fremantle dans l'espoir qu'elle nous conduise à Reuben. Lorsqu'il l'a trouvée sur la liste des personnes disparues, il a lancé une enquête.

— Tu n'as pas changé, déclara Susan avec mépris. Il y a des années, tu m'as laissée tomber parce que tu avais rencontré un garçon, et voilà que tu recommences. N'essaie pas de le nier, tu n'as pas voulu que je partage un appartement à Londres avec toi à cause d'un homme.

— Faux ! s'exclama Beth. Je n'avais pas d'homme dans ma vie, et je n'en ai jamais eu.

Susan sourit méchamment.

— D'accord, c'était une femme, tu es lesbienne. Tu devrais venir plus souvent ici, la prison grouille de gouines.

— Je ne suis pas lesbienne, répondit Beth avec un soupir. J'ai seulement du mal à m'engager dans une relation avec un homme.

— À quinze ans, tu ne pensais qu'aux garçons, rétorqua Susan en se levant d'un bond. Tes lettres ne parlaient que de ça. Si tu ne l'as pas fait pour un homme ou une femme, pourquoi m'as-tu larguée ?

— Je ne t'ai pas larguée ! s'insurgea Beth. Il y a des moments où l'on évite de voir certaines personnes parce que...

Elle s'interrompit brusquement, ne sachant quel prétexte invoquer.

— Parce qu'elles sont ennuyeuses ? Trop vieux jeu pour Mademoiselle Je-sais-tout-à-l'université ? Pas assez intelligentes ?

La gorge serrée, Beth se leva, prête à partir. Mais elle ne pouvait laisser Susan penser qu'elle l'avait abandonnée pour l'une des raisons invoquées.

— Non, Susan, c'était parce que j'avais peur de te raconter ce qui m'était arrivé.

Susan émit un grognement moqueur et posa ses mains sur ses hanches.

— Tu plaisantes ? Tu es pitoyable ! Tu me racontais tout, à cette époque – du moins l'affirmais-tu. Tu m'as menée en bateau, hein ? Je n'étais bonne qu'à te divertir quand tu étais coincée à Stratford pendant l'été. Je n'étais rien pour toi !

— Ce n'est pas vrai, Susan, se défendit Beth en reculant, effrayée par la première colère de son amie dont elle ait jamais été témoin. Tu étais tout pour moi. Mais je ne pouvais en parler à personne, surtout pas à toi. C'était trop horrible.

— Je suis ici pour un double meurtre. Qu'y a-t-il de plus horrible ? demanda Susan en fonçant sur Beth comme si elle allait la frapper.

— J'ai été violée par trois hommes, lâcha celle-ci précipitamment. Ne m'agresse pas, je jure devant Dieu que je dis la vérité !

Susan s'arrêta net, comme pétrifiée.

— Violée ? chuchota-t-elle.

— Oui, Susan. C'était en janvier, quand nous avions dix-sept ans, murmura Beth en s'effondrant sur sa chaise.

À son grand étonnement, cette fois-ci, les mots lui vinrent plus facilement. Mais ses yeux se remplirent de larmes et sa voix tremblait. Susan, qui se tenait debout à sa droite, ne pouvait soutenir son regard.

— Tu crois qu'ensuite j'étais capable de t'écrire des lettres enjouées pleines de futilités ? conclut-elle.

Elles gardèrent le silence un long moment puis Susan poussa un profond soupir.

— Ma pauvre vieille, murmura-t-elle, j'étais à des années-lumière de penser à ça.

Soudain, elle prit son amie dans ses bras, enfonça son visage dans ses cheveux, et Beth sentit l'humidité de ses larmes.

— Je suis tellement désolée... Tu aurais dû m'en parler, ajouta Susan avant de la bercer en silence. Si la gardienne avait jeté un coup d'œil dans la pièce, elle aurait été stupéfaite, mais elles s'en moquaient. Serena réconfortait Beth de cette façon dans son enfance.

— C'était impossible, finit par dire Beth.

Elle se dégagea de l'étreinte de Susan pour se moucher. Elle était gênée, non de s'être confiée mais d'agir de manière aussi peu professionnelle dans un lieu où une parfaite maîtrise de soi était de mise.

Susan l'embrassa sur le front puis alla se rasseoir. Elle paraissait vidée et sa colère avait disparu.

Beth lui raconta ensuite que personne n'avait été courant, pas même son frère ou sa sœur, et que ç'avait été très dur pour elle.

— Je t'enviais. Je t'imaginais en sécurité chez toi, entourée de tes adorables parents dans cette belle maison où tout étincelait. Moi, je vivais dans un dépotoir ; mon père était une brute pontifiante, ma mère, une loque. Je te l'ai toujours caché.

— Tu sais, moi aussi je te jalousais, reconnut Susan. Tu étais tout ce dont je rêvais : courageuse, intelligente, grande et élégante, alors que moi, j'étais une gamine petite et grassouillette, dépourvue de personnalité. Même si ma mère n'avait pas eu son attaque, je n'aurais rien fait d'extraordinaire. Je serais restée à la maison, j'aurais pris un travail de bureau ennuyeux et épousé le premier venu.

— Absolument pas ! protesta Beth avec d'autant plus de force qu'elle partageait l'opinion de Susan sur elle-même.

— Ne te sens pas obligée de me soutenir. J'ai mis très longtemps à m'accepter. Je ne l'ai découvert qu'à la naissance d'Annabel. J'étais faite pour être mère, et rien de plus. Mais pendant ces quatre années, je me suis épanouie. Quand je t'imaginais plaidant au tribunal, je n'éprouvais plus aucune jalousie. Changer les couches, jouer par terre avec ma fille, lui découper des petits sandwiches en forme d'animaux, tout était merveilleux. La maternité est une véritable vocation, Beth. Mais on m'a enlevé Annabel pour me punir.

Beth l'avait observée pendant qu'elle parlait, elle avait vu la tendresse illuminer ses yeux, le sourire de ravissement sur ses lèvres. Une boule se forma dans sa gorge. Quelle injustice que Susan ait été privée de sa raison de vivre !

— Pourquoi devais-tu être punie ?

Susan haussa les épaules et détourna les yeux.

— Pourquoi, Susan ? répéta Beth.

Ayant laissé échapper ces paroles par mégarde, son amie avait pris un air buté.

— Pour m'être réjouie de la mort de mes parents, lâcha rapidement Susan, et pour n'avoir pas attendu qu'un homme bien se présente. Je t'ai menti au sujet de Liam : il n'était pas génial, ce n'était qu'un propre à rien et je me sentais si seule ! Je savais que ça ne marcherait pas.

Le temps qui leur était imparti s'achevait ; Beth sentit qu'elles n'iraient pas plus loin.

— Il faut que je file, annonça-t-elle en se levant et, spontanément, elle ouvrit ses bras.

Susan s'y précipita, puis elle appuya sa tête sur l'épaule de son amie, comme une enfant.

— Cet inspecteur est très bien, même s'il croit que je suis une tueuse en série, murmura-t-elle. J'espère qu'il te rendra heureuse.

— Je ne le vois pas en ce moment.

— Pourquoi ? À cause de moi ?

Beth ne pouvait le reconnaître sans effrayer Susan à l'idée que Roy la prenait vraiment pour une criminelle endurcie.

— Pas du tout. Je dois d'abord faire un travail sur moi. Ce n'est pas un homme qui me libérera de mon passé, c'est à moi d'y parvenir.

— Pardonne-moi. Je me suis montrée très dure avec toi, déclara Susan, les yeux remplis de larmes. Je ne veux pas que tu reviennes, Beth. Patientons jusqu'à la fin de l'enquête.

— Comme tu voudras. Mais si tu changes d'avis, dis-le à Steven.

Pendant que Susan regagnait son aile en attendant devant chaque porte que la gardienne ouvre, elle ne pensait qu'à Beth.

À présent, elle comprenait le ton soudain plat et réservé de ses lettres dont tout humour avait disparu. Si elle-même n'avait pas été aussi absorbée par ses problèmes familiaux, elle aurait compris que quelque chose de terrible lui était arrivé.

Elle revit Beth nager dans la rivière, lors de leur dernier été ensemble. Susan l'avait regardée effectuer un plongeon impeccable. Elle portait un maillot de bain rouge, et son corps mince était souple et gracieux.

Susan ne pouvait pas plonger : elle avait peur de rentrer dans l'eau la tête la première ; elle n'aimait pas sauter non plus, et se laissait glisser tout doucement de la berge. Cette attitude résumait leur différence de caractère. Beth se précipitait dans tout avec enthousiasme, elle aimait les défis et le danger. Susan, elle, abordait la vie avec circonspection et faisait souvent machine arrière, affolée.

Cependant, après la mort de ses parents, elle avait appris qu'elle était capable d'insouciance ; elle arrivait même à chasser la peur quand les circonstances l'exigeaient. En revanche, l'allégresse et la vitalité de Beth avaient été étouffées dans l'œuf. Ce drame avait gâché sa vie. En pénétrant dans sa cellule, Susan pleurait pour son amie.

16

Frankie, étendue sur la couchette supérieure, fumait une cigarette. En la voyant, le cœur de Susan se serra, car elle avait espéré que sa codétenue serait au travail. Du coup, elle allait subir un véritable interrogatoire, alors qu'elle s'en sentait incapable.

— Des problèmes avec ton avocat ? demanda Frankie.

Ses petits yeux noirs scrutaient le visage de Susan.

— Non, pas du tout, répondit-elle en s'efforçant de se calmer.

En prison, elle avait appris à ses dépens qu'il ne fallait jamais révéler d'informations importantes. Lorsqu'elle avait parlé d'Annabel à Julie, elle avait cru que celle-ci tiendrait sa langue ; mais le lendemain, toute la prison était au courant. Au début, les autres prisonnières lui avaient témoigné de la sympathie, mais ça n'avait pas duré. Pour ces femmes, les nouvelles étaient une sorte de drogue, elles en voulaient toujours plus, et devenaient cruelles si on les en privait.

Comme Susan venait de la classe moyenne, qu'elle était naïve et condamnée pour la première fois, elle était à leurs yeux une curiosité. Les détenues voulaient la pousser à bout pour voir de quoi elle était faite, mais jour après jour Susan essayait de s'endurcir. Et si ses compagnes d'infortune dévoilaient les secrets des unes et des autres, elle-même ne l'avait jamais fait et était résolue à continuer.

Lorsque la police était revenue lui poser des questions, Susan avait immédiatement compris que c'était à cause des recherches de Beth et elle en avait été ulcérée. Mais maintenant, elle était convaincue que son amie n'avait pas eu le choix.

Ce qui l'attristait le plus était que Beth n'ait pas sollicité son aide au moment du drame qui avait gâché son existence. Coincée chez elle avec sa mère, Susan était certes coupée du monde, mais elle aurait compris l'horreur destructrice de ce viol. Elle aurait demandé à ses parents d'inviter Beth à vivre avec eux, et ils auraient été d'accord si elle leur avait raconté l'ignoble réaction de son père.

Devoir garder un secret aussi monstrueux pouvait acculer n'importe qui à la folie. Susan connaissait bien cette angoisse : elle avait pris l'habitude de se forcer à agir comme si de rien n'était, alors qu'en fait son esprit ressassait ses erreurs passées et que des souvenirs cauchemardesques venaient régulièrement la hanter. Elle vivait dans la peur d'être démasquée et obligée de tout expliquer.

Pourtant, quel soulagement ç'aurait été de se confier à une personne qui la soutiendrait ! De nombreuses prisonnières seraient ravies de jouer ce rôle. À l'affût comme des chacals, elles attendaient qu'une des leurs revienne d'un entretien avec un avocat ou un membre de sa famille, espérant apprendre une nouvelle bien juteuse. Comme elles se délecteraient, si elle leur révélait que la police essayait de lui coller d'autres meurtres sur le dos ! Cette information de choix lui vaudrait une place réservée à la cantine, du shampooing, de la crème pour les mains et aussi de la drogue. Pendant deux jours, elle cesserait d'être leur victime.

Mais la prison était un véritable enfer. Susan ne savait jamais quel mauvais tour on allait lui jouer, quand ni comment on l'agresserait, physiquement ou verbalement. Elle n'arrivait pas à manger ; après deux bouchées, elle avait envie de vomir, et il fallait qu'elle se contrôle constamment afin de ne pas montrer sa répulsion pour les manières des autres prisonnières. Leur ignorance, leur langage, la cruauté de certaines d'entre elles étaient très difficiles à supporter. Elle aurait tout donné pour pouvoir se promener, sentir le vent dans ses cheveux, la pluie sur son visage, et profiter d'un silence total.

— Qu'est-ce qu'il te voulait ?

La voix de Frankie la ramena au moment présent. Assise sur sa couchette, vêtue d'un jean et d'un T-shirt noir sans manches, avec ses cheveux en brosse, elle ressemblait vraiment à un homme. Ses biceps musclés, tatoués de fils de fer barbelé se gonflaient de façon inquiétante lorsqu'elle bougeait.

— Il souhaitait juste vérifier un truc que mon frère lui avait dit, répondit Susan avec désinvolture.

Elle avait appris à mentir pour survivre. Elle avait cru que son séjour dans la communauté l'avait préparée à tout, mais rien ne pouvait préparer à la prison. Parfois, elle avait l'impression d'être tombée accidentellement dans une bouche d'égout et d'y avoir découvert une forme de vie complètement nouvelle, car les détenues constituaient une espèce à part dans l'humanité.

Laide, mal embouchée, brutale et imprévisible, Frankie était l'exemple type des femmes qui dominaient la prison. Elle commençait par prendre sous sa protection les nouvelles détenues pour les plier ensuite à sa volonté. Susan lui donnait son tabac et sa carte de téléphone parce qu'elle avait empêché la femme qui lui avait fait un œil au beurre noir de la frapper de nouveau. Susan s'en fichait : elle ne fumait pas et n'avait personne à appeler. En revanche, elle détestait les interrogatoires serrés auxquels la soumettait son « ange gardien », qui exigeait qu'elle lui rapporte ses conversations dans les moindres détails.

— Vérifier quoi ? s'enquit Frankie.

— La valeur de la maison de mes parents, mentit Susan. Elle a été vendue deux cent mille livres, je suppose que tu veux le savoir aussi ?

Frankie nota son ton sarcastique. Elle bondit de sa couchette et se planta devant Susan, les bras croisés sur sa grosse poitrine dans une posture belliqueuse.

— Ne fais pas ta maligne avec moi. Je te protège et tu ferais bien de ne pas l'oublier.

— Je suis juste fatiguée, déclara Susan en s'allongeant.

Elle espérait que Frankie la laisserait tranquille si elle feignait de s'endormir.

— D'accord, je vais m'étendre à côté de toi, répondit celle-ci en la poussant. Tu as beaucoup minci, j'aime ça.

Susan frissonna. Elle savait que Frankie était lesbienne, elle ne s'en cachait pas ; mais jusqu'à présent, sa seule copine était MacAllister, une gardienne. Des détenues lui avaient expliqué que c'était la raison pour laquelle Frankie était souvent dispensée de travail : les deux femmes profitaient de ces heures pour faire l'amour.

Au début, Susan n'en avait pas cru un mot. Elle était alors convaincue que les gardiennes avaient trop d'intégrité pour se comporter ainsi. Et elle n'imaginait pas McAllister, une Écossaise aux manières très douces, avoir une relation avec une personne aussi laide et brutale que Frankie.

Maintenant, Susan savait qu'en prison tous les tabous volaient en éclats. Des femmes mariées, mères de plusieurs enfants et qui avaient été hétérosexuelles toute leur vie se lançaient dans une liaison, et parfois refusaient de se rendre au parloir pour parler à leur mari. Des filles jeunes qui pleuraient à chaudes larmes sur leur petit ami étaient, sitôt arrivées, embarquées dans des relations avec des prisonnières plus âgées. Elles s'embrassaient et se caressaient ouvertement.

Les gardiennes lesbiennes étaient d'une certaine façon les plus méprisables, car elles avaient choisi un travail qui leur permettait de dominer d'autres femmes. Un nombre incalculable de fois, Susan avait vu l'une d'elles retenir une fille dans la douche ou dans une cellule et elles punissaient celles qui ne se pliaient pas à leurs désirs. Toutes les détenues qui s'engageaient sur cette voie n'étaient pas de véritables lesbiennes : elles y étaient poussées par leur soif de tendresse. Mais Susan n'en était pas là, et jusqu'à présent elle n'avait pas été un objet de désir.

— S'il te plaît, laisse-moi dormir, l'implora-t-elle. Je ne me sens pas bien.

— Ne fais pas ta mijaurée, répliqua Frankie d'un ton hargneux. Si je veux te peloter, rien ne m'en empêchera.

La gifle que Susan reçut la prit par surprise, mais quand elle ouvrit les yeux et qu'elle vit Frankie sourire méchamment tout en baissant la fermeture Éclair de son jean, le récit du viol de Beth lui revint en mémoire, et elle explosa.

Elle sauta de sa couchette et saisit Frankie à la gorge en la poussant contre le mur près du lavabo. La rapidité de son attaque lui donna l'avantage. Frankie était bien plus grande et beaucoup plus costaud, mais la haine décuplait les forces de Susan.

— J'en ai marre de toi ! siffla-t-elle en la maintenant plaquée contre le mur. De tes questions, de ta grossièreté, de ta brutalité et de ton corps qui empeste. Tu penses avoir le droit de me peloter ? Tu es ignoble. Si nous étions les deux derniers êtres humains sur cette terre, je me flinguerais plutôt que de rester avec toi.

Elle resserra ses doigts sur la gorge de Frankie, qui lui envoyait des coups de pied.

— Je vais te tuer ! hurla-t-elle en lui tapant la tête contre le mur.

Elle ne pouvait plus contrôler sa rage ; dans son esprit, Frankie représentait les voyous qui avaient violé Beth et tous les hommes qui l'avaient trompée elle-même.

Lorsque les petits yeux de Frankie commencèrent à lui sortir de la tête, Susan se sentit toute-puissante. Les points noirs du visage qu'elle voyait très près et cette haleine qui empestait l'oignon du hachis Parmentier de midi accrurent sa répulsion.

— Je vais te tuer, répéta-t-elle en continuant à lui cogner la tête.

Susan perdit la notion du temps, Frankie n'était plus qu'une grande poupée qu'elle voulait casser. Elle n'entendit pas la porte s'ouvrir, ni les deux gardiennes entrer précipitamment dans la cellule. Elle n'eut conscience de leur présence que quand elles lui empoignèrent les bras.

— Lâche-la, Fellows ! cria l'une d'elles. Lâche-la !

Mais lorsqu'elles la traînèrent hors de la pièce pour l'emmener en cellule d'isolement, Susan eut la satisfaction de voir Frankie s'écrouler par terre, sans connaissance.

Susan resta hébétée un long moment. Une des gardiennes, choquée et consternée par son comportement, lui avait demandé ce que Frankie lui avait fait. Susan n'avait pas pris la peine de répondre, elles en savaient assez sur sa codétenue pour le deviner. Elle était pour sa part soulagée de se retrouver seule pendant vingt-quatre heures.

Susan se moquait que la cellule d'isolement soit vide, à l'exception d'un matelas en mousse et d'une couverture. En fermant les yeux, elle pouvait s'échapper vers un monde paradisiaque.

Elle essaya comme d'habitude d'imaginer la mer, mais cela ne l'aida qu'à prendre conscience des gargouillis dans les conduites d'eau. Elle tenta alors de transformer le bruit sourd des grosses chaussures d'une gardienne dans le couloir en sabots d'un cheval sur les pavés, mais ne parvint pas à se représenter une cour d'écurie baignée de soleil.

Ses pensées s'envolèrent vers Luddington. Elle descendait à bicyclette la côte en face de la place de l'église, prenait le sentier creusé de nids-de-poule qui conduisait à l'écluse derrière sa maison, et soudain elle vit Beth pédaler à son côté. Elle poussait des cris en traversant une flaque qui l'éclaboussait.

Les premiers étés, les deux filles passaient beaucoup de temps à l'écluse. Elles aimaient observer les cygnes et les canards qui se réfugiaient sur les berges de la rivière, le miroitement du soleil sur l'eau et leur reflet déformé comme dans les glaces des foires.

Si elles rendaient service aux éclusiers, ils leur lançaient des fruits ou des bonbons. Mais c'étaient les vacanciers qui les fascinaient le plus. Elles trouvaient étrange qu'une famille loue un bateau pour y vivre pendant deux semaines. Parfois, ils emmenaient même le chien.

— Quand nous serons grandes, nous pourrons le faire, avait déclaré un jour Beth en contemplant deux adolescentes en bikini qui prenaient le soleil sur un cruiser. Nous irons jusqu'au bout de la rivière. On découvrira peut-être un endroit merveilleux où l'on travaillera dans un magasin, et on y restera pour toujours.

Le bruit de pleurs provenant d'une autre cellule ramena Susan à la réalité. Elle voulait s'imaginer allongée sur le pont d'un bateau, la peau brûlée par le soleil, descendant lentement la rivière. Mais une autre détenue donnait des coups de poing et de pied dans la porte de sa cellule. Susan se rappela alors qu'elle avait failli tuer Frankie à mains nues.

C'était incroyable ! Elle n'avait jamais frappé personne, pas même à l'école.

Cette pensée la fit sourire. Au moins, elle s'était défendue. À partir de maintenant, on la respecterait.

Le lendemain matin, dès que Beth entendit Steven prendre congé de son client, elle se précipita dans son bureau, une tasse de café à la main.

— Pause-café ! annonça-t-elle en mettant la tasse sur le bureau en désordre. Quand allez-vous voir Susan ?

— Je devais y passer aujourd'hui, mais c'est reporté à demain, déclara-t-il en réunissant des papiers afin de les ranger dans un dossier.

— Vous semblez préoccupé, remarqua-t-elle, perchée sur le rebord du bureau.

— En effet. La police m'a téléphoné pour m'informer qu'ils avaient recueilli de nouveaux témoignages et désiraient interroger Susan demain. J'ai appelé la prison pour les avertir. Et là, on m'a annoncé qu'elle était en cellule d'isolement.

— Mais pourquoi ? s'écria Beth.

— Elle a agressé une autre détenue. De façon sérieuse : on a dû l'envoyer à l'hôpital.

— Je n'en crois pas un mot. Elle est tellement passive !

— Vraiment ? Je commence à me demander si nous la connaissons... Finalement, que savons-nous d'elle ? lança Steven avec lassitude. La bagarre a éclaté juste après votre départ. Les gardiennes étaient très étonnées, car l'autre femme est une dure à cuire, et Susan ne s'était jamais montrée agressive auparavant. Mais si elles n'étaient pas intervenues à temps, elle l'aurait tuée.

— Merde ! s'exclama Beth en s'effondrant sur une chaise. J'espère que ce n'est pas à cause de ma visite.

— Je suppose qu'il y a un lien. De quoi avez-vous discuté ?

Gênée, Beth préféra biaiser.

— Au début, elle était hostile et elle m'a accusée d'avoir « mouchardé ». J'ai fait une remarque sur sa perte de poids, et elle a sauté sur l'occasion pour me rembarrer.

— Apparemment, elle était donc déjà remontée.

Beth garda le silence.

— Allez ! la pressa-t-il. J'ai besoin de savoir. Je ne veux pas qu'elle sorte à la police un truc que j'ignore.

— Elle m'a harcelée pour savoir pourquoi je ne l'avais plus contactée quand j'étais rentrée à l'université, avoua Beth à contrecœur. J'ai fini par lui parler du viol, poursuivit-elle en rougissant. Vous pensez que j'aurais mieux fait de me taire ?

— C'est votre amie, répliqua-t-il en haussant les épaules. Vos discussions ne me regardent pas. Comment a-t-elle réagi ?

— Elle est redevenue la jeune fille que j'ai connue. C'était émouvant et, je crois, très réconfortant pour toutes les deux.

— Le déclic se trouve peut-être là.

Perplexe, Beth fronça les sourcils.

— Susan a dû regagner sa cellule en colère pour ce qui vous est arrivé. Tellement en colère que quand l'autre détenue a dit quelque chose qui ne lui a pas plu, elle a explosé.

— Elle était triste, pas furieuse. Susan est du genre conciliant, ce n'est pas une bagarreuse.

— On se trompe peut-être là-dessus, insista Steven d'un air sombre.

Il mit ses mains dans les poches de son pantalon et se balança sur ses talons avant d'ajouter :

— Elle nous a amenés à croire que la seule fois où elle a été violente, c'est le jour où elle est entrée dans le centre médical pour abattre le docteur et la réceptionniste. Nous avons gobé son histoire à cause du décès d'Annabel et parce que vous la connaissiez.

— Vous n'allez pas changer d'avis à son sujet juste parce qu'elle a attaqué une autre détenue, rétorqua Beth sèchement. Nous savons très bien ce qui se passe dans ces cellules !

— Écoutez, la police a trouvé quelque chose, sinon ils ne voudraient pas l'interroger de nouveau, s'emporta Steven. Ils ont enquêté au pays de Galles et à Luddington. Et nous savons à présent qu'elle peut être violente.

— N'est-ce pas le cas pour tout le monde ? répliqua Beth. Être enfermé dans une cellule avec quelqu'un qui vous tape sur les nerfs pousserait à bout la personne la plus douce !

— D'accord. Mais depuis le début, je sens qu'elle nous cache quelque chose. Liam, Reuben et Zoé... que leur est-il arrivé, Beth ?

Elle le regarda, horrifiée. Elle avait appris à faire confiance à son jugement mais elle ne supportait pas qu'il suspecte Susan.

— Non, Steven, pas ça ! l'implora-t-elle en enfouissant son visage dans ses mains. Elle n'y est pour rien, je ne peux pas et ne veux pas le croire !

— Elle a l'air de bien savoir s'y prendre avec vous, constata Steven d'un ton ironique. Elle m'entortille de la même façon quand je la vois. C'est seulement après que je commence à douter.

— Votre travail ne consiste pas à prouver sa culpabilité, lui rappela-t-elle. Vous la défendez, nom d'un chien !

— Neuf heures quinze, début de l'interrogatoire avec Susan Fellows à la prison de Eastwood Park, dit Roy dans le magnétophone, en présence de l'inspecteur principal Longhurst, du brigadier Bloom et de Steven Smythe, l'avocat représentant Susan Fellows.

Roy demanda à Susan d'essayer de se souvenir du mois d'août 1986.

— Nous avons la confirmation, grâce à votre ancien propriétaire que vous avez visité la maison de Bristol le 8 août et que vous lui avez versé un acompte. C'est exact ?

— Oui.

— Êtes-vous rentrée directement à Stratford, après ?

— Non, j'ai passé la nuit dans une chambre d'hôte. Je suis rentrée le lendemain matin.

— Donc, le 9. Liam était là ?

— Non, il travaillait à l'extérieur.

— Voulez-vous dire qu'il dormait chez ses employeurs ?

— Oui… enfin, dans sa fourgonnette.

— Où travaillait-il ?

— Je ne m'en souviens pas. Il ne me tenait pas toujours au courant.

— Quand l'avez-vous revu, finalement ?

— En fait, il n'est jamais revenu.

— Pourquoi, à votre avis ?

— Je vous l'ai déjà raconté plusieurs fois. Il ne voulait pas perdre sa liberté.

— Mais vous attendiez son enfant. Vous deviez penser qu'il avait un minimum de responsabilités à assumer, non ?

— Je ne savais pas que j'étais enceinte à ce moment-là, je ne l'ai découvert qu'après mon déménagement, répliqua-t-elle, énervée, car elle lui avait déjà dit ça aussi.

— Quand l'avez-vous donc vu pour la dernière fois ?

— La veille de mon départ pour Bristol.

— Le 7 août, donc.

— Oui.

— Et il est parti dans sa fourgonnette ?

— Oui.

— Vous ne l'avez plus jamais revu, ni lui ni son véhicule ?

— Non, dit-elle en poussant un profond soupir.

— Mais vous devez avoir vu sa fourgonnette : elle est restée garée dans une ruelle du village pendant des semaines après votre départ, déclara Roy en l'observant avec attention.

— Vraiment ? répondit-elle en écarquillant les yeux de surprise. Je ne savais pas.

— Je suppose que vous ignorez également que le 9 août, jour où vous étiez à Bristol, il travaillait pour un certain M. Andrews, à six kilomètres à peine de Luddington ?

— Après toutes ces années, je ne peux pas me le rappeler.

— Eh bien, M. Andrews, lui, s'en souvient, rétorqua Roy d'un ton brusque. Liam a terminé son travail dans l'après-midi, et il devait repasser le lendemain matin pour se faire payer. Il n'y est pas retourné. Vous pouvez expliquer ça ?

— Peut-être qu'il est tout de suite allé travailler ailleurs, suggéra Susan en haussant les épaules. Je ne sais pas, j'étais à Bristol.

— Non, pas à ce moment-là : vous êtes arrivée à Luddington par le bus à treize heures trente ce même après-midi.

— Ça se peut, lâcha-t-elle en croisant les bras et en regardant le plafond.

— Mme Vera Salmon, qui vivait en face de chez vous, a déclaré que vous étiez assise à côté d'elle dans le bus. Vous lui avez parlé avec beaucoup d'enthousiasme de la maison que vous veniez de trouver.

— J'étais très heureuse, reconnut-elle.

— Bien sûr : vous croyiez que Liam vous aimait et que vous alliez démarrer une nouvelle vie à Bristol avec lui. Vous attendiez qu'il passe chez vous ou qu'il vous téléphone plus tard, n'est-ce pas ?

— Euh… oui, mais il était absent, répondit-elle, soudain troublée.

— Non, Susan. La même voisine l'a vu rentrer chez vous en fin d'après-midi.

— Peut-être, admit-elle en rougissant. Comment me souvenir de ce qui s'est passé tel jour à telle heure après tout ce temps ?

— Comment pourriez-vous avoir oublié quoi que ce soit de cette journée-là ? répliqua Roy d'un ton sévère. Vous veniez de trouver la maison de vos rêves, vous attendiez la visite de Liam. Je suis persuadé que c'est précisément à ce moment-là qu'il vous a annoncé n'avoir nullement l'intention de vivre à Bristol avec vous. Je pense que la discussion a dégénéré et que vous l'avez tué.

— Ne dites pas n'importe quoi ! s'insurgea-t-elle en bondissant de sa chaise, avant de se tourner vers Steven pour l'implorer : Monsieur Smythe, dites-lui que je l'aimais ! Je n'aurais jamais pu lui faire de mal…

Un peu plus tard, Susan finit par admettre, les larmes aux yeux, que Liam était venu chez elle et qu'ils s'étaient disputés. Mais elle soutint qu'il était parti vers dix-sept heures et que c'était la dernière fois qu'elle l'avait vu.

Il était possible que son véhicule soit resté garé dans le village, mais même si elle l'avait remarqué cela ne l'aurait pas étonnée, car il était souvent en panne. Et le fait que Liam ne soit pas repassé chercher ses gages n'était pas surprenant : selon elle, il avait toujours été assez détaché vis-à-vis de l'argent.

— D'accord. Revenons à il y a deux ans, en 1993, enchaîna Roy sèchement. Nous allons parler de la disparition de Reuben Moreland et Zoé Fremantle.

— Qu'est-ce que j'y peux, moi, s'ils ont disparu ? demanda-t-elle, incrédule. Nous étions une dizaine à vivre dans la maison.

— Roger Watkins et Heather Blythe, ça vous dit quelque chose ?

— Oui. Ils vivaient à la ferme quand j'y étais.

— Ils l'ont quittée mais ils ont fait une déposition. Ils ont raconté que Reuben et Zoé s'étaient rendus début avril dans une foire au nord du pays de Galles pour vendre l'artisanat de la communauté. Vous vous êtes éclipsée pendant leur absence.

— C'est exact.

— Mais Watkins affirme vous avoir vue une semaine plus tard à Emlyn Carlisle.

— Il se trompe. J'étais à Bristol.

— Est-ce qu'il se trompe lorsqu'il affirme que Reuben s'est très mal conduit en amenant Zoé et en partageant avec elle le lit qui avait été le vôtre ?

— Non, c'est vrai. Et c'est pourquoi je suis partie : je n'aimais pas ça.

— Vous avez loué la chambre de « Belle Vue » à partir du 28 avril, soit deux semaines après avoir quitté la communauté. J'ai vu une copie du bail que vous avez signé. Où étiez-vous les deux semaines précédentes ?

— À Bristol.

— Où, à Bristol ?

— Je n'arrive pas à retrouver l'adresse, marmonna-t-elle. C'était une chambre d'hôte. Pendant la journée, je cherchais un appartement.

— Non, Susan, dit-il en se penchant vers elle. Vous campiez dans les bois près de la ferme.

Jusque-là, les questions du policier n'avaient pas troublé Steven. Il ne comprenait pas pourquoi on souhaitait interroger de nouveau sa cliente, car apparemment l'inspecteur n'avait pas découvert de nouveaux indices permettant d'établir un rapport entre Susan et la disparition de Liam, Reuben et Zoé. Mais la dernière affirmation de Longhurst le fit sursauter.

— C'est ridicule ! s'indigna Susan.

— Si vous le désirez, vous pouvez garder le silence, lui rappela Steven.

— Il n'y a pas de problème. Je n'ai rien à cacher, répliqua-t-elle en lui souriant. Qu'est-ce que je serais allée faire dans les bois ?

— Vous venger ? suggéra Roy en levant un sourcil. Nous y avons été : le matériel de camping est encore là – très abîmé, bien sûr.

— Je n'ai jamais eu de matériel de camping, rétorqua-t-elle avec dédain. Je n'ai rien à voir là-dedans.

— Je n'ai pas dit qu'il était à vous, mais il provient de la ferme. Il a été identifié.

— Pourquoi vous en prenez-vous à moi ? s'enquit-elle en recherchant le soutien de Steven. N'importe quel membre de la communauté aurait pu s'en servir. Reuben aussi. Il aimait camper, tout le monde vous le confirmera.

— La dernière fois qu'ils ont été vus, ils partaient pique-niquer dans ce bois. Mais ils ont quitté la maison en n'emportant qu'un petit panier et une couverture.

— Qu'est-ce que je disais ! s'écria-t-elle d'un ton triomphant. Il avait emporté le reste avant. Ils y ont passé quelques jours, puis ils sont partis à l'étranger.

— Comment pouvait-il quitter le pays sans son passeport ? remarqua Roy avec un petit sourire narquois. Nous l'avons trouvé dans la maison. Il a aussi laissé sa camionnette et il n'a plus jamais touché à son compte bancaire.

— Vous n'avez qu'à interroger les autres. S'ils l'ont vu partir juste avec une couverture, pourquoi n'ont-ils pas signalé sa disparition ?

— Pour pouvoir toucher des allocations auxquelles ils n'avaient pas droit. Reuben ne revenant pas, ils se sont retrouvés sans argent. Alors ils se sont inscrits à l'ANPE et ont demandé des allocations logement. Ils pouvaient difficilement signaler la disparition de leur propriétaire alors qu'ils étaient censés lui donner chacun trente livres par semaine, n'est-ce pas ?

Le rire de Susan surprit Steven.

— Ça ne tient pas debout. Vous venez juste de leur donner à tous un excellent mobile pour vouloir se débarrasser de Reuben. Mais moi, je n'ai réclamé aucune allocation. Quand j'ai quitté cette maison, c'était pour de bon. Je me fichais complètement de ce qu'allait devenir cette communauté.

Steven était d'accord avec elle. À quoi jouait donc Roy ? Que gardait-il en réserve ?

— Vous connaissiez bien cette clairière dans les bois, constata Roy. C'est là qu'il vous emmenait faire l'amour.

Susan lui adressa un regard dénué d'expression.

— Je le sais, poursuivit-il. Il y emmené toutes ses femmes : Heather, Megan et bien d'autres. Mais il vous a fait croire que vous étiez la seule et unique.

Pour la première fois depuis le début de l'interrogatoire, Susan parut déconcertée. Mais elle ne répondit pas.

— Vous feriez mieux à présent de dire la vérité, l'encouragea Roy avec une pointe de lassitude dans la voix. Vous avez emporté cet équipement de camping dans les bois. Vous avez quitté la ferme quand Reuben et Zoé étaient absents, mais vous n'êtes pas allée à Bristol. Vous avez campé en sachant que Reuben ne tarderait pas à débarquer avec Zoé. Vous bouilliez de rage et d'humiliation d'avoir été remplacée par une femme jeune. Vous avez prémédité votre vengeance.

— C'est faux ! cria-t-elle, les joues en feu. J'ai souffert qu'il se conduise mal avec moi, mais j'en avais assez de tous ces parasites et je voulais tout recommencer à zéro.

— Et vous avez emménagé dans une chambre et travaillé comme femme de ménage. Cette nouvelle vie n'a pas vraiment été une réussite !

— Revenir à Bristol et retrouver tous les souvenirs liés à Annabel a été une erreur, répliqua-t-elle sèchement. J'aurais dû m'installer ailleurs. J'ai pataugé parce que j'étais déprimée.

Roy utilisa sa tactique préférée : le silence. Il se contenta de la regarder sans prononcer un mot.

Il ne pensait pas qu'elle ait tué Liam. C'était un homme sensible, il avait sans doute culpabilisé de ne pas pouvoir s'engager et il était parti pour éviter d'avoir des comptes à rendre auprès des gens du coin. Mais Roy était convaincu que Susan avait assassiné Reuben et Zoé. Megan, qu'il avait interrogée au pays de Galles, lui avait raconté que Reuben emmenait toujours ses nouvelles conquêtes à la clairière. C'était elle qui l'y avait conduit avec deux autres policiers, et ils avaient découvert l'équipement de camping mentionné par Roger et Heather.

Il est vrai que n'importe qui aurait pu l'emporter dans les bois, y compris Reuben, mais le fait qu'il y soit resté était très curieux. De plus, par son isolement, la clairière constituait un endroit idéal pour un meurtre. Des coups de feu y passeraient inaperçus, et on pouvait y dissimuler pendant des années un corps que la végétation et les feuilles mortes rendraient d'autant plus difficile à découvrir.

Roy s'était rendu là-bas par une glaciale journée d'hiver, mais il imaginait sans peine combien l'endroit était magnifique au printemps et en été. Il s'était représenté la rage et la jalousie de Susan quand elle avait été détrônée par la jeune et belle Zoé. Cette clairière, lieu sacré de son amour, serait profanée. Aux yeux de Roy, Susan possédait le sang-froid nécessaire pour préparer les meurtres à l'avance. Ce genre de crime requérait en effet une seule qualité : la patience.

Ne sachant pas quand Reuben viendrait là avec Zoé, elle risquait de devoir attendre des semaines. Mais la tenacité était la vertu qui caractérisait le mieux Susan. Elle pouvait tenir très longtemps avant de se venger comme elle l'avait fait avant d'abattre les deux personnes du centre médical. C'était ce qui la rendait si effrayante.

Comme il la dévisageait, il remarqua que ses yeux pâles d'un bleu tirant sur le vert avaient le même regard distant que lors de son arrestation. Roy avait alors pensé qu'elle avait la faculté de s'échapper de la réalité, et c'était l'attitude qu'elle adoptait à cet instant.

Cependant, elle manifestait des signes d'agitation : elle serrait et desserrait ses doigts, ramenait ses cheveux derrière ses oreilles, et ses lèvres étaient sèches. Elle avait du mal à mentir, mais elle était butée.

Il décida qu'il était temps de briser le silence.

— Je crois que c'est la culpabilité qui a provoqué votre dépression, déclara-t-il en se penchant vers elle. Vous vous étiez imaginé qu'en tuant Reuben et Zoé vous recommenceriez tout de zéro. Mais ça n'a pas été aussi simple, n'est-ce pas ?

Il marqua une pause et s'enfonça dans sa chaise, sans la quitter des yeux.

— Ce n'était pas possible, insista-t-il. Vous vous retrouviez à la case départ. Reuben vous avait persuadée de quitter votre belle maison. Il avait vendu tous vos biens. La vie merveilleuse qu'il vous avait promise avait tourné à l'aigre. Il vous avait plaquée pour une fille beaucoup plus jeune. Chaque jour passé dans la chambre sordide de « Belle Vue » vous le rappelait. Cette colère, il fallait que vous la retourniez contre quelqu'un. Le docteur Wetherall et la réceptionniste étaient les victimes toutes désignées. Voilà la vérité.

— Ils le méritaient ! hurla-t-elle. Ils ont laissé mourir ma petite, c'est bien fait pour eux.

— Et Liam, méritait-il de mourir parce qu'il avait refusé de vivre avec vous ? Et Reuben parce qu'il vous avait trompée, et Zoé pour vous avoir humiliée ?

— Qu'en savez-vous ? s'écria-t-elle en bondissant de sa chaise, le visage rouge de colère. Vous ne pouvez pas comprendre ce que j'ai ressenti quand Annabel est morte. Elle était toute ma vie. Si ces deux imbéciles suffisants avaient appelé une ambulance, elle serait encore en vie.

— Asseyez-vous, Susan ! ordonna-t-il. Je sais ce que c'est

de perdre un enfant : c'est la pire chose qui puisse arriver. Mais tuer n'arrange rien.

Ses paroles n'eurent aucun effet apaisant, car elle recula en lui lançant des regards noirs. Elle semblait avoir perdu tout contrôle d'elle-même.

— Asseyez-vous ! répéta-t-il, légèrement inquiet en la sentant près de se jeter sur lui.

— Je ne veux pas m'asseoir, siffla-t-elle. Vous êtes un imbécile ! Pensez-vous pouvoir me calmer avec des arguments aussi minables ? Vous essayez de me coller trois meurtres sur le dos alors que vous n'avez pas la moindre preuve. Vous êtes si bête que vous ne comprenez même pas pourquoi Beth ne veut pas coucher avec vous. Eh bien, je vais vous ouvrir les yeux : c'est parce qu'elle a été violée.

— Ça suffit, Susan ! s'exclama Steven en bondissant de sa chaise. Cet interrogatoire ne concerne pas Beth, ajouta-t-il en lui prenant le bras.

— J'en ai marre de vous aussi, rétorqua-t-elle en repoussant sa main. Vous faites semblant de vous préoccuper de moi, mais en vérité vous n'en avez rien à foutre. C'est Beth qui vous fait craquer.

Roy se leva pour intervenir. Mais, en dépit de sa petite taille, Susan avait beaucoup de force, et il eut du mal à la faire rasseoir.

— Calmez-vous. Nous reprendrons cet interrogatoire quand vous serez mieux disposée.

Roy dicta sur le magnétophone que l'interrogatoire avait été interrompu à midi, et il resta seul dans la pièce avec Steven quand le brigadier Bloom emmena Susan.

— Ouf ! soupira Roy en s'essuyant le front.

Il était blanc comme un linge.

— Je suis désolé, déclara simplement Steven. J'aurais dû intervenir plus tôt. Vous n'auriez pas dû entendre ça.

— Est-ce vrai ?

— Beth n'est qu'une amie pour moi... En ce qui

concerne le viol, elle essaie depuis des semaines de trouver le courage de vous le dire. Elle va être horrifiée que vous l'ayez appris de cette façon. Ça me rend malade.

— Comme se fait-il que vous soyez au courant ?

— Ce n'est pas facile à expliquer. Mieux vaut peut-être que je m'arrête là.

— Vous savez esquiver les questions... Ça ne m'étonne pas de la part d'un avocat, lâcha Roy d'un ton sarcastique.

— Ce n'est pas ce que vous imaginez. Avant l'arrestation de Susan, je ne fréquentais pas Beth. Quand elle a découvert qu'elle était son amie d'enfance, sa cuirasse s'est fissurée. Je me suis trouvé là par hasard, nous avons travaillé ensemble sur cette affaire, et elle a été amenée à se confier. Mais je ne peux pas en discuter avec vous, Beth ne le supporterait pas. Elle le fera elle-même.

— Pourquoi a-t-elle parlé de moi à Susan ? demanda Roy d'une voix peinée.

C'est à ce moment-là que Steven comprit la profondeur des sentiments de Roy pour Beth. Jusque-là, ne le côtoyant que dans un cadre professionnel, il avait apprécié son honnêteté, sa perspicacité et son bon sens. Mais seul un homme amoureux pouvait être à ce point blessé que d'autres personnes connaissent le passé de Beth alors que lui-même en ignorait tout.

— N'oubliez pas qu'elle rendait visite à Susan en tant qu'amie, pas comme avocate. Susan a cherché à vous déstabiliser.

— Elle a réussi, reconnut Roy.

Il appuya ses coudes sur la table et enfouit son visage dans ses mains.

— Ne vous laissez pas abattre, lui lança Steven avec fermeté. Faites-la rappeler et poursuivez l'interrogatoire.

Roy consulta sa montre et fronça les sourcils.

— C'est l'heure du déjeuner. Laissons-la se calmer et allons prendre un sandwich.

Le pub au coin de la rue principale était très calme. Steven se sentit un peu mal à l'aise à cause de la présence du brigadier Bloom, qui songeait sans doute aux déclarations de Susan. Mais ce n'était pas à lui de lui rappeler qu'il devait les oublier.

Une fois assis avec des sandwiches et du café, Roy redevint lui-même, et il l'entretint de l'enquête au pays de Galles ainsi que des témoignages de Megan, Heather et Roger. Ces informations lui seraient parvenues en temps voulu, mais Steven fut reconnaissant à Roy de les lui communiquer immédiatement.

Celui-ci lui expliqua que ces témoignages concordaient alors qu'ils émanaient de gens n'ayant eu aucun contact entre eux depuis leur départ de la ferme. Tous trois avaient d'abord pensé que Reuben et Zoé étaient partis camper. Comme, après plusieurs jours, le couple ne réapparaissait pas, ils le crurent parti à l'étranger. Sans gouvernail, le désordre ne tarda pas à régner dans la communauté. Megan la quitta la première, suivie peu après par Heather, et des voyageurs prirent leur place. Roger resta une année de plus ; lorsqu'il découvrit le passeport de Reuben, il comprit que celui-ci n'avait pas pu s'expatrier.

Dans sa déposition, Roger avait exprimé son inquiétude : il avait peur que Reuben ne se soit attiré des ennuis en vendant de la drogue. Mais comme il bénéficiait de fausses allocations logement, il n'avait pas osé signaler sa disparition.

Il était sûr d'avoir vu Susan à Emlyn Carlisle, et la robe à fleurs qu'il avait décrite correspondait à une tenue que la police avait trouvée dans la valise de celle-ci. Cependant, il n'y avait pour l'instant aucune preuve médico-légale que Susan ait emmené l'équipement de camping dans les bois ; et comme deux années s'étaient écoulées, Roy doutait qu'ils en obtiennent.

Steven aurait dû s'en réjouir. Mais la conviction de Roy que les corps de Reuben et Zoé étaient ensevelis dans la clairière le troublait énormément.

— J'ai besoin de vous parler avant le retour de la police, annonça Steven à Susan que l'on ramenait dans la salle d'interrogatoire.

Ses yeux étaient rouges et gonflés d'avoir pleuré.

— Je regrette d'avoir dévoilé le secret de Beth, l'interrompit-elle. J'aurais voulu me couper la langue, après coup. J'étais en colère et j'avais envie de le blesser, mais c'est à Beth que j'ai fait du mal.

Steven fut stupéfait qu'elle se préoccupe de Beth alors qu'elle-même était en très mauvaise posture.

— On ne peut pas revenir en arrière, répondit-il.

— Elle va être furieuse contre moi, répliqua-t-elle, les yeux baissés. Si seulement je n'étais pas revenue à Bristol ! On ne se serait jamais revues et je n'aurais pas semé la pagaille dans sa vie.

— Ce n'est pas ce qu'elle pense.

Il aurait aimé lui expliquer que ces retrouvailles avaient été la meilleure chose qui puisse lui arriver. Au fil des jours, Beth s'ouvrait ; elle n'avait plus rien à voir avec la personne sévère, constamment sur la défensive, qui était arrivée au cabinet d'avocats dix-huit mois auparavant.

L'arrestation de Susan avait opéré comme un catalyseur à plus d'un titre. Sans les émotions qu'elle avait suscitées en Beth, où en serait-il lui-même ? C'était Beth qui l'avait encouragé à affronter l'alcoolisme d'Anna et, grâce à son soutien, son mariage avait enfin un avenir. Anna se rétablissait peu à peu et il avait de nouveau une vie de famille agréable.

— Quand Longhurst lui racontera, elle sera folle de rage,

affirma Susan d'un ton désespéré. Elle l'aime, monsieur Smythe, et j'ai tout gâché !

— J'en doute fort, déclara Steven en lui posant une main réconfortante sur l'épaule. Les policiers ont l'habitude d'entendre des choses désagréables. De plus, sans vous, ils ne se seraient jamais rencontrés.

— Mais Beth m'a dit qu'elle ne le verrait plus jusqu'à la fin de l'enquête, répliqua Susan, les yeux brillants de larmes. C'est horrible pour elle, d'être prise entre deux feux !

— Les avocats ne laissent pas la vie professionnelle empiéter sur leur vie privée, assura Steven avec fermeté. Au tribunal, je lutte souvent avec acharnement contre un collègue représentant l'accusation, et ensuite nous allons prendre un verre. J'ai aussi des amis dans la police ; ils arrêtent parfois un de mes clients, mais ce n'est pas pour autant que nous sommes des ennemis.

— Beth a besoin de Longhurst maintenant, insista Susan. Elle se repliera sur elle-même si cette histoire s'éternise. Je ne supporterais pas de la priver du bonheur qu'elle mérite.

Sur ce point, Susan avait raison : Beth mettrait un point d'honneur à tenir sa promesse. Le temps de cette séparation et les révélations provoquées par l'enquête risquaient de ternir sa relation avec Roy ; néanmoins Steven estimait que Susan n'avait pas à porter ce poids sur sa conscience.

— Beth est adulte, remarqua-t-il gentiment. Ne vous inquiétez pas pour elle.

— Mais je lui dois d'être franche, soutint-elle, le regard sombre. Je vais tout dire à Longhurst.

Steven crut qu'elle parlait du viol.

— Ce n'est pas nécessaire. Contentez-vous de répondre à ses questions.

— Je ne parlais pas de Beth, répliqua-t-elle en fronçant les sourcils, mais des meurtres. Je veux faire des aveux complets.

Interloqué, Steven la dévisagea, bouche bée.

— Des aveux ? Vous avez tué Reuben et Zoé ?

— Oui, souffla-t-elle. Ils n'ont pas encore assez de preuves pour m'inculper, mais Longhurst est intelligent, et il sait que je suis coupable. Il ne me lâchera pas. Je n'en peux plus. Je préfère en finir.

— Je n'arrive pas à le croire !

Steven nageait dans la confusion la plus totale. Il pensa que Susan était folle, et qu'elle désirait avouer afin de ne plus subir d'interrogatoires.

— Je les ai tués, assura-t-elle en lui prenant le bras. C'est gentil que vous n'arriviez pas à le croire, mais c'est la vérité. Beth aura la même réaction que vous, cependant vous lui expliquerez. Elle doit m'oublier et tenter sa chance avec Longhurst. Voilà ce que je souhaite et je peux l'aider.

C'était invraisemblable ! Mais Susan était sincère. Elle constituait un véritable paradoxe, admirable de nombreuses façons : pour sa gentillesse, sa générosité et son stoïcisme. Évidemment elle avait annihilé ces qualités en tuant. Pourtant, savoir qu'elle avait assassiné deux autres personnes ne la dépréciait pas aux yeux de Steven. Il l'aimait toujours bien.

— Beth ne supporterait pas que vous passiez aux aveux pour l'arranger. Je vous le déconseille. Si vous vous sentez sous pression, je vais demander à ce que l'interrogatoire reprenne demain.

— Beth a toujours cru que je disais la vérité, répliqua Susan sur un ton de défi. C'est ce qu'elle apprécie le plus en moi, elle m'en a parlé. J'ai besoin d'avouer, ne serait-ce que pour soulager ma conscience. Vous savez, monsieur Smythe, je suis une sale tueuse. J'ai aussi besoin d'être enfermée pour ne plus jamais faire de mal.

17

Steven laissa Susan avec une gardienne et sortit de la salle d'interrogatoire pour se calmer. Il aurait voulu prendre l'air, mais c'était impossible à cause du règlement de la prison. Il resta donc dans le couloir étouffant. Pour la première fois depuis des années, il aurait aimé fumer et boire un remontant.

Abasourdi que Susan veuille passer aux aveux, il n'avait pas eu la présence d'esprit de lui demander comment elle avait tué Reuben et Zoé, et ce qu'elle avait fait des corps. Il aurait ainsi pu découvrir si elle mentait pour attirer l'attention sur elle ou en retirer une sorte de gloire.

Mais, au plus profond de lui-même, Steven savait qu'elle disait la vérité. Si Susan était bourrée de contradictions, elle ne cherchait pas à être sous le feu des projecteurs.

Devait-il la convaincre de se taire ? D'attendre vingt-quatre heures pour apprécier pleinement les conséquences de ses aveux ? N'importe quel avocat de la défense aurait agi dans ce sens, étant donné qu'il n'y avait aucune preuve de sa culpabilité.

Souvent, des meurtriers avouaient d'autres crimes pendant leur incarcération. Ils pensaient que ceux-ci seraient de toute façon découverts, ou que le juge ferait ensuite preuve de clémence envers eux, ou encore que cela les déchargerait de leur culpabilité.

Le juge n'allait pas se montrer plus clément envers Susan. Elle passerait le reste de sa vie en prison, et elle en avait conscience. Steven préférait croire que c'était sa culpabilité qui la poussait à avouer ; ainsi, il se sentirait autorisé à accepter sa décision.

Mais cette histoire de vouloir aider Beth ! Si un autre avocat lui avait raconté ça, il aurait rigolé en disant que la personne était bonne à enfermer. Seulement, Susan n'était pas folle ; durant leurs entretiens, elle s'était toujours comportée de façon très sensée, bien plus sensée que la plupart des personnes de son entourage.

« "Je suis une sale tueuse" », marmonna-t-il entre ses dents. Il n'avait jamais entendu parler de femmes ayant commis des meurtres en série.

Il était face à son dilemme. Il s'était imaginé battre en brèche les arguments de l'accusation, au tribunal, en dévoilant les nombreux événements tristes et tragiques de la vie de Susan. Il voulait que l'auditoire ressente ce que lui-même éprouvait, comprenne qu'elle avait été poussée à bout et que c'était plus fort qu'elle, afin de la faire bénéficier d'une courte peine.

Mais, avec deux autres meurtres, le tableau était complètement différent. Personne ne verserait beaucoup de larmes sur Reuben. En revanche, avec Zoé qui était jeune et belle, Susan deviendrait un objet de haine. Voilà ce qui gênait le plus Steven car, tout comme Beth, il avait vu son honnêteté et sa bonté. Pour lui, elle était la victime de circonstances cruelles qui l'avaient forcée à s'écarter du droit chemin.

Il consulta sa montre et constata qu'il était presque quatorze heures. Il devait regagner la salle d'interrogatoire.

Il ne passa que deux minutes avec Susan avant le retour de Longhurst et de Bloom. Elle était calme et semblait impatiente de commencer.

— Vous êtes sûre de vous ? demanda-t-il.

— Tout à fait, répondit-elle d'un ton déterminé.

— Vous êtes consciente des conséquences ?

— Oui. Je ne bénéficierai pas de la « responsabilité atténuée ». Je serai condamnée à perpétuité... J'y ai réfléchi, inutile de revenir là-dessus, ma décision est prise.

Les traits tirés, Roy avait l'air épuisé quand il entra dans la pièce.

— Ma cliente désire faire des aveux complets, l'informa Steven.

L'expression de Roy était presque risible : ses yeux s'écarquillèrent tandis qu'il regardait Susan puis Steven avec incrédulité, et il resta bouche bée.

Toutefois, il se reprit rapidement. Il enleva sa veste, qu'il accrocha au dossier de sa chaise, s'assit, mit une nouvelle cassette dans le magnétophone, vérifia son fonctionnement ; puis il dicta la date, l'heure et le nom des personnes présentes.

— Par où aimeriez-vous débuter, Susan ? s'enquit-il.

— Par le 9 août 1986, déclara-t-elle en fixant le magnétophone. C'est le jour où j'ai tué Liam Johnstone.

Steven la dévisagea, stupéfait. Il ouvrit la bouche mais aucun son n'en sortit.

— Je n'avais pas eu l'intention de le tuer, poursuivit-elle en soutenant le regard de Steven. J'étais furieuse, car il ne voulait pas vivre à Bristol avec moi. Nous nous sommes disputés, il allait sortir de la cuisine pour partir, j'ai pris un couteau et je le lui ai planté dans le dos.

— Quel genre de couteau ?

Steven nota que la voix de Roy tremblait légèrement, bien qu'il fût parvenu à dissimuler son étonnement.

— Un couteau à découper, expliqua-t-elle calmement. Il mesurait une vingtaine de centimètres, la lame était triangulaire. Il était sur le plan de travail, je venais de m'en servir pour préparer le dîner.

Contrairement à ce qu'elle avait affirmé à l'inspecteur dans la matinée, elle se souvenait du moindre détail de cette journée et de chaque parole prononcée, même si elle aurait tout donné pour l'oublier.

Il faisait chaud et lourd, et la rivière au fond du jardin reflétait le bleu du ciel. Arrivée par le bus de quatorze heures, elle s'était changée et avait mis une robe bain de soleil rose. Après avoir préparé à toute vitesse un poulet en cocotte pour le dîner, elle s'était allongée sur un matelas sous un pommier. Enthousiasmée par la maison de Bristol, elle avait hâte que Liam rentre de son travail. Incapable de lire, elle avait fermé les yeux et réfléchi à la couleur de la salle à manger.

Elle avait dû s'endormir. Elle fut réveillée en sursaut par un bruit d'eau. Elle regarda autour d'elle et vit Liam qui se tenait dans l'embrasure de la porte. Torse nu, il buvait un verre d'eau, vêtu d'un jean coupé aux genoux. Ses boucles noires étaient collées à son crâne par la transpiration, à moins qu'il ne se soit passé la tête sous le robinet.

Elle lui cria de lui apporter un verre et de venir écouter des nouvelles très excitantes. Comme il ne ressortait pas de la maison, elle se rendit dans la cuisine où elle le trouva assis à la table, occupé à consulter une carte.

« Tu ne m'as pas entendue ?

— Si, mais il fallait que je vérifie quelque chose, marmonna-t-il, absorbé par la carte.

— J'ai déniché une petite maison ravissante ! » annonça-t-elle, et elle se lança dans la description des pièces, du jardin et du quartier.

Dans son euphorie, elle ne se rendit pas compte qu'il ne répondait pas, jusqu'à ce qu'il se lève et lui prenne le bras.

« Suzie, je suis très heureux que tu aies trouvé une belle maison, déclara-t-il d'un ton glacial. Mais ce n'est pas bien d'en parler comme si j'allais y vivre avec toi. Je t'ai déjà dit que je n'irais pas à Bristol. Je ne changerai pas d'avis.

— Voyons, cette maison est parfaite pour nous ! Tu trouveras plein de travail dans le coin...

— Mon travail est ici. Je ne peux pas vivre en ville, tu le sais très bien.

— Bristol n'a rien d'une grande ville. C'est très mignon. »

Il ne l'avait jamais bercée d'illusions et lui avait expliqué sans mâcher ses mots qu'il mènerait toujours une vie de nomade. Mais elle ne l'avait pas cru. Après tout, il lui avait aussi dit qu'il n'aimait pas vivre dans cette maison et il y habitait depuis le mois de décembre.

Liam la fit asseoir, et lui répéta qu'il n'était pas du genre à s'installer. Il n'était resté avec elle qu'à cause de la mort de ses parents et de la brutalité de son frère.

« Je t'aime vraiment beaucoup, Suzie, assura-t-il en lui caressant la joue. Nous avons passé de bons moments ensemble. N'empêche, tu as besoin d'un homme conventionnel et stable qui prenne soin de toi. Je suis désolé que tu aies pensé construire ta vie avec moi. Mais chaque fois que j'ai essayé de partir, tu étais bouleversée. Je t'aiderai à déménager, je ferai le maximum pour te faciliter la tâche. Mais j'ai besoin de retrouver ma liberté. »

Elle se disputa avec lui, soutint qu'il ne l'aimait pas et ajouta qu'elle ne pouvait pas vivre sans lui.

« Ce n'est pas vrai. À présent, tu peux voler de tes propres ailes. Il est temps de penser à toi.

— Je m'en fiche ! explosa-t-elle. Je veux être avec toi, m'occuper de toi.

— Je ne souhaite pas que tu sois aux petits soins pour moi, répliqua-t-il sèchement. Ce n'est pas mon truc d'arriver du boulot et de me mettre les pieds sous la table. Je n'ai pas besoin qu'on me lave et me repasse mes vêtements. Tu ne devrais pas te complaire là-dedans. Tu as passé ta vie à veiller sur des gens. Il est temps que ça cesse.

— Je ferai tout ce que tu voudras, promit-elle, très agitée.

— Je ne veux pas d'une femme qui se modèle sur moi », répondit-il avec impatience.

Elle ne comprit pas ce qu'il entendait par là. C'était pourtant ce que désiraient tous les hommes, non ? Une femme qui leur rende la vie belle et agréable. Elle se mit à le contredire, et sa colère gagna en intensité devant la constatation qu'elle ne parvenait pas à trouver les mots pour le convaincre.

Soudain, il perdit son sang-froid.

« Putain, tu m'étouffes ! hurla-t-il. Combien de fois dois-je te répéter que je n'aime pas vivre dans une maison, avec une petite femme qui m'attend pour le dîner en me faisant couler un bain ? Je déteste ça. Et je vais finir par te détester car tu me harcèles ! »

Sur ce, Liam tourna les talons et se dirigea vers la porte. Il partait pour de bon. Elle devait l'en empêcher, sans lui sa vie n'avait plus aucun sens !

Le couteau à découper était encore posé sur le plan de travail. Elle s'en était servie pour préparer le poulet en cocotte. Elle le prit et courut derrière lui.

Juste avant de le frapper, une voix intérieure lui souffla de s'arrêter. Mais elle était folle de rage, trop désespérée, et elle planta la lame de toutes ses forces jusqu'au manche.

« Qu'est-ce que tu as fait ? » demanda-t-il d'une voix cassée, en essayant de la regarder.

Ensuite, il chancela et s'écroula par terre sur le côté.

Pendant quelques secondes, Susan le regarda, les mains sur la bouche, en état de choc. Le couteau enfoncé dans son dos nu, le sang épais d'un rouge foncé qui jaillissait et ruisselait sur le carrelage…

Se ressaisissant, elle enleva le couteau puis appuya une serviette propre sur la blessure. Liam émit un borborygme. Après, plus rien.

Susan n'avait jamais vécu de moment aussi terrible. Elle n'arrivait pas à croire que, d'une minute à l'autre, on puisse passer de la dispute à la mort. Ou qu'elle ait été assez en colère pour attaquer quelqu'un. Elle eut envie de téléphoner, de parler à n'importe qui, pour avouer. Mais, tout en prenant pleinement conscience que Liam était mort, elle restait à genoux près de lui, paralysée par la peur.

C'était un meurtre ! Elle en avait vu à la télévision et cela l'avait toujours étonnée. La police viendrait, elle serait emmenée en prison et ferait la une des journaux…

Elle perdit la notion du temps et du lieu. Leur dispute n'avait plus aucun sens. Elle sanglotait en embrassant le visage de Liam, lui caressait les cheveux en lui disant qu'elle n'avait pas voulu le tuer.

L'idée de l'enterrer dans le jardin ne lui traversa l'esprit qu'une heure plus tard. Il était vaste, entouré d'arbres ; personne ne la verrait. Même si un touriste se promenait le long de la rivière, les épais buissons la dissimuleraient. Elle partirait comme prévu, et les gens penseraient que Liam avait repris sa vie nomade ou qu'il l'avait suivie à Bristol.

Plus elle y réfléchissait, plus cette solution lui paraissait la bonne. Les nouveaux propriétaires étaient tombés amoureux du jardin, il était donc peu probable qu'ils le transforment. Par ailleurs, elle savait exactement où creuser la tombe.

L'automne précédent, Liam avait coupé quelques arbres. Susan lui avait demandé de laisser une souche afin d'y installer une mangeoire pour les oiseaux, mais au printemps la souche avait produit de nouvelles pousses. Quelques semaines auparavant, Liam avait proposé de l'enlever, car cet arbre était malade et il le trouvait affreux. Pour Susan, le laisser n'avait aucune importance puisqu'elle allait déménager, mais Liam avait insisté.

Il avait saccagé une partie de la pelouse pour creuser un trou large et profond afin d'enlever les racines, et Susan s'était fâchée à l'idée que les nouveaux propriétaires en seraient furieux. Du coup, Liam avait promis de remettre du gazon et de planter un arbuste. Il l'avait fait pendant qu'elle était à Bristol, elle l'avait tout de suite remarqué à son retour.

Dans sa détresse, elle trouva un peu de réconfort en songeant que Liam reposerait sous ce nouvel arbuste. Il aimait le jardin et aurait été content d'y être enseveli.

Déterrer l'arbuste fut un jeu d'enfant. En revanche, creuser le trou prit beaucoup de temps à Susan ; il devait être profond afin que les renards ou les chats ne s'y attaquent pas. Mais la panique et le désespoir redoublèrent ses forces. Par chance, ses voisins avaient l'habitude de l'entendre travailler dehors tard dans la soirée, car elle profitait de la fraîcheur pour arracher les mauvaises herbes et arroser. Son activité ne leur paraîtrait donc pas anormale, avait-elle songé.

Liam était arrivé chez elle autour de seize heures, il était plus de vingt et une heures quand elle eut terminé. Le trou était plus long que le précédent, et elle avait beaucoup peiné sur la fin.

Sortir de la maison le corps de Liam en le traînant par les pieds dès que la nuit était tombée avait été horrible. Sa tête avait tapé lourdement le seuil de la porte, et l'épaisse traînée de sang sur le carrelage l'avait rendue malade. Aveuglée par les larmes, elle avait dû s'y reprendre à plusieurs fois pour traverser la pelouse. Enfin, elle était parvenue à basculer le corps dans le trou, qu'elle avait rebouché à la hâte, soulagée que l'obscurité l'empêche de voir la terre recouvrir le visage de Liam.

Après quoi, elle était allée chercher dans la remise une planche qu'elle avait placée en travers du monticule, puis avait marché dessus d'un pas lourd pour l'aplatir, comme Liam le lui avait appris. Elle en avait été malade ; c'était si cruel et définitif !

Ne distinguant plus rien, elle avait arrosé les plaques de gazon pour qu'elles ne se dessèchent pas, avant de rentrer dans la maison.

Ensuite, elle avait lavé le sol de la cuisine. Il fallut de nombreux seaux pour éliminer tout le sang. Susan avait frotté comme une forcenée jusqu'à ce que le carrelage étincelle. Elle se rappelait s'être allongée dessus en dépit de son humidité et avoir sangloté. Avait-elle dormi ? Elle ne s'en souvenait pas. Dès l'aube, elle était retournée au jardin pour de nouveau tasser la terre ; puis elle avait replanté l'arbuste, un lilas, et replacé tout autour les bandes de gazon.

Elle avait débarrassé la pelouse des mottes de terre, et, quand elle avait regardé l'ensemble, avait été satisfaite du résultat : on ne discernait aucun changement notable par rapport à la veille. Pour finir, elle avait arrosé méticuleusement l'herbe au jet afin d'effacer toute trace de sang.

— Êtes-vous sûre de ne lui avoir donné qu'un seul coup de couteau ? interrogea Roy.

Susan sursauta. À mesure qu'elle racontait cette journée du 9 août, elle s'était tellement replongée dans le passé qu'elle avait oublié la présence des policiers dans la pièce.

— Oui, certaine.

Roy demanda au brigadier Bloom de se lever et de présenter son dos à Susan pour qu'elle leur montre où le couteau était entré.

Elle ne se le rappelait pas avec exactitude. Le dos de Liam était bronzé et brillant de sueur, il n'avait rien à voir avec la veste d'uniforme du brigadier. Mais elle leur indiqua que c'était juste au-dessous de son omoplate droite.

— Et il est mort sur le coup ?

— Non. Il a essayé de se retourner et il a parlé avant de tomber. Je ne sais pas combien de temps s'est écoulé avant sa mort. Je pleurais, j'ai retiré le couteau et j'ai essayé d'arrêter l'hémorragie. Je voulais appeler une ambulance, mais j'avais trop peur. Puis j'ai compris qu'il était mort.

— Qu'avez-vous fait du couteau ?

Elle lui lança un regard étonné.

— Je l'ai lavé et remis dans le tiroir.

— Et ses affaires ?

— Il n'avait pas grand-chose. Juste une veste, deux chemises et un imperméable. Je les ai gardés un moment. C'est ce qu'on fait, non, quand on vous plaque ?

Roy acquiesça gravement. Sa logique imperturbable lui faisait froid dans le dos.

— Et personne n'a cherché après lui ?

— Non. De toute façon, on ne serait pas venu chez moi : c'était lui qui allait voir ses employeurs, et il n'avait dit à personne qu'il vivait avec moi. C'est la raison pour laquelle il ne garait pas sa fourgonnette dans l'allée.

— Pouvez-vous me dessiner un plan pour indiquer où vous l'avez enterré ? s'enquit Roy en lui tendant une feuille de papier et un stylo.

— Vous n'êtes pas obligée de le faire, Susan, l'informa rapidement Steven.

— Je le veux, rétorqua-t-elle en lui jetant un regard noir.

Elle s'appliqua à représenter la maison et la rivière, un chemin serpentant entre des parterres de fleurs, et prit la peine de tracer et d'indiquer le nom de certains arbres pendant que l'inspecteur et Steven échangeaient des regards.

— C'est à environ vingt mètres de la porte de la cuisine. Un lilas est planté dessus. Il doit être grand à présent. Comme on est en hiver et qu'il n'aura plus de feuilles, il y a un buisson de houx à environ cinq mètres qui permettra de le repérer.

— Signez et datez ce plan, s'il vous plaît, déclara Roy,

mal à l'aise. Votre frère vous a rendu visite avant votre départ ?

— Il était trop lâche pour se pointer pendant que j'occupais encore les lieux, dit-elle, une lueur de triomphe dans les yeux. Lors de sa dernière visite, il avait insisté pour que je dresse un inventaire et que je marque ce que je voulais prendre avec moi. C'était pour que monsieur décide ce que je pouvais emporter. Liam est arrivé à ce moment-là et il s'est mis en colère contre Martin. Il a affirmé que si mon frère m'empêchait de prendre les objets qui me plaisaient, il raconterait tout dans les journaux, et qu'il lui donnerait une bonne raclée.

— Ça l'a calmé ? s'enquit Steven, oubliant qu'il ne devait faire aucun commentaire, sauf pour rappeler ses droits à Susan.

Martin Wright n'était pas un homme qu'on intimidait facilement.

— Martin avait peur de s'attirer des ennuis dans son travail à la banque, si son nom apparaissait dans les journaux, expliqua Susan en esquissant un sourire. Liam a été merveilleux, ce jour-là. Il ne bluffait pas. Mon frère a filé sans demander son reste. De toute façon, il se doutait bien que je ne viderais pas la maison et que je ne vendrais rien. Mais je suis persuadée qu'il est venu vérifier juste après mon départ.

Elle marqua une pause, puis éclata de rire.

— Pendant mon premier séjour à Bristol, j'espérais qu'on découvrirait le corps de Liam et que Martin serait inculpé de meurtre. Ça n'aurait été que justice, non ? Personne ne m'aurait soupçonnée. Au procès, tout le village serait venu dire quel salaud il est.

Steven ne put s'empêcher de ricaner et Roy le regarda avec intérêt.

— Désolé. Mais je suis d'accord avec ma cliente sur ce point.

— L'auriez-vous laissé passer en jugement pour meurtre ? demanda Roy.

— Absolument, répondit-elle avec un petit sourire narquois. Vu la façon dont il m'avait traitée, il le méritait bien. Si seulement c'était lui que j'avais poignardé ! S'il n'avait pas été aussi ignoble après la mort de mon père, il m'aurait donné de l'argent pour que je m'achète une maison, et je ne serais pas ici.

Susan était sincère et Roy eut un élan de sympathie à son égard. Elle avait été courageuse de se montrer aussi directe. À l'évidence, la façon désespérée dont elle s'était cramponnée à Liam découlait en partie de l'attitude de son frère. Martin avait bien des comptes à rendre.

— Parlez-moi de la période qui s'est écoulée entre la mort de Liam et votre départ. Vous êtes restée encore deux semaines, si je ne me trompe ?

— Vous voulez savoir comment je me sentais ?

Roy hocha la tête.

— Comme une somnambule. Il a plu trois jours d'affilée. Je m'en suis réjouie, car les patrons de Liam trouveraient normal qu'il ne vienne pas travailler avec un temps pareil. J'ai commencé à faire mes valises et je sortais régulièrement voir la tombe. J'étais tout le temps au bord des larmes. Je ne pouvais pas dormir, ni manger. J'ai vomi plusieurs fois.

— Vous saviez que vous étiez enceinte ?

— Non. Je m'en suis aperçue le jour où les déménageurs sont arrivés. J'avais mis mes nausées sur le compte de la panique, mais ce matin-là j'ai senti que mon corps se transformait : mes seins étaient très sensibles, mon ventre avait changé.

— Quelle a été votre réaction ?

— Ma réaction ? répéta-t-elle en fronçant les sourcils. J'ai été heureuse, bien sûr. Très heureuse.

— Vraiment ? s'écria Roy avec incrédulité. Vous veniez

de tuer et d'enterrer votre amant, mais vous étiez heureuse de porter son enfant ?

— J'avais trente-cinq ans, fit-elle remarquer comme si cette réponse expliquait tout. J'avais toujours voulu un bébé. Quitter la maison et tout recommencer de zéro en étant enceinte c'était ce que je pouvais espérer de mieux.

Ils interrompirent l'interrogatoire, car Susan avait besoin d'aller aux toilettes. Roy lui proposa d'en rester là et de poursuivre le lendemain, mais elle assura préférer terminer le jour même.

Quand Susan eut quitté la pièce avec la gardienne qui attendait à l'extérieur, Roy interpella Steven :

— Entre nous, vous vous y attendiez ?

— Non. Je n'en crois pas mes oreilles, admit-il tristement. Lorsqu'elle m'a dit qu'elle les avait tués et qu'elle voulait faire des aveux, je pensais qu'elle parlait de Reuben et Zoé. Mais je comprends à présent une phrase qui revenait souvent dans nos entretiens.

— Que la mort d'Annabel était une punition ?

— En effet. Avant de quitter Luddington, elle allait à l'église tous les dimanches. Elle l'a mentionné plusieurs fois. Un jour, je lui ai demandé si Annabel avait été baptisée et elle m'a répondu qu'elle n'avait pas pu, vu qu'elle n'était pas mariée. Sur le moment, ça ne m'a pas frappé. Mais maintenant...

— Comme elle est croyante, ce dilemme a dû lui poser des problèmes de conscience : retourner dans une église après avoir commis un meurtre était impossible mais ne pas y aller privait l'enfant de protection spirituelle. Après la mort d'Annabel, ça l'a minée.

— J'ai l'impression qu'elle nous réserve bien d'autres surprises, lâcha soudain le brigadier Bloom, assis dans un coin de la pièce.

En se lavant les mains, Susan songeait à son frère Martin. L'idée de le voir au tribunal la rendait malade.

Du plus loin qu'elle s'en souvienne, il s'était toujours montré cruel envers elle. Il la poussait dans le jardin, cachait ou cassait ses jouets préférés, la terrifiait en lui racontant les horreurs qu'il avait l'intention de lui faire. Très rusé, il n'agissait jamais devant un tiers ; les blessures de Susan paraissaient donc accidentelles et il n'était jamais puni.

Par la suite, il afficha le plus complet mépris envers elle. Il était tellement intelligent, beau et élégant que, pendant des années, elle trouva son comportement naturel. Elle-même était si ordinaire et effacée ! Sa mère lui avait expliqué un jour que Martin était ainsi parce qu'il s'était senti rejeté lorsqu'elle était née. Mais Susan ne comprit jamais pourquoi, car c'était toujours de lui que ses parents s'enorgueillissaient.

Après la mort de son père, Martin avait été monstrueux. Il arrivait sans prévenir et lui donnait des ordres en la traitant de « grosse salope » parce qu'on lui avait parlé de Liam. Malgré tout l'argent qu'il avait reçu de la vente et le fait que Susan s'occupait de la maison et du jardin, il ne lui donnait pas un sou. Il lui ordonna de s'inscrire à l'ANPE pour bénéficier des indemnités de chômage, ajoutant qu'il était temps qu'elle affronte la réalité.

Si Liam ne lui avait pas laissé de l'argent chaque semaine pour la nourriture, Susan aurait été obligée de puiser dans la somme léguée par son père, et elle en avait besoin pour la caution et le loyer de sa future maison. Il fallut l'intervention du notaire de son père, M. Browning, pour que Martin l'autorise à prendre des meubles : il avait dit à Martin qu'autrement il pousserait Susan à contester le testament.

En vérité, M. Browning y incita vivement Susan, mais elle ne put s'y résoudre car son frère la terrorisait. C'est la raison pour laquelle elle décida d'emménager à Bristol. Si elle restait dans les environs, il continuerait à la tenir à l'œil. Elle alla jusqu'à changer de nom, choisissant au hasard celui de Fellows dans l'annuaire pour que son enfant ne s'appelle pas comme Martin.

Si seulement elle ne lui avait pas écrit au sujet d'Annabel ! Euphorique, elle était convaincue que cet événement changerait leur relation. Mais il n'avait même pas répondu à sa lettre.

Elle ignorait encore pourquoi elle avait téléphoné à son bureau pour lui parler de la mort de sa fille et lui demander un prêt, quand elle était rentrée du pays de Galles. Elle aurait dû se douter qu'il ne l'aiderait pas. Sa froideur et son refus l'avaient anéantie : si son propre frère se fichait de la mort de son enfant et de son propre dénuement, il n'y avait plus aucun espoir pour elle.

Susan se redressa devant la glace et repoussa ses cheveux en arrière. Comme elle allait faire des aveux complets, Martin ne serait peut-être pas appelé à comparaître au tribunal.

— Vous sentiez-vous coupable, pour Liam, après votre emménagement dans la maison de Bristol ? s'enquit Roy après avoir remis le magnétophone en marche.

— Pas vraiment, reconnut-elle. Ça paraît horrible, mais c'est vrai. La décoration de la maison m'absorbait complètement, et sinon je ne pensais qu'au bébé à venir.

— Et après la naissance d'Annabel ? Elle devait vous rappeler constamment Liam ?

Susan se revit dans son lit d'hôpital avec Annabel, qui était le portrait craché de son père. Elle ressemblait à un bébé de Gitan, avec ses cheveux noirs bouclés et son teint mat. Une infirmière lui avait demandé si le père était espagnol ou grec.

Rongée de remords, Susan songeait qu'ils auraient pu rester amis, et elle déplorait que Liam ne puisse jamais partager sa joie et sa fierté. La façon dont les doigts du bébé serraient les siens, et ses petits coups de tête contre sa poitrine pour continuer à téter étaient si attendrissants qu'elle considérait Annabel comme un cadeau du ciel.

— En effet. Elle avait les cheveux et le teint de son père... Mais elle me rendait tellement sereine que j'ai fait abstraction de mon geste. C'était comme si Liam était décédé de mort naturelle. Pour moi, j'étais veuve.

— Et vous avez vécu quatre années de bonheur ?

La bienveillance de Roy l'émut. Elle n'avait jamais su exprimer ce bonheur. Sa joie de voir Annabel lui tendre les bras pour sortir de son lit, son rire et son allégresse lorsqu'elle avait commencé à marcher. Comment faire comprendre sa félicité quand, toute rose à la sortie de son bain, l'enfant s'endormait dans ses bras, ou qu'elle passait ses petits bras potelés autour de son cou en la serrant très fort ? Ces moments magiques vécus par les mères étaient un état de grâce trop merveilleux pour être décrit par des mots.

— Oui, j'ai été très heureuse, répondit-elle simplement en regardant ses mains. Mais je l'ai payé très cher. Lorsqu'elle est morte, j'ai été persuadée que c'était un châtiment de Dieu. J'ai voulu mourir aussi.

Pour la première fois depuis le début de l'interrogatoire, ses yeux s'emplirent de larmes.

— Puis vous avez rencontré Reuben, constata Roy après quelques secondes de silence.

— Oui. Et il m'a convaincue qu'il était possible de retrouver le bonheur.

Au fil des interrogatoires et des témoignages glanés au pays de Galles, Roy et Steven s'étaient fait une bonne idée de la vie de Susan au sein de la communauté. Les deux hommes avaient l'impression qu'elle n'avait pas vécu une véritable histoire d'amour, mais plutôt une relation issue du désespoir. Mais quand Susan commença à en parler, ils se rendirent compte qu'ils s'étaient trompés.

— Je croyais en lui, déclara-t-elle avec force. Je n'étais pas seulement persuadée qu'il m'aimait et qu'il prendrait soin de moi ; je croyais aussi dans sa philosophie de la vie, son honnêteté et sa grandeur d'âme. Pour moi, Reuben était bien au-dessus des autres hommes. Je le voyais comme le Bon Pasteur : il rassemblait les brebis égarées qui avaient besoin de ses conseils, de sa force et de son amour pour se reconstruire. Je pensais qu'il avait été envoyé pour me sauver. J'aurais fait n'importe quoi pour lui !

Elle marqua une pause, tremblante d'émotion.

— Je lui ai tout donné, reprit-elle. Pas seulement mes biens personnels, mais aussi mon amour et ma confiance. À mon arrivée, la ferme était sale et le désordre régnait partout. Je l'ai nettoyée, je l'ai rendue confortable et agréable. En planifiant les repas, j'ai réduit le gaspillage et fait des économies. Certains membres de la communauté ne savaient pas cuisiner, ils n'avaient aucune notion d'hygiène. J'ai reprisé leurs vêtements, je les soignais lorsqu'ils tombaient malades. Je me suis aussi occupée du jardin… J'ai découvert que Reuben avait gagné beaucoup d'argent en vendant mes meubles et que l'artisanat de la communauté lui rapportait plus que ce qu'il prétendait, mais pour moi, ça n'avait aucune importance. Il partageait sa maison et sa vie avec des gens qui, sans lui, se seraient retrouvés à la rue. C'est comme ça que je voyais la situation, et lorsque les autres rouspétaient je le soutenais toujours.

— Mais un jour, il est revenu avec Zoé, intervint Roy pour faire progresser l'interrogatoire. Quand est-ce arrivé ?

— Quelques jours avant Noël 1992, marmonna-t-elle

Deux années s'étaient écoulées, mais Susan se souvenait là encore des moindres détails. Il gelait à pierre fendre, un vent glacial soufflait en rafales, et Susan avait passé l'après-midi dans la cuisine à faire des tartelettes aux fruits secs et le glaçage du gâteau de Noël. Les autres ne cessaient pas de rentrer et sortir en essayant de piquer les tartelettes qui refroidissaient sur un plateau métallique.

L'atmosphère de la journée avait été joyeuse : ils attendaient Noël avec impatience et s'échangeaient en riant des histoires relatives à leur enfance. Assise dans un coin de la cuisine, Megan fabriquait des lanternes vénitiennes en papier pour les suspendre aux branches du sapin qu'elle avait peintes en or à la bombe. Une couronne de guirlandes argentées ornait ses cheveux.

La nuit était tombée quand ils entendirent le camping-car de Reuben. La table était dressée pour le dîner, et ils avaient hâte de manger car Susan avait préparé une tourte au lapin.

Reuben pénétra alors dans la pièce en se frottant les mains à cause du froid, et, juste derrière lui, il y avait la fille.

Grande, mince, elle avait de longs cheveux blonds et des yeux d'un bleu azuréen. Avec son superbe manteau en agneau, son béret rouge et son jean rentré dans des bottes de cheval, elle semblait sortir d'un magazine de mode.

« Je vous présente Zoé, annonça Reuben en l'enlaçant par la taille. Elle vient vivre avec nous. »

Les membres de la communauté les regardèrent, stupéfaits mais ils se ressaisirent rapidement, et quelqu'un alla chercher une chaise pour elle qu'il coinça tant bien que mal près de la table.

« Ne vous dérangez pas pour moi, dit-elle en agitant une main aux ongles peints en noir avec un petit brillant au bout. Un sandwich me suffira, et je peux m'asseoir n'importe où. »

Reuben se comportait de façon très protectrice à son égard, et Susan sentit que cette fille jeune, jolie et pleine d'assurance allait créer des problèmes, mais elle décida de se montrer accueillante.

« Il n'est pas question que tu restes à l'écart, nous mangeons toujours ensemble. Nous y attachons beaucoup d'importance. »

Zoé la toisa de la tête aux pieds.

« Tu dois être la mère nourricière dont on m'a rebattu les oreilles », lâcha-t-elle avec un petit sourire narquois.

Au cours du dîner, elle charma tout le monde, sauf Susan. Elle parla de bains sous une cascade en Thaïlande tout en rejetant ses cheveux en arrière et, à voir les yeux brillants de désir des hommes, on comprenait qu'ils l'imaginaient toute nue. Elle raconta qu'elle avait un tatouage, et descendit la fermeture Éclair de son jean pour exhiber un lézard vert sur son ventre extraplat.

Son accent snobinard irrita Susan, surtout quand Zoé évoqua ses parents bourrés aux as à Bath. Papa était dentiste, il voulait qu'elle fasse carrière. Maman était une dame qui collectait des fonds pour des œuvres de bienfaisance. D'après Zoé, ils étaient déconnectés de la réalité.

Elle disserta ensuite sur sa philosophie de la liberté. La jeunesse ne devait pas être gâchée par le travail, le plaisir primait tout. Mais lorsque Reuben lui expliqua l'organisation de la communauté, elle assura qu'elle essaierait de se rendre utile.

« Je suis très artiste, déclara-t-elle avec désinvolture. Je suis persuadée que je peux créer des babioles qui rapporteront une fortune. »

Susan fut stupéfiée par son arrogance. Quand elle était arrivée à la ferme, elle avait à peine osé ouvrir la bouche alors que cette fille s'apprêtait déjà à prendre le contrôle de la situation.

Mais le pire, c'était l'attitude de Reuben : il la dévorait des yeux, acquiesçait à tout ce qu'elle disait, même si c'était complètement infantile. Il était manifestement fou amoureux d'elle, et Susan les soupçonna d'être amants.

C'était très douloureux mais Susan s'attendait à ce que Reuben fasse preuve d'honnêteté et qu'ils en discutent lorsqu'ils se retrouveraient seuls dans leur chambre. Elle commença à faire la vaisselle pendant que les autres restaient à table, et s'efforça d'étouffer sa colère et sa jalousie en se préparant à sa conversation avec Reuben. Elle espérait se conduire avec dignité : elle lui demanderait d'emmener Zoé ailleurs jusqu'à ce qu'elle ait organisé son propre départ.

« Laisse tomber la vaisselle, Sue, lança soudain Reuben. Monte au premier et change les draps de mon lit. »

L'assiette qu'elle tenait lui glissa des mains et se brisa dans l'évier.

« Pourquoi ? s'enquit-elle stupidement.

— Zoé ne va pas dormir dans tes draps, répondit-il avec un sourire mauvais. Dépêche-toi, nous sommes fatigués. »

Elle n'en crut pas ses oreilles. Comment pouvait-il être aussi cruel ? Au bord des larmes, Susan se tourna vers la tablée, dans l'attente d'une intervention en sa faveur. Mais Simon et Roger échangeaient des sourires à la dérobée, du style « On le comprend ». Le visage de Heather arborait une expression narquoise et les autres fuyaient son regard. Seule la jeune Megan paraissait avoir pitié d'elle.

Pourquoi n'avait-elle pas explosé ? Elle n'avait qu'à lui dire d'aller changer les draps lui-même. Au lieu de quoi, elle obéit docilement, tout en songeant qu'il serait prudent d'enlever ses affaires pour éviter que Zoé ne fouine dedans.

En sortant ses pulls des tiroirs de la commode, sa main effleura le revolver de son père, enveloppé dans un tissu soyeux. Elle n'y avait pas touché depuis son emménagement à la ferme, mais en le soupesant, pendant une brève seconde, elle pensa s'en servir pour abattre Reuben sur-le-champ.

Il lui avait parfois traversé l'esprit que Reuben risquait de se lasser d'elle. Elle lui en avait parlé un jour et il lui avait promis que si cela se produisait, il l'en avertirait avant de se lancer dans une nouvelle histoire. Elle l'avait cru sur parole car il affirmait que la franchise était le ciment de toute relation.

Mais en fait il s'en fichait éperdument ! La souffrance de Susan était tellement atroce qu'elle avait envie de hurler. Si elle avait eu un endroit où se réfugier, elle serait partie immédiatement dans la nuit plutôt que de rester une minute de plus sous le même toit qu'eux. Mais dehors il gelait, elle n'avait pas un sou et nulle part où aller.

À bien des égards, elle éprouvait la même souffrance et la même révolte que lors de la mort d'Annabel. Pourquoi était-elle de nouveau punie ? Et pourquoi, alors qu'elle était si pleine d'amour, personne n'avait-il à lui en donner ?

Reléguée dans la chambre la plus exiguë et la plus humide, meublée d'un lit affaissé au matelas plein de bosses, sa colère augmenta nuit après nuit. Elle les entendait faire l'amour de l'autre côté du palier et cela semblait durer des heures. Le matin, ils la réveillaient en remettant ça et elle demeurait allongée, paralysée par la haine, incapable de fuir ses bourreaux.

Ils ne cessaient de la martyriser, se pelotaient et s'embrassaient devant elle, ricanant devant son embarras. Ils l'humiliaient en se faisant servir.

Pour le jour de l'an, ils disparurent plusieurs jours, ce qui lui accorda un peu de répit, mais ils revinrent bien trop vite. Pendant les journées glaciales de janvier et de février, alors que les autres bravaient le froid dans l'atelier d'artisanat, ils se prélassaient dans la cuisine à fumer des joints ou s'envoyaient en l'air dans leur chambre.

— Susan ! s'écria Roy.

Elle tressaillit.

— Je vous ai demandé si Reuben et Zoé étaient amants avant leur arrivée à la ferme ou si ça avait commencé après.

— Je suis désolée. Je repensais au jour de leur arrivée. À mon avis, ils couchaient déjà ensemble.

Elle raconta les événements depuis le début, puis se lança dans le récit des nombreuses humiliations qu'ils lui infligeaient.

— Ils s'empiffraient, buvaient et se comportaient comme si j'étais une domestique demeurée, conclut-elle, furieuse. Ils me traitaient de la même façon que mon père et Martin ; mais c'était pire, parce qu'à Luddington je trouvais ça normal.

— Pourquoi n'êtes-vous pas partie ?

— Je n'avais pas d'argent, pas d'endroit où me réfugier. J'ai supplié Reuben de me donner de quoi m'en aller, mais il m'a ri au nez. Il a déclaré que je ne connaissais pas ma chance, et que personne n'offrirait un toit à une vieille bique comme moi.

— Vous l'avez alors découvert sous son vrai jour ? s'enquit Roy avec douceur.

— Je n'étais plus qu'un bloc de haine. Il voyageait avec Zoé, et revenait toujours plus hargneux parce que en fait il voulait que je déguerpisse. J'ai réalisé à quel point il était stupide : il croyait que Zoé s'occuperait de la maison et du jardin, l'imbécile ! Elle s'en fichait éperdument ! Reuben ne lui servait que d'intermède en attendant de trouver mieux.

— Quand avez-vous eu l'idée de les tuer ?

— En mars, répondit-elle en croisant les bras avec une attitude de défi. Reuben allait me foutre dehors, mais il refusait toujours de me donner de l'argent. Il m'a jeté à la figure qu'il se moquait que je crève de faim dans la rue, et que ça me ferait le plus grand bien parce que j'étais trop grosse.

Elle marqua une pause et se tamponna les yeux.

— Je l'ai alors entendu chuchoter à Zoé qu'il

l'emmènerait dans son endroit secret quand il ferait beau. Je savais de quoi il parlait, bien sûr : j'ai décidé que ce serait leur tombe. Chaque fois que j'allais me promener, j'emportais du matériel de camping ou des conserves que je cachais dans la clairière. Début avril, ils se sont rendus à une foire dans le nord du pays de Galles. Dès qu'ils ont eu tourné les talons, j'ai annoncé aux autres que je partais ; en réalité, je suis allée dans la clairière et j'ai attendu.

Elle voulut poursuivre, mais sa voix s'éteignit, et Roy la vit devenir blanche comme un linge. Il bondit de sa chaise et la rattrapa juste au moment où elle s'évanouissait.

— Allez chercher un verre d'eau ! cria-t-il au brigadier Bloom.

Pendant ce temps, avec l'aide de Steven, il tira la chaise de Susan et lui posa la tête sur les genoux.

— C'est assez pour aujourd'hui, déclara l'avocat.

— Je ne vous le fais pas dire, répliqua l'inspecteur avec un soupir.

18

Steven quitta la prison dans un état de grande anxiété. D'après le médecin de la prison, Susan s'était évanouie sous l'effet combiné du stress et du manque de nourriture. Il la gardait en observation pendant le week-end. Steven comptait téléphoner le lundi matin pour prendre de ses nouvelles.

En arrivant à l'échangeur entre la M4 et la M5, la circulation ralentit, et bientôt il se retrouva au pas dans les embouteillages du vendredi soir. Quelle barbe ! Il aurait voulu passer au bureau pour voir Beth avant de rentrer chez lui, mais il avait promis aux filles de les emmener chez Brownies, et s'il faisait un crochet il n'en aurait pas le temps.

Le week-end s'annonçait très long, car il devrait garder pour lui les aveux partiels de Susan. Sa femme n'avait jamais manifesté beaucoup d'intérêt pour les affaires qu'il suivait ; cependant, depuis qu'elle avait cessé de boire, elle semblait jalouser sa rclation avec Susan – sans doute parce qu'elle percevait la sympathie qu'il éprouvait pour sa cliente.

Mais c'était de Beth qu'Anna était vraiment jalouse ; elle se sentait menacée par son amitié avec son mari. Il valait donc mieux que Steven évite de passer chez Beth ce week-end, ou même qu'il lui téléphone. Il en fallait peu pour qu'Anna rechute, parce qu'elle avait atteint le stade où elle avait presque oublié les méfaits de la boisson. À présent, le plaisir de l'alcool lui manquait, et elle était souvent nerveuse et déprimée.

Bouleversé par les aveux de Susan, Steven n'était toutefois pas dans les meilleures dispositions envers sa femme, à cet instant. Anna avait connu une enfance heureuse et protégée, elle avait fait les études qui lui plaisaient, elle s'était amusée, bénéficiant d'une liberté totale, elle avait un mari aimant et deux enfants mignonnes et en bonne santé. C'était beaucoup plus que Susan n'en avait jamais eu.

Repensant à ses révélations au sujet de Beth, Steven se demanda s'il ne devrait pas quand même donner un coup de fil rapide à celle-ci pour l'en avertir, au cas où Roy la contacterait pendant le week-end. Mais il ne se voyait pas en discuter par téléphone, ni lui raconter les aveux de Susan. Elle serait anéantie.

Toutes les personnes impliquées dans cette affaire souffraient – Roy, Beth, lui-même mais également Susan. Il y avait aussi les familles des victimes, et les propriétaires des « Corbeaux », qui allaient découvrir une tombe dans leur jardin… Mieux valait ne plus y songer.

Mais à quoi pensait Susan en ce moment ? se demanda néanmoins Steve. Il n'était pas d'accord avec le diagnostic du médecin au sujet de son évanouissement. À son avis, il s'agissait d'une crise de panique provoquée par ce qu'elle avait encore à révéler.

Allongée dans le lit de l'hôpital de la prison, Susan, en proie à des idées confuses, avait la tête qui tournait. Elle avait l'impression d'avoir grimpé sur un gros rocher à marée basse. Depuis, l'eau montait, et, coupée du monde par les flots sombres qui tourbillonnaient autour de son promontoire, elle était consciente que d'ici peu, ils allaient l'engloutir.

Il ne lui avait d'abord pas paru très difficile d'avouer le meurtre de Liam parce qu'elle n'avait pas projeté de le tuer. Mais elle s'était vite aperçue que parler de ce qu'elle avait fait était très différent de l'avoir simplement en tête : cela l'avait contrainte à adopter une certaine distance par rapport à elle-même, et à réaliser pleinement de l'horreur de ses actes.

À présent, elle ne parvenait pas à comprendre comment elle était parvenue à conserver son sang-froid, et pourquoi elle avait éprouvé aussi peu de remords ou de culpabilité ? Si Annabel n'était pas morte, qu'aurait-elle répondu à ses questions sur son père ? Auparavant, elle n'y avait jamais réfléchi.

Elle touchait au cœur du problème : elle n'avait jamais réfléchi. Elle avait accepté de s'occuper de sa mère sans broncher et s'était lancée dans son histoire d'amour avec Liam sans hésiter. Il est vrai qu'à l'époque elle était naïve et n'écoutait que son cœur. Cependant, comment avait-elle pu se laisser piéger par Reuben ? À bien des égards, il ressemblait à Martin : aussi fourbe, impitoyable, cruel et intéressé.

Bien sûr, au début elle ne s'en était pas rendu compte. Ses discours sur la religion et la psychologie le faisaient paraître à des années-lumière de Martin. Et puis, il y avait aussi son look non conformiste et sa façon de vous regarder comme si vous étiez la personne la plus fascinante du monde.

Cependant, vu la manière dont il l'avait emmenée dans sa chambre, elle aurait dû se méfier. Dans son état de fragilité, c'était presque un viol. Mais, simplement parce qu'il lui avait déclaré son amour, elle l'avait autorisé à contrôler sa vie.

Il avait fait d'elle ce qu'il avait voulu. Comme il n'aimait pas ses vêtements, elle porta de longues robes dans le style hippie. Il lui interdisait de se couper les cheveux ou de se maquiller. Elle apprit à aimer la musique New Age et les livres de David Eddings. Elle n'osait pas reconnaître qu'elle avait une bonne opinion de Margaret Thatcher et devint gauchiste.

Tombée complètement sous son emprise, elle avait un jour été sur le point de lui avouer que, d'après elle, on lui avait enlevé Annabel parce qu'elle avait tué Liam. C'était peu après son arrivée à la ferme.

Elle se revoyait en cet après-midi chaud et ensoleillé du début d'octobre. Reuben lui avait dit qu'il l'emmènerait dans un endroit secret qu'il n'avait montré à personne auparavant. Ils traversèrent deux champs qui lui appartenaient, contournèrent une colline boisée, puis passèrent au-dessus d'une clôture et prirent un sentier très étroit montant vers la forêt.

La végétation était si dense, le sol si rocailleux et raide que Susan n'avait en fait guère envie de continuer. Il faisait froid dans le sous-bois, des ronces s'accrochaient à ses vêtements et des petites branches lui cinglaient le visage. Mais Reuben soutenait que l'endroit en valait la peine.

Après s'être frayé un passage à travers d'épais buissons, ils débouchèrent dans une clairière en forme de fer à cheval, entourée de grands arbres qui formaient une sorte de voûte au-dessus de leurs têtes et dont l'ouverture donnait sur un escarpement impossible à escalader par la colline. Le soleil se déversait sur l'herbe grasse. Reuben conduisit Susan sur l'éperon rocheux, d'où ils découvrirent en contrebas la ferme ; plus loin, le village, et, tout au fond, la mer.

— Voici ton nouveau royaume, déclara-t-il en l'embrassant. Et tu es ma reine.

Il avait apporté une couverture et une bouteille de vin, et il lui annonça qu'ils allaient faire l'amour pour célébrer leur mariage. L'atmosphère lui avait semblé sacrée, avec le silence à peine troublé çà et là par les chants d'oiseaux et les rayons obliques du soleil à travers les feuilles mordorées. Étendue sur la couverture, Susan eut l'impression d'être dans une cathédrale.

Reuben lui fit l'amour, avec énormément de tendresse et d'attention. Elle se sentit comme Guenièvre séduite par Lancelot, car elle portait une longue robe en panne de velours rouille au style moyenâgeux. Reuben la lui avait achetée dans une friperie.

— Tu es si belle, dit-il, appuyé sur un coude pour la regarder. Tu es pure. Le chagrin que je lis dans tes yeux disparaîtra quand tu porteras mon enfant. Rien ne te fera jamais plus souffrir.

Il était beau ce jour-là, avec ses cheveux propres qui tombaient librement sur ses épaules bronzées et ses yeux remplis d'adoration. Reuben l'avait sauvée, et le cœur de Susan débordait de gratitude à son égard.

Il soutenait que l'on devait confier ses secrets les plus intimes, les bons comme les mauvais. Le soir, à la ferme, ils avaient des réunions appelées « partages », au cours desquelles chacun racontait un épisode de son passé. Susan avait entendu de nombreux récits choquants de prostitution, ou de vols entre membres d'une famille pour se procurer de la drogue. Un garçon parla de la période où il était maquereau et de sa cruauté envers « ses filles ». Ces expériences étaient tellement éloignées de Susan qu'elle les écoutait avec un étonnement mêlé d'épouvante.

De son côté, elle ne leur avait raconté que le décès d'Annabel. Cependant, là, dans la clairière, elle avait été près de confier à Reuben la raison pour laquelle elle pensait que c'était arrivé.

Mais soudain, il s'était relevé et avait commencé à se rhabiller. Il venait de se rappeler qu'il devait aller acheter de la peinture et d'autres matériaux pour l'atelier d'artisanat avant dix-sept heures trente. L'occasion était passée, et Susan n'éprouva plus jamais le désir de lui en parler. Plus tard, elle se réjouit de s'en être abstenue : il l'aurait utilisé contre elle.

Dans les mois qui suivirent, la vie en communauté bouleversa toutes ses valeurs. Personne ne priait et n'était vraiment croyant, mais ils partageaient le même intérêt pour l'astrologie, le tarot et la méditation. La plupart d'entre eux avaient fait de la thérapie de groupe ; ils aimaient s'analyser et s'entretenaient de leurs problèmes. Ils se considéraient comme une grande famille que l'arrivée de Susan avait enrichie et, dans son état de grande vulnérabilité, elle trouva cela extrêmement réconfortant.

Parallèlement, elle se sentait comme une orpheline transportée dans un monde complètement différent dont elle ne parlait pas la langue et dont les habitudes étaient à l'opposé de celles qu'on lui avait inculquées. Les autres se fichaient si la table n'était pas dressée correctement, ils avaient ri quand elle leur avait demandé, le premier jour, où se trouvaient les serviettes. Ils ne faisaient jamais leur lit, le ménage était réduit au minimum, la nudité naturelle et on discutait ouvertement de tout.

Elle éprouva un jour du dégoût en entendant un garçon faire une description très crue de l'homosexualité ; le lendemain, elle fut fascinée par des histoires de voyages en Inde ou en Afrique... Les drogues dures étaient interdites, mais ils fumaient tous du cannabis. Certains changeaient souvent de partenaires. Roger aimait regarder les couples s'envoyer en l'air, et les autres paraissaient s'en réjouir. Il y avait des magazines pornos dans toute la maison.

En contrepartie des choses qu'elle n'aimait pas, beaucoup d'autres lui plaisaient : Simon jouant de la guitare classique, la peinture de Megan, le travail dans l'atelier d'artisanat, les discussions et les rires pendant le dîner. De plus, elle se sentait en sécurité, protégée par Reuben parce qu'il l'appelait « sa femme ».

Elle était heureuse, et son passé s'estompa tandis qu'elle adoptait une nouvelle façon de vivre. Ils ne se moquaient pas d'elle, comme le faisait Liam, parce qu'elle rangeait, nettoyait les vitres ou lavait les vêtements. Ils l'appelaient la « mère nourricière » et l'appréciaient pour ses qualités.

Mais c'est son habileté au tir qui les impressionna le plus. Elle ne parla jamais du revolver de son père caché dans un tiroir de la commode. Elle se servit d'une carabine laissée par un ancien membre de la communauté. Elle la nettoya et s'exerça dans les champs jusqu'à ce qu'elle ait retrouvé son habileté.

Rien ne lui faisait plus plaisir que de voir leur stupéfaction quand elle revenait avec un lapin ou un faisan. Son allégresse était comparable à celle d'une enfant remportant des trophées sportifs. Elle aimait qu'ils fassent l'éloge de sa cuisine ou la remercient de repriser leurs vêtements ; mais la chasse était une activité à part. Ce talent qui la distinguait des autres et compensait son ignorance en matière de sexe, de drogue et de voyages suscitait leur admiration.

Cependant, la période de lune de miel où tout était nouveau et stimulant s'assombrit quelque peu au printemps suivant. Elle avait entendu les mêmes histoires de nombreuses fois. Être la mère nourricière qui nettoyait jour après jour derrière tout le monde n'avait rien d'amusant, surtout lorsqu'ils commencèrent à trouver ça tout à fait normal. Puis elle se mit à douter de Reuben.

Elle avait cru qu'il avait organisé la communauté pour le bien de ses membres, que l'argent gagné avec l'artisanat allait directement dans la bourse commune pour les nourrir et les habiller ; mais elle ne tarda pas à remarquer qu'il était intéressé, et qu'on ne pouvait jamais lui faire dire quelles sommes rentraient. Parfois, elle avait le sentiment qu'il les arnaquait, et que l'argent de poche qu'il distribuait au compte-gouttes quand ça lui chantait représentait une infime partie des sommes qu'il empochait.

Le beau temps ralluma l'étincelle. C'était merveilleux de ne plus avoir froid, de travailler dans le jardin, de se promener dans les champs et les bois, et de regarder le soleil se coucher derrière les collines ! Mais lorsque l'été arriva, Reuben leur demanda de travailler plus dur afin de vendre leur production aux touristes, et il se mettait en colère s'il en surprenait un à flemmarder dans l'atelier. Certains se rebellèrent, ils avaient envie d'aller dans des festivals de rock ou de rendre visite à des amis, et ils chuchotaient entre eux que Reuben les escroquait.

Quand Susan découvrit la facture de sept mille livres des commissaires-priseurs pour la vente de son mobilier, elle fut accablée. Elle était heureuse de partager tout ce qu'elle avait avec Reuben, mais elle estimait qu'il aurait dû lui révéler le montant précis de sa participation dans la communauté. Cependant, à son habitude, elle n'osa pas l'affronter. Elle garda le silence et se contenta d'observer.

Elle vit alors ce qu'était réellement la ferme : une sorte de foyer de travailleurs pour individus fragiles. Chacun avait des problèmes pouvant aller jusqu'à l'instabilité mentale. Tous avaient vécu des traumatismes : ils avaient fait l'objet d'un abus sexuel dans leur enfance, connu la prison, avaient été alcooliques ou drogués. La ferme les avait aidés en leur donnant une sorte de famille, mais elle ne les préparait pas à se réintégrer dans la vie normale.

Cependant, Susan considérait que Reuben les avait sauvés, et elle persistait à croire qu'il l'aimait vraiment. Il continuait à lui faire l'amour passionnément à chaque retour de ses voyages, et voulait qu'elle porte son enfant. Elle imaginait que le jour où elle serait enceinte il demanderait aux autres de partir afin qu'ils soient seuls. Elle rêva même de transformer la ferme en chambres d'hôtes pour les randonneurs et les amoureux de la nature qui recherchaient le calme.

À l'arrivée de Zoé, ses espoirs et ses rêves furent anéantis.

L'idée de tuer Reuben lui trottait dans la tête sans qu'elle s'en rende vraiment compte. Toutefois, sa jalousie, sa colère et sa souffrance n'atteignirent leur point culminant que des semaines plus tard, en mars.

Elle était allée se promener. La journée était froide mais ensoleillée et, en descendant le sentier qui menait vers les champs, elle avait noté les signes précurseurs du printemps : les pousses vertes des haies et les touffes de primevères sur les talus abrités du vent. Ce renouveau agissait comme un baume sur ses blessures : elle songea à mettre en gage les bagues de sa mère, prendre le train pour Cardiff, et louer une petite chambre jusqu'à ce qu'elle trouve du travail.

Plus elle marchait, plus elle était joyeuse. Elle se vit postuler pour un emploi de gouvernante ou de bonne d'enfant ; elle imagina une maison au bord de la mer, avec une chambre chaude et confortable. Cela lui suffirait amplement, elle ne voulait plus d'homme dans sa vie.

Sur le chemin du retour, elle cueillit des primevères... Mais, en pénétrant dans la cuisine, elle tomba sur Reuben et Zoé. Cette dernière portait son habituel jean moulant et un gilet déboutonné pour montrer la naissance de ses seins. Elle se vernissait les ongles.

Ils eurent l'air très surpris de la voir, et Susan sentit qu'ils avaient parlé d'elle. La table qu'elle avait débarrassée avant de sortir était encombrée de tasses de café et d'assiettes sales, et l'odeur du cannabis dominait celles du vernis et du ragoût dans le four.

— Tu devrais être à l'atelier cet après-midi, fit Reuben sèchement.

— J'ai préféré me promener, répliqua-t-elle en se dirigeant vers le placard pour prendre un vase.

— Si tu ne travailles pas, tu ne manges pas et tu ne dors pas ici. Tu n'es pas dans un putain de camp de vacances !

Il ne s'était pas rasé et n'avait pas lavé ses longs cheveux depuis plusieurs jours. Il ressemblait à un clochard, avec son pantalon en velours côtelé tout rapiécé et son vieux pull aux poignets effilochés. Mais ce furent sa voix venimeuse et son regard mauvais qui la mirent en colère. Il n'avait aucun droit de la traiter ainsi !

— J'ai travaillé trois heures ce matin, bien avant que tu te lèves. À ton avis, qui a cuisiné ce ragoût en train de cuire dans le four ?

— Pas étonnant que tu sois aussi grosse, se moqua-t-il. Tu ne penses qu'à manger.

Puis il se leva et lui arracha des mains les primevères, qu'il jeta par terre.

— Tu peux arrêter tes décorations bourgeoises aussi, elles me donnent envie de gerber. Je ne désire qu'une chose : que tu foutes le camp !

Zoé se mit à glousser.

— Ma chère, c'est ce qu'il te reste de mieux à faire, déclara-t-elle d'un ton dédaigneux. Tu as fait ton temps.

Susan eut envie de la gifler, mais elle savait que Reuben n'aurait aucun scrupule à la frapper elle-même si elle le faisait.

— Et toi ? À quoi tu sers ? répliqua-t-elle avec hargne. Je ne t'ai jamais vue mettre la main à la pâte.

— Ce n'est pas nécessaire, répondit Zoé en rejetant ses cheveux en arrière. Il m'aime telle que je suis, dit-elle en adressant un petit sourire satisfait à Reuben.

Susan se retrouvait sans défense, comme cela avait toujours été le cas avec Martin. Quoi qu'elle dise, ils la tourneraient en ridicule, ils risquaient même de la jeter dehors. Elle n'avait pas d'autre solution que de battre en retraite.

Cette nuit-là, elle pleura dans son lit en se remémorant les promenades avec Reuben et les heures passées au lit à discuter et rire. Il ne tarissait pas d'éloges sur sa cuisine, il admirait sa douceur et son calme, alors. Il disait que, grâce à elle, la communauté était soudée, ainsi qu'il l'avait toujours rêvé.

Elle pouvait accepter qu'il ne la désire plus, mais elle n'arrivait pas à comprendre qu'il ne la considère pas au moins comme son amie. Ne se rendait-il pas compte que Zoé l'utilisait et qu'elle filerait dès qu'une meilleure occasion se présenterait ?

Quelques jours plus tard, alors qu'ils allaient se coucher, Reuben lança à Zoé : « Faisons un bébé. » Cette phrase rendit Susan dingue.

Quand Reuben était avec elle, elle espérait être enceinte, et tous les mois elle était déçue. Elle avait quarante-deux ans, c'était trop tard. La pensée que la blonde et jolie Zoé ait un enfant de Reuben lui fit l'effet d'un poignard planté dans le cœur. Elle commença à élaborer un plan.

En avril, Susan annonça aux membres de la communauté qu'elle partait. Elle prit congé d'eux la veille au soir et chacun lui exprima sa sympathie car ils n'appréciaient pas les changements survenus depuis l'arrivée de Zoé. Mais, malgré leurs paroles réconfortantes, Susan savait qu'ils ne compatissaient pas vraiment à son sort ; ils se demandaient juste qui allait cuisiner et entretenir la maison après son départ.

Susan alla à la clairière par un chemin détourné. Depuis la phrase fatale de Reuben, elle s'y était rendue régulièrement pour l'aménager. Elle disposait d'une tente à une place, d'un sac de couchage, d'un petit réchaud de camping, d'une casserole, de conserves et d'une pelle. Cette occupation lui avait permis de supporter Reuben et

Zoé : chaque insulte ou remarque sarcastique de leur part alimentait sa soif de vengeance.

C'était le seul endroit qu'elle connaissait pour mettre son plan à exécution. Les souvenirs qui y étaient attachés attisaient sa haine. Le printemps était arrivé et, d'ici peu, Reuben ne manquerait pas d'y emmener Zoé : Susan l'avait entendu dire qu'il lui montrerait son endroit secret. Elle n'avait plus qu'à attendre.

Elle monta la tente dans les bois, dissimulée aux regards, et s'installa. Il y avait un ruisseau, tout près, elle avait emporté des livres et une lanterne pour le soir. Pendant la journée, elle creusait leur tombe. Elle ne souffrait pas de la solitude : celle-ci lui était agréable et lui permettait de savourer sa revanche prochaine.

Le cinquième jour, à midi, alors qu'elle se tenait à son poste d'observation habituel au sommet de l'escarpement rocheux, le camping-car de Reuben se gara devant la maison. Il pleuvait ; Reuben ne viendrait donc pas avec Zoé ce jour-là, mais cela ne tarderait sûrement pas.

La tombe s'avéra difficile à creuser. Si, au début, la terre était meuble, ensuite Susan tomba sur des cailloux et de grosses racines d'arbre. Cependant, cela n'avait aucune importance. L'endroit qu'elle avait choisi formait un creux naturel qu'elle recouvrirait de fougères, de branchages et de feuilles. De plus, personne ne venait jamais camper ici.

Le jour suivant, il faisait beau mais froid. Susan resta assise sur son promontoire à surveiller la maison. Elle vit Megan étendre le linge et à un moment Reuben et Roger montèrent sur le toit pour le réparer. Elle n'aperçut pas Zoé.

Le lendemain, le temps s'était réchauffé. Aux alentours de midi, Reuben et Zoé quittèrent la maison. Reuben portait une couverture et un panier. Susan sourit amèrement. Il était tellement prévisible !

Elle s'assura qu'ils se dirigeaient bien vers la clairière,

puis, après avoir vérifié qu'elle ne laissait aucune trace de sa présence, elle alla dans sa tente, prit son revolver et le chargea.

Elle s'était entraînée et avait repéré l'endroit exact où elle s'embusquerait : derrière les épais buissons assez proches, de façon à pouvoir viser sans les rater. S'ils s'allongeaient là où Reuben lui avait fait l'amour de façon si tendre, la distance serait parfaite. Susan avait nettoyé le sol derrière le buisson, par précaution : ainsi aucun craquement de brindille ne les alerterait sur sa présence. Elle s'accroupit et sourit intérieurement : elle avait pensé à tout.

La voix haut perchée de Zoé lui parvint bien avant qu'ils n'atteignent la clairière.

— J'espère que ça en vaut la peine, Reuben. Je n'aime pas marcher dans les bois. Je suis une citadine.

« Ça, c'est sûr », songea Susan en jubilant. « Mais c'est dans les bois que tu reposeras pour l'éternité. »

Quand Reuben apparut dans la clairière, les mains posées sur les yeux de Zoé, Susan nota qu'il portait un nouveau sweat-shirt vieux rose. Il devait vouloir améliorer son look pour elle. Zoé, elle, était vêtue d'un pantalon en cuir noir ultramoulant et d'un pull rouge très court, et ses longs cheveux lâchés étaient ébouriffés.

Les voir ensemble raviva la haine de Susan. Elle frissonna, en partie d'effroi à l'idée de ce qu'elle allait faire, mais aussi d'excitation.

— Avance encore d'un pas, conseilla Reuben en couvrant toujours les yeux de Zoé. Voilà ! ajouta-t-il en enlevant ses mains.

— Waouh ! s'écria-t-elle. C'est magnifique !

Susan ne la sentit cependant pas impressionnée. Non seulement Zoé n'avait jamais caché qu'elle détestait la campagne, mais elle en avait peut-être assez de son excentrique amant quinquagénaire qui ne lui procurait jamais les divertissements dont elle rêvait.

Reuben faisait son âge, ce jour-là, malgré son nouveau sweat-shirt. En deux ans, ses cheveux longs étaient devenus presque blancs et son front se dégarnissait. Mais ce fut son visage aux traits tirés qui frappa soudain Susan. Le temps l'avait rattrapé : son teint était grisâtre, ses rides s'étaient creusées.

— Tu aurais dû mettre une robe, dit-il. Tu aurais ressemblé à une nymphe. Et si tu te déshabillais ?

— Il fait trop froid, répliqua-t-elle en pouffant. Buvons un peu de whisky pendant que tu roules un joint.

À l'évidence, Reuben était déçu que Zoé ne se montre pas plus enthousiaste. Elle n'escalada pas les rochers pour contempler la vue, elle ne s'émerveilla pas devant les jacinthes fraîchement écloses sous les arbres. Elle déclara qu'elle avait mal aux pieds et devait s'asseoir.

Reuben étendit la couverture pratiquement à l'endroit prévu par Susan. Il s'installa à côté de Zoé et lui passa la bouteille de whisky. Elle dévissa le bouchon et en but une longue gorgée.

Susan avait l'impression de regarder un film au ralenti. Ils ne disaient pas grand-chose. Reuben roula un joint. Zoé s'allongea contre lui, appuyée sur un coude pour le regarder.

— À ton avis, où est allée la vieille bique ? demanda-t-elle soudain.

— À Bristol, je suppose.

— J'espère que tu ne t'attends pas à ce que je m'occupe du ménage et de la cuisine, déclara-t-elle avec humeur. Ce n'est pas mon truc.

— Tu es trop belle pour faire la domestique, la rassura-t-il en lui tendant le joint allumé. Je trouverai quelqu'un qui s'en chargera.

— À ta place, je vendrais la ferme, dit-elle en expirant la fumée lentement. Regarde les choses en face, Reub ! Ce n'est qu'une bande de paumés ; avec l'argent, on vivrait comme des rois en Thaïlande.

— Ma petite affaire tourne bien, répliqua-t-il, sur la défensive. De plus, j'adore cet endroit.

— Il se pourrait alors que je ne reste pas avec toi, fit-elle en rejetant ses cheveux en arrière. C'est tellement isolé ! J'aime les bars, les boîtes et les magasins.

Finalement, Reuben ne trouverait donc pas le bonheur auprès de Zoé, songea Susan. La souffrance qu'il éprouverait quand elle le quitterait le punirait, et la communauté ne tarderait pas à s'effondrer. La vie se chargerait de lui donner une bonne leçon ; peut-être était-il inutile de les tuer, se dit également Susan. Mais elle était coincée derrière le buisson, si elle bougeait ils l'entendraient.

Zoé sembla se radoucir après le joint et une nouvelle rasade de whisky. Elle s'allongea et fit remarquer à Reuben les rayons de soleil qui filtraient à travers les plus hautes branches. Puis, de son propre chef, elle descendit la fermeture Éclair de son pantalon et se tortilla pour l'enlever.

— Fais-moi du bien, lança-t-elle en gloussant. Commence par me lécher la chatte, on avisera pour la suite.

Susan rougit en voyant Zoé ouvrir les cuisses et écarter les lèvres de son vagin. Elle n'en revenait pas qu'une femme soit aussi obscène et grossière. Cette scène la remplit d'une profonde honte. Liam l'avait initiée au cunnilingus, mais elle avait mis du temps à surmonter sa gêne et ne comprenait pas qu'un homme ait envie de faire ça. Elle avait fini par aimer cette pratique parce que Liam était un amant doué et persuasif. Néanmoins, elle n'avait jamais pu s'y résoudre en plein jour et elle n'aurait jamais eu l'effronterie de l'exiger.

Reuben s'agenouilla et s'exécuta de bon cœur. Susan était à la fois gênée et fascinée. Elle voyait la langue de Reuben s'activer sur le sexe de Zoé ; il ne tarda pas à baisser la fermeture Éclair de son jean pour libérer son pénis, qui était dur comme de la pierre.

Zoé criait des obscénités, elle appelait Reuben « papa », et lui demandait de la baiser avec les doigts en même temps. C'était répugnant, et Susan songea qu'ils profanaient la clairière où elle avait été si heureuse, et en paix avec elle-même. De plus en plus dégoûtée, elle regarda Zoé renverser son amant sur la couverture afin de s'asseoir sur son visage, puis se tortiller tout en se caressant les seins.

La colère de Susan revint en force. Elle avait tout perdu pour cette traînée ! Blême de rage, elle était révoltée que Reuben ait sacrifié son amour et son soutien pour ces ébats impudiques.

— Je vais jouir dans ta bouche, papa ! hurla Zoé. Fais-le plus fort, baise-moi avec ta langue !

Susan se vit lever son revolver comme un automate et raffermir calmement sa prise à l'aide de sa main gauche pour éviter que sa main ne tremble. Elle se prit aussi à penser qu'elle devait attendre un peu : si elle tirait maintenant, elle toucherait Zoé, mais cela risquait de donner à Reuben le temps de s'enfuir.

Enfin, Zoé roula sur le côté en disant à Reuben qu'il était le meilleur amant du monde, et celui-ci couvrit son visage de baisers en répondant qu'avant elle il n'avait jamais aimé personne.

C'est quand il s'allongea sur elle pour la pénétrer que Susan lui tira dans le dos.

La balle l'atteignit au côté, le blessant légèrement. Si Susan resta imperturbable, Reuben sursauta et les oiseaux s'envolèrent en pépiant de façon indignée.

— Qu'est-ce que c'était ? demanda Zoé, complètement défoncée.

— On m'a tiré dessus ! s'exclama Reuben d'une voix haletante.

Il porta la main à la plaie sanglante, tout en tentant d'échapper à son étreinte.

Zoé émit un son étranglé.

Susan sortit de sa cachette, prit le temps de viser et tira à nouveau. Elle eut la satisfaction d'entendre Reuben prononcer son prénom, stupéfait, au moment où la balle pénétrait dans sa poitrine. Une seconde plus tard, il s'effondrait sur Zoé.

Celle-ci se mit à hurler en le repoussant. Susan s'approcha.

— C'est ton tour, salope ! lança-t-elle.

La dominant de toute sa hauteur, elle comprit alors la signification de l'expression : « La vengeance est douce. » Quelle joie de voir les yeux bleus de Zoé s'écarquiller de terreur ! Envolées, sa belle assurance et ses répliques cinglantes.

— Oui, c'est la vieille bique, déclara-t-elle en pressant sur la détente. Tu resteras ici avec lui pour toujours, ajouta-t-elle méchamment tandis que la balle l'atteignait au cœur.

Zoé ouvrit la bouche pour crier, mais n'émit qu'un faible gémissement. Puis elle tomba en arrière sur la couverture.

Plus de deux ans s'étaient écoulés, mais Susan ressentait toujours la satisfaction éprouvée à cet instant. Elle avait mené sa tâche à bien. Elle n'eut aucun remords. C'était comme si une autre personne avait agi à sa place, elle-même ne se trouvant là que pour contrôler la bonne exécution du travail.

Elle les regarda froidement, tenant toujours son revolver. Leurs jambes étaient enchevêtrées, mais leurs torses s'étalaient dans des directions opposées. Leurs yeux étaient ouverts, et leurs visages exprimaient la stupéfaction. L'odeur de leurs sexes dominait celles du sang et de la poudre. Susan était heureuse qu'ils soient morts, et n'appréhendait pas qu'on la surprenne avant qu'elle ait pu les enterrer.

Elle ressentit le même calme lorsqu'elle traîna les corps jusqu'à leur tombe. Elle y poussa d'abord Zoé sans ménagement, comme si c'était un quartier de viande.

Reuben était beaucoup plus lourd. Elle l'enveloppa dans la couverture, le tira sur le sol accidenté. Quand elle le fourra dans le trou, elle transpirait à grosses gouttes.

En ramassant leurs vêtements, elle trouva dans la poche du jean de Reuben une liasse de billets de vingt livres. Cela la fit sourire. C'était bien de lui ! Il se promenait toujours avec beaucoup d'argent liquide, car il ne faisait confiance à aucun membre de la communauté.

Il y avait plus de trois cents livres. Une faible somme, comparée à ce qu'il avait empoché sur la vente de ses meubles, mais cela l'aiderait à redémarrer dans la vie. Elle tassa la terre au-dessous des deux corps sans le moindre état d'âme. Elle exécuta même une petite danse en prenant une longue rasade de leur whisky.

Le silence dans l'obscurité de la cellule lui sembla soudain menaçant. Elle s'était habituée à entendre la respiration ou les ronflements de ses codétenues. L'absence de son dans l'hôpital de la prison lui donna le frisson et lui rappela l'atmosphère qui régnait dans sa chambre à « Belle Vue ».

Elle réalisa qu'au lieu de démarrer une nouvelle vie en quittant le pays de Galles elle n'avait cessé de tomber dans un puits sans fond.

19

Avant de sonner, Steven s'arrêta devant les portes de la prison. Il contempla le grillage surmonté de barbelés acérés. Le ciel était presque noir, il allait sans doute neiger. Quelle atmosphère sinistre !

On était lundi matin. Il songea que Susan avait sans doute aussi mal dormi que lui pendant le week-end. Cependant, il se réjouissait qu'elle souhaite terminer ses aveux : plus tôt ce serait fait, plus vite il retrouverait un sentiment de normalité.

Il avait préféré laisser Beth dans l'ignorance jusqu'à la fin de l'interrogatoire, et avait coupé son téléphone de voiture au cas où elle essaierait de le contacter. Quant aux révélations de Susan concernant le viol, il avait finalement estimé que ça ne le regardait pas. C'était à Roy de décider comment aborder le sujet.

Anna avait été impossible : elle avait pleuré et tempêté en l'accusant de ne pas l'aimer assez. Ces derniers temps, elle voyait qu'il avait l'esprit ailleurs et cela l'angoissait. Elle ne se rendait pas compte qu'elle l'avait fait vivre dans l'anxiété pendant des années, et que son travail l'obligeait à s'occuper de personnes qui avaient besoin de plus d'attention qu'elle.

Il sonna et, tout en attendant qu'une gardienne vienne lui ouvrir, pensa qu'il aurait dû choisir un secteur juridique moins astreignant. Le transfert de propriété fut celui qui lui vint à l'esprit.

— Vous sentez-vous assez bien pour poursuivre ? demanda Steven à Susan, dans la salle d'interrogatoire.

Très pâle, des cernes noirs creusaient ses yeux. Ses cheveux avaient besoin d'un bon shampooing, et elle les avait attachés, ce qui ne la mettait pas en valeur.

— Oui, je vais bien.

Il jeta un coup d'œil à ses mains et remarqua qu'elle s'était rongé les ongles.

— La police va arriver d'une minute à l'autre. Y a-t-il quelque chose dont vous voulez me parler avant de reprendre ?

— Je désire seulement en finir au plus vite, répondit-elle d'un ton cassant.

Longhurst commença en rappelant à Susan que, le vendredi, elle s'était arrêtée au moment où elle se rendait dans les bois pour attendre Reuben et Zoé. Puis il enclencha le magnétophone en suivant la procédure habituelle et pour poursuivre lui demanda son accord, qu'elle lui donna.

— Êtes-vous allée dans les bois dans l'intention de tuer Reuben Moreland et Zoé Fremantle ?

— Oui. Je vous l'ai déjà dit. J'ai monté la tente, je me suis installée et j'ai commencé à creuser leur tombe.

— Tout était donc prémédité ?

— Absolument. Je n'irais pas camper dans un bois pour m'amuser, rétorqua-t-elle sèchement.

Roy était un inspecteur endurci, mais, au fur et à mesure que Susan lui racontait en détail la préparation minutieuse des meurtres, il eut la nausée.

Il comprenait parfaitement son désir de les tuer. Si elle les avait abattus dans une crise de désespoir, il aurait compati. Mais en l'écoutant relater son attente, il ne vit plus en Susan une petite femme boulotte malmenée par la vie, mais une Rambo femelle déchaînée tapie derrière un buisson, attendant que ses victimes viennent faire l'amour pour les supprimer.

Elle manifesta de l'émotion lorsqu'elle en arriva au moment où Zoé s'allongeait sur la couverture. Sa voix tremblait en rapportant leur conversation.

— J'ai hésité, reconnut-elle. J'ai eu la certitude que Zoé plaquerait Reuben s'il ne vendait pas la maison pour faire le tour du monde avec elle. J'ai même eu un peu pitié de lui. Mais elle s'est montrée tellement grossière que ma colère est revenue en force.

— Qu'entendez-vous par « grossière » ? s'enquit Roy.

Elle détourna les yeux et rougit.

— Elle a enlevé son pantalon et s'est exhibée devant lui.

Roy imagina la scène sans difficulté, et décida qu'elle n'avait pas besoin d'en préciser davantage.

— Ils faisaient l'amour et vous étiez derrière le buisson ?

— Oui.

— À quelle distance ?

— Environ cinq mètres.

— Lequel avez-vous tué en premier ?

— Reuben. Mais je tremblais, et la première balle l'a seulement blessé au côté. Je suis alors sortie de ma cachette, je lui ai fait face et lui ai tiré dans la poitrine.

Roy lui demanda d'expliquer sa position et les angles des trois coups de feu à l'aide d'un schéma.

— Est-ce que Zoé a essayé de s'enfuir après le premier coup de feu ?

— Non, elle n'a pas réalisé ce qui se passait. Elle a tenté de s'échapper quand j'ai abattu Reuben, mais elle était coincée sous lui et je l'ai tuée juste après.

Elle raconta ensuite comment elle avait procédé pour enterrer les corps. Dans le silence qui suivit, les trois hommes la regardèrent, abasourdis.

Roy trouvait incroyable qu'elle soit restée dans les bois deux jours de plus, et qu'elle ait été capable de manger et dormir à quelques mètres seulement de leur tombe.

— Il devait faire froid, la nuit.

Il voulait l'entendre dire qu'elle avait regretté son geste meurtrier, ou prononcer une phrase qui révélerait son déséquilibre. Mais elle se contenta d'esquisser un sourire.

— Le whisky m'a réchauffée. De plus, je devais m'assurer qu'ils étaient bien ensevelis. Le trou que j'avais creusé n'était pas très profond.

Roy lui demanda de faire un plan indiquant l'emplacement de la tombe et, comme le vendredi précédent, elle s'exécuta en dressant une carte très claire des lieux, avec le buisson et l'endroit où se trouvaient ses victimes lorsqu'elles faisaient l'amour. Puis elle dessina un petit cercle à gauche de la clairière.

— C'est là que vous avez découvert le matériel de camping, mais ce n'est pas là que j'avais établi le campement. J'ai tout changé de place avant de partir, expliqua-t-elle en formant un cercle plus grand, près de la croix qui indiquait la tombe. À une dizaine de mètres, il y a une source qui m'a servi de point d'eau.

— Vous aviez souvent campé ? s'enquit Roy par pure curiosité.

— Pas depuis mon enfance. Mon père m'emmenait chasser, le week-end, quand j'avais huit ans. Il m'a appris à cuisiner sur un feu, à creuser des trous pour enfouir les ordures, bref, à me débrouiller dans les bois. C'est à l'armée qu'il avait pris goût à la vie en plein air.

Roy garda le silence pendant quelques secondes.

— Pourquoi les avez-vous tués, Susan ? finit-il par demander.

— Parce qu'ils m'avaient détruite.

— Mais si vous étiez partie et que vous aviez trouvé un emploi, vous auriez reconstruit votre vie.

— Avec quoi ? La rage au cœur et l'humiliation ?

Roy arrêta l'interrogatoire. Il avait toutes les informations nécessaires, y compris les schémas indiquant l'emplacement des corps, datés et signés par les personnes présentes. Il en avait assez entendu ce jour-là.

Une gardienne vint chercher Susan afin de l'accompagner dans sa cellule et les trois hommes se dirigèrent vers la sortie, le brigadier Bloom en tête. Mais Roy s'arrêta pour s'appuyer contre une fenêtre.

— Vous êtes satisfait de la façon dont j'ai mené l'interrogatoire ? lança-t-il à Steven d'un air préoccupé.

— Absolument, répondit l'avocat en s'arrêtant aussi. Mais elle vous a tout apporté sur un plateau.

Roy soupira et se frotta les yeux. Steven pensa qu'il était dans le même état que lui : complètement vidé.

— Cette femme a de multiples facettes.

— C'est à se demander s'il n'y pas d'autres cadavres cachés dans le placard, rétorqua Roy sèchement.

Steven écarquilla les yeux et Roy esquissa un sourire.

— Désolé. J'ai juste fait là une blague de mauvais goût - pour masquer mon embarras, je suppose. Je me sens tellement stupide ! Moi qui la voyais comme une faible femme à moitié folle de chagrin ! En fait, elle est capable de diriger une opération commando à elle seule.

Steven ressentit un grand respect pour cet homme. Il l'appréciait beaucoup. La plupart des inspecteurs auraient jubilé d'avoir obtenu des aveux aussi complets et se seraient précipités au commissariat pour rédiger leur rapport. Mais Roy était trop intelligent et sensible pour ne pas se rendre compte qu'il s'était contenté d'effleurer le processus mental très complexe de Susan.

En consultant sa montre, Steven s'aperçut qu'il était à peine onze heures.

— Il est trop tôt pour que je vous offre une bière ou à déjeuner, déclara-t-il à regret.

— Je prendrais bien un double whisky, avoua Roy, et j'aimerais beaucoup discuter avec vous. Mais je dois retourner au poste pour lancer les fouilles. Peut-être une autre fois ?

— Je dois mettre Beth au courant, constata Steven avec un soupir. Elle va être anéantie.

Roy lui prit le bras. Il ne prononça pas un mot, mais l'avocat comprit qu'il s'agissait d'un geste amical et réconfortant.

— Beth aussi possède de multiple facettes. Aidez-la à les découvrir, l'encouragea-t-il.

Steven ne vit Beth qu'en fin d'après-midi, car, tandis qu'il rentrait de la prison, la neige s'était mise à tomber, forçant les voitures à avancer au pas. Quand il arriva au cabinet, elle était partie au tribunal.

À dix-sept heures, en entendant sa voix dans l'escalier, il sortit de son bureau et l'appela. Jamais elle n'avait été aussi belle : elle portait un manteau en poil de chameau orné d'un grand col et de poignets en fausse fourrure assortis à son chapeau. Elle avait marché dans la neige depuis le tribunal, et ses joues étaient toutes roses.

— Qu'est-ce qu'il y a ? demanda-t-elle comme elle arrivait sur le palier. J'allais rentrer chez moi pour me réchauffer.

— C'est au sujet de Susan, répondit-il abruptement.

— De mauvaises nouvelles ? lança-t-elle en pénétrant dans son bureau.

— Ça ne peut pas être pire : elle a avoué les meurtres de Liam, Reuben et Zoé.

Beth blêmit et se couvrit la bouche de ses mains.

— Non ! s'exclama-t-elle.

Steven la fit asseoir, puis lui donna un verre du cognac qu'il gardait pour les occasions de ce genre. Ensuite, il lui assena les faits de façon concise : comment Susan les avait tués et où se trouvaient les corps.

— C'est impossible, souffla-t-elle.

Ses yeux se remplirent de larmes.

— J'ai eu moi aussi beaucoup de mal à le croire.

Steven lui expliqua que l'interrogatoire s'était déroulé en deux temps, mais qu'il n'avait pas eu le courage de lui en parler avant le week-end.

— C'est la vérité, Beth. Personne ne l'a obligée à avouer : elle l'a fait de son plein gré. La police devrait commencer les fouilles demain. Nous aurons donc confirmation très rapidement.

Beth garda le silence un long moment.

— Je dois rentrer chez moi, finit-elle par dire en se levant. Il faut que j'y réfléchisse seule.

Steven vit alors ce qu'étaient la dignité et le courage. En pareilles circonstances, n'importe quelle autre femme se serait effondrée. Beth, elle, ne se le permettrait devant personne.

Il aurait voulu la prendre dans ses bras mais il sentit que cela ne ferait qu'aggraver la situation. Il ne pouvait pas non plus lui proposer de l'appeler plus tard, car Anna piquerait une crise.

— Je suis désolé, Beth, déclara-t-il simplement. Si vous le désirez, je viendrai plus tôt demain matin pour que nous en discutions.

— D'accord.

Là-dessus, elle sortit. Steven la regarda descendre

l'escalier. Son pas, moins décidé que d'habitude, montrait qu'elle n'était pas aussi calme qu'elle en avait l'air.

En arrivant chez elle, Beth monta le chauffage, enleva son manteau, ses bottes et son chapeau. Puis elle tira les rideaux avant de s'asseoir sur le canapé.

Assommée par le choc, elle se sentait tout engourdie. Un mot ne cessait de tourner dans sa tête : « implication ». Encore quelques mois plus tôt, il ne signifiait rien pour elle. Mais elle en expérimentait tous les symptômes : la bouche sèche d'anxiété, l'estomac noué, les questions incessantes, un sommeil agité.

Des collègues lui avaient confié que certaines affaires leur avaient donné des cauchemars. Jusqu'à présent cela n'avait jamais été son cas. Elle avait entendu les yeux secs des histoires tragiques qui auraient fait pleurer un homme endurci. Quel que soit le verdict, coupable ou innocent, elle écoutait sans état d'âme, en se demandant seulement si elle avait rempli son rôle d'avocate au mieux de ses capacités. Que son client aille en prison ou reprenne une vie normale, elle ne s'en préoccupait pas. Elle avait fait son boulot, la justice avait été rendue. Point final.

Cependant, depuis que Susan avait resurgi dans sa vie, tout avait changé. Elle ne le regrettait pas, mais pourquoi cette femme la touchait-elle autant ?

D'accord, elles étaient amies dans leur enfance, mais c'était un lien tellement ténu. Après tout, elles n'avaient passé que cinq mois ensemble. Depuis, songeait Beth, elle avait travaillé des années avec les mêmes personnes. Serait-elle aussi bouleversée si elle apprenait que l'un de ses collègues était un tueur en série ? Elle en doutait fortement. Elle n'avait jamais pris la peine de connaître les noms de leurs enfants ou l'endroit où ils vivaient.

Steven aussi était ébranlé, elle s'en était bien rendu

compte. Mais, sachant qu'il s'inquiétait à son sujet, elle ne s'était pas permis de craquer devant lui. Contrairement à elle, il se souciait toujours des autres. Il était sans doute tombé amoureux d'Anna à cause de ses problèmes, car les gens affectueux rencontraient forcément des canards boiteux à soutenir. Avant, Beth aurait jugé cette attitude pitoyable, mais plus maintenant. En fait, c'était un comportement généreux.

À seize ans, elle admirait le fait que Susan reste à la maison pour s'occuper de sa mère. Elle-même n'aurait jamais pu s'y résoudre. Même si sa mère avait été veuve, infirme, et l'avait suppliée de veiller sur elle. Mais à cette époque, Susan était un cœur tendre. Lors de la catastrophe d'Aberfan au pays de Galles, elle avait envoyé toutes ses économies à la caisse de secours. Un oiseau blessé, un film sentimental ou leur séparation à la fin du mois d'août lui brisaient le cœur, et elle pleurait à chaudes larmes.

Comment une fille aussi sensible et calme s'était-elle transformée en tueuse ? Beth comprenait qu'elle ait tué le médecin. Mais les autres ? C'était de la sauvagerie !

Beth se sentit frigorifiée toute la soirée. Elle but deux cognacs et prit un bain chaud sans cesser d'avoir froid. En se brossant les cheveux devant sa coiffeuse, elle tenta de se raisonner. Susan était la cliente de Steven, et c'était le travail de Roy de la faire passer en jugement. Elle n'avait qu'à se tenir à distance…

Pourtant, ce n'était plus possible : Steven aurait besoin de son appui et de ses conseils pour préparer sa défense, Roy recevrait sans doute des éloges pour son travail sur cette affaire, et elle-même serait tiraillée entre la fierté qu'elle éprouverait pour lui et le sentiment d'avoir trahi sa vieille amie.

C'était ce sentiment qui la tourmentait le plus. Elle s'était persuadée qu'elle avait fouillé dans le passé de Susan à seule fin de présenter une argumentation inattaquable de responsabilité atténuée. Mais était-ce la véritable raison ? Elle avait plutôt fait preuve d'une curiosité insatiable envers elle. La mort d'Annabel était amplement suffisante pour le tribunal. Si elle n'avait pas voulu tout savoir sur Susan, les trois autres meurtres n'auraient sans doute jamais été découverts.

Son véritable dilemme était peut-être là. Susan serait condamné à perpétuité à cause d'elle. Tout le monde trouverait que ce n'était que justice – surtout les proches des victimes, qui ne manqueraient pas de s'en réjouir. Mais elle-même garderait le sentiment d'être un Judas.

Elle regarda autour d'elle et, pour la première fois, le côté impersonnel de sa chambre lui sauta aux yeux. Les murs et le tapis étaient crème, comme dans le salon ; les rideaux de brocart coûteux avaient un ton à peine plus soutenu ; la penderie et les placards intégrés étaient en hêtre clair. On aurait dit une chambre d'hôtel, confortable et de bon goût, mais sans la moindre trace de sa personnalité.

« Tu n'en as aucune, murmura-t-elle. Tu as passé ta vie à étouffer tes sentiments. Si tu mourais demain, que dirait-on de toi ? »

Qu'elle était une excellente avocate, ponctuelle et digne de confiance. Voilà tout. Personne n'aurait d'anecdotes drôles à raconter, aucune amie ne la pleurerait. Même Robert et Serena auraient du mal à définir ce qu'ils aimaient en elle.

Elle se mit au lit et contempla le plafond. Pendant vingt-huit ans, son viol avait dominé sa vie. Quelques mois auparavant, elle l'aurait nié en soutenant qu'il l'avait poussée à se dépasser. Elle avait même réussi à se convaincre qu'elle était d'un naturel froid et réservé.

Puis Susan était réapparue et, avec elle, les souvenirs de l'époque où elle n'était ni froide ni distante. Grâce à Susan, la cuirasse que Beth avait construite pour protéger ses secrets et refouler ses émotions avait commencé à se fendiller, et Steven et Roy s'étaient glissés dans cette brèche.

Elle se mit alors à pleurer, et laissa libre cours aux larmes brûlantes qui ruisselaient sur ses joues.

20

Deux jours après les aveux de Susan, Roy se trouvait dans les bois, les épaules voûtées, les mains dans les poches, à regarder l'équipe des policiers déblayer des feuilles mortes et des broussailles.

Il était onze heures du matin, et il faisait un froid glacial. « Trop froid pour neiger », avait remarqué quelqu'un comme si c'était une consolation. L'équipe était de bonne humeur : d'habitude, lorsqu'ils fouillaient un secteur à la recherche de preuves concernant un crime ou une disparition, ils s'attendaient à une tâche longue et vaine. Mais avec des aveux enregistrés et une carte indiquant l'emplacement des corps, ils espéraient des résultats rapides.

Cependant, Roy lui, était très tendu. Il n'avait pas pensé qu'en arrivant sur les lieux dès l'aube ils découvriraient immédiatement les cadavres ; toutefois, il n'avait pas imaginé que cela prendrait autant de temps.

Pour Susan, la localisation des corps était très claire ; mais, sans repères précis tels qu'un rocher ou un arbre, ils pouvaient en fait reposer n'importe où. Ayant pratiquement terminé de dégager la zone qui, d'après Roy, figurait sur le dessin, les hommes étaient à l'affût d'une bosse ou d'un creux suggérant que la terre avait été retournée. Mais jusque-là, ils n'avaient rien remarqué de tel, et le sol était complètement gelé.

Le doute avait commencé à s'insinuer dans son esprit. Susan aurait-elle tout inventé ? Il arrivait que des détenus avouent des crimes qu'ils n'avaient pas commis. Quand elle avait relaté les meurtres, son récit ne lui avait pas paru entièrement crédible. Et il avait toujours du mal à croire qu'elle en était vraiment capable – parce que, au plus profond de lui-même, il souhaitait que ce ne soit pas vrai. Néanmoins, si tel était le cas, il s'attirerait de sérieux ennuis.

Roy se demandait aussi ce qui se passait à Luddington. La fouille du jardin des « Corbeaux » devait avoir commencé puisqu'on avait donné le feu vert à la brigade criminelle la veille au soir.

— Chef, regardez ! Il y a plein de branches mortes ici ! s'écria soudain un jeune gendarme qui se tenait à la lisière de la zone dégagée.

Le cœur de Roy bondit dans sa poitrine et il courut vers lui.

En effet, le gros tas de branches sous un amas de feuilles mortes était incongru. Il couvrait une superficie d'environ quatre mètres sur deux, et était haut d'une cinquantaine de centimètres.

— Elles ne sont pas tombées comme ça, on les a disposées ainsi, vous ne pensez pas ? s'enquit le gendarme.

— Il semblerait bien, déclara Roy en regardant l'arbre le plus proche, qui était plein de vigueur.

Les branches qui tombaient ne formaient jamais de piles aussi nettes.

— Peut-être qu'on les a entassées là pour les brûler, mais nous allons le vérifier de toute façon.

Quand le jeune gendarme se mit à déblayer le terrain, Roy croisa les doigts dans sa poche. Certains membres de l'équipe commençaient à râler contre le froid, mais à la moindre découverte ils retrouveraient de l'énergie.

— J'ai quelque chose, chef ! cria un autre gendarme.

Roy se tourna en direction de la source mentionnée par Susan. L'homme tendait un objet au bout d'un bâton.

— On dirait une botte de femme !

Roy l'examina avant de la mettre dans un sachet. C'était une bottine en cuir noir avec une fermeture Éclair sur le côté. Elle avait été mâchée par un animal, et était tellement moisie qu'elle pouvait se trouver là depuis des années. Roy inspecta les environs, mais ne découvrit rien d'autre.

Il revint vers le petit dôme de branches. Les hommes avaient fini de déblayer le terrain, et ils donnaient des coups de pelle au hasard, à la recherche d'endroits où la terre serait plus meuble.

— Allez-y, creusez, lança Roy.

Ils attaquèrent le sol gelé à la pioche ; mais, très vite, ils tombèrent sur une sorte de terreau et leur tâche devint beaucoup plus facile.

— Je pense que nous y sommes, annonça l'un des gendarmes, le visage radieux.

En effet, la terre n'était meuble qu'à l'intérieur d'un rectangle grossier. En dehors, le sol restait dur comme de la pierre.

L'apathie de l'équipe se volatilisa. Les hommes creusaient à présent avec beaucoup de vigueur. Leur visage rougissait sous l'effort, et leur souffle formait de petits nuages dans l'air glacial. L'excitation était palpable, tous les regards étaient braqués sur le trou qui s'agrandissait.

Une pioche heurta quelque chose avec un bruit mat.

— Grattez tout autour, ordonna Roy, c'est peut-être un os.

Quelques minutes plus tard, ils mirent au jour un squelette.

L'équipe se rassembla autour de la tombe peu profonde, et l'un d'eux fit le signe de croix. On aurait dit une scène tirée d'un film d'horreur car, bien qu'il ne restât plus de chair, les longs cheveux gris étaient intacts. Les orbites vides et la mâchoire ouverte en une sorte de sourire avaient un côté démoniaque.

À l'aide de petites truelles, les hommes mirent plus d'une heure à le dégager entièrement. En le contemplant, la gorge de Roy se serra : ce squelette, avec son sweat-shirt pourri et ses bottes, un homme avait été tué pendant qu'il faisait l'amour.

— Il y a une couverture en dessous, lança un gendarme. C'est pratique, nous allons pouvoir le sortir sans rien déranger.

Cet enthousiasme déclina à mesure que le temps passait car le pathologiste devait faire son travail avant que l'on déplace les os et il fallait prendre des clichés de chaque étape. Le jour ne tarda pas à baisser. Ils installèrent des projecteurs, puis mirent en place un cordon de sécurité autour de la tombe et dressèrent une tente au-dessus du trou. Le corps de Zoé ne fut dégagé qu'au petit matin, et travailler à la lumière des projecteurs était sinistre.

On leur avait apporté du café et des sandwiches, mais ils étaient tous frigorifiés, et piétiner en attendant les ordres mettait l'équipe au supplice.

— Vous devez être aux anges, mon gars ! cria à Roy un officier de police gallois quand ils découvrirent le deuxième squelette.

Ce type n'avait pas cessé de faire des plaisanteries douteuses. Sans doute était-il frustré de ne pas diriger l'enquête, et également gêné que ce soit un inspecteur de Bristol qui découvre deux meurtres sur son secteur.

— J'aimerais surtout rentrer chez moi répondit Roy.

Il n'était pas aux anges : il était écœuré. Jour après jour, son travail le mettait en contact avec les pires aspects du comportement humain. D'ordinaire, il ressentait de la satisfaction lorsque le coupable était attrapé et puni ; cependant, dans ce cas particulier, il n'en éprouvait même pas.

La vie s'était chargée de punir Susan depuis son adolescence.

— Ces deux-là ne m'empêcheront pas de dormir, insista le Gallois en se frottant les mains. Ils m'enlèvent même une sacrée épine du pied. Je vais enfin me débarrasser de cette communauté. Il y a trop de cinglés et de drogués qui viennent au pays de Galles.

Roy ne prit pas la peine de répondre. Dès qu'il avait vu cet homme, il lui avait radicalement déplu tant il était sectaire. Les occupants actuels de la ferme étaient, certes, indésirables, et aucune personne sensée n'aurait envie de les avoir pour voisins ; mais ils n'étaient pas représentatifs des gens qui décidaient de s'installer dans la région. Ce Gallois était persuadé que toutes les personnes vêtues de façon quelque peu excentrique étaient des drogués. Il ne comprenait pas que la beauté du pays de Galles suffisait à faire rêver des êtres sensibles élevés dans les grandes villes ; ou que le pays avait besoin de sang neuf, d'hommes et de femmes désireux de mener une existence paisible et d'élever leurs enfants à la campagne.

Roy quitta le lieu du crime à neuf heures pour se rendre au pub du village où il avait réservé une chambre. Il souhaitait prendre un bain chaud, dormir et oublier.

Mais il n'arriva pas à fermer l'œil. Beth l'obsédait. Comment avait-elle réagi aux aveux de Susan ? Il le savait par expérience, c'était souvent plus difficile pour les amis et la famille des meurtriers que pour le coupable. Parfois, ils se sentaient responsables ; ils éprouvaient un mélange d'amour, de haine, de honte et de pitié auquel ils n'arrivaient pas à faire face.

Roy aurait aimé appeler Beth, mais, même si elle acceptait de lui parler, que pouvait-il lui dire ? Susan avait été au cœur de leur relation, c'était elle qui les avait réunis puis séparés.

Beth n'aurait pas envie de l'entendre exprimer son dégoût à la découverte des corps, ni son admiration pour le stoïcisme de la brigade criminelle dans le froid glacial. Elle n'aurait pas envie non plus de songer à la réaction des parents de Zoé quand ils apprendraient la mort de leur fille unique.

C'était ce qui avait dressé un mur entre Roy et Meg, sa femme, après le décès de leur fils, Peter. Meg s'était complètement repliée sur son chagrin. Elle ne comprenait pas qu'il puisse continuer à faire un travail qui le confrontait souvent à des situations traumatisantes. Elle aurait voulu qu'il soit dans le même état qu'elle et ne pense qu'à leur fils. Roy était certes anéanti, mais il s'était repris. Meg ne le lui avait jamais pardonné. Pour elle, il avait ignoré la mort de Peter.

Beth n'avait pas le caractère de Meg, et la situation était très différente. Néanmoins, Roy avait conscience qu'une victime de viol avait beaucoup de difficulté à accorder sa confiance. Et comme il avait dirigé l'enquête qui avait débouché sur trois autres meurtres de Susan, elle devait se considérer comme trahie.

Si seulement il n'était pas policier ! songea-t-il en se recroquevillant dans son lit pour se réchauffer. Son travail ne se terminerait pas le lendemain, quand tous les ossements seraient emportés. Il ne s'achèverait que lorsque le verdict de culpabilité serait rendu. D'ici là, Beth risquait d'avoir perdu tout intérêt pour lui.

Le lendemain, Beth et Steven se retrouvèrent de bonne heure au cabinet afin de s'entretenir du procès avant l'arrivée de leur premier client. La veille au soir, la police avait informé Steven qu'ils avaient découvert les deux corps du pays de Galles, ainsi que celui de Luddington. Steven avait immédiatement téléphoné à Beth pour le lui annoncer, sachant que la nouvelle serait diffusée au journal télévisé de vingt et une heures, et que ces meurtres feraient la une des journaux du matin.

Steven avait étalé la presse sur son bureau. Le *Mirror* titrait : LES VICTIMES S'ACCUMULENT.

Beth parcourut rapidement l'article.

— Ils présentent l'affaire comme si on allait découvrir d'autres cadavres, constata-t-elle avec un soupir.

— Comme disait ma grand-mère : « Rien ne vaut un bon meurtre pour vendre les journaux. » C'était une spécialiste des procès pour homicide. Elle en dévorait les comptes rendus, car elle adorait se plonger dans la description du profil psychologique de l'accusé. Elle m'a peut-être influencé pour devenir avocat.

— À votre avis, qu'aurait-elle pensé de Susan ?

— Je ne sais qu'en penser moi-même. À certains moments, j'éprouve de la colère à son égard ; ensuite, elle me fait pitié. Je comprends sans comprendre. Je persiste à croire qu'elle nous cache quelque chose, une chose très importante.

— Nous ne parvenons pas à la cerner. Qu'éprouvait-elle en commettant ses meurtres ? Vous pourriez le lui demander, suggéra Beth.

— Je ne suis pas sûr de vouloir le savoir. Elle m'a déjà donné assez de cauchemars.

— Je parie que vous regrettez de l'avoir pour cliente. C'était un cadeau empoisonné, n'est-ce pas ?

— Quand j'étudiais le droit, je croyais qu'un avocat de la défense sauvait les innocents de la prison, avoua Steven en souriant faiblement.

Il était bouleversé et, vu la profondeur des cernes sous ses yeux, il ne dormait pas beaucoup la nuit.

— J'étais comme vous. Je m'imaginais en championne

des opprimés… Essayez quand même de lui extirper ce qu'elle ne vous a pas révélé. Cela nous permettra peut-être de la comprendre.

— Je la vois demain, annonça Steven d'un air sombre. Je ferai de mon mieux, mais ne vous attendez pas à des merveilles.

En se rendant à la prison, Steven se dit qu'il devait envisager cette affaire froidement. Il ne pouvait se permettre de passer autant de temps à s'inquiéter pour Susan, d'autres clients avaient besoin de lui. C'était au psychiatre d'analyser son état mental, son propre rôle se bornait à lui assurer un procès équitable.

Il ne commença pas trop mal.

— Vous avez été informée que la police a déterré les corps. Y a-t-il autre chose dont vous souhaitiez me parler ?

— Vous avez l'air fatigué. C'est à cause de moi ?

Il fut déconcerté, mais cela lui ressemblait bien de se préoccuper des autres alors qu'elle se trouvait en si mauvaise posture.

— Absolument pas, répondit-il aussitôt. Je travaille très dur ces temps-ci et je manque de sommeil.

— Ne mentez pas, fit-elle avec calme. Je comprends tout à fait ce que vous ressentez.

À son regard inquiet, Steven vit qu'elle était sincère et il en fut extrêmement ému.

— Cela fait partie de mon travail, constata-t-il en haussant les épaules.

— Plus maintenant. Je désire prendre un autre avocat.

— Mais pourquoi, Susan ? s'écria-t-il, stupéfait. Vous en avez le droit, bien entendu. Mais j'exige que vous me donniez une raison valable. Nous avons traversé tant d'épreuves ensemble !

Sa lèvre inférieure trembla.

— Disons que vous êtes trop impliqué, répondit-elle d'une petite voix. Je veux être défendue par quelqu'un de totalement neutre.

— C'est ridicule ! répliqua-t-il, indigné.

— Vous pensez ? Vous allez perdre, monsieur Smythe. Quoi qu'il arrive, je serai condamnée à perpétuité. Je l'accepte. Mais vous-même n'en serez pas capable. Voilà pourquoi je désire prendre un autre avocat.

Il soupira. Sa franchise le touchait, et il éprouvait un profond soulagement, même s'il avait voulu la défendre jusqu'à la fin.

— Si vous le désirez vraiment, je n'ai qu'à me soumettre à votre décision.

— Ce sera beaucoup mieux pour nous deux, assura-t-elle d'un ton plus léger. Vous êtes un hypersensible, comme moi. Si vous souhaitez continuer dans le droit criminel, vous devez vous endurcir.

— En général, je garde la tête froide, rétorqua-t-il. Votre cas est différent.

— Vous voulez comprendre, pas vrai ? demanda-t-elle avec un faible sourire. J'aimerais vous aider, mais j'ai bien peur que ce soit impossible.

— Pourriez-vous essayer ?

— La mort de Liam est facile à expliquer, déclara-t-elle avec un soupir. C'est arrivé par accident. J'avais tellement souffert ! Je n'ai pas supporté de le perdre et je l'ai poignardé, poussée à bout. Pour la suite, je suppose qu'une fois qu'on a vu une personne morte, et qu'on l'a enterrée sans être attrapé, on n'a plus peur de tuer. Et on peut recommencer.

Elle marqua une pause, l'air songeur.

— Nous ignorons de quoi nous sommes vraiment capables tant que nous ne sommes pas submergés par la colère ou la peur. Dans ces moments-là, c'est comme si une autre personne agissait à votre place. Si je n'avais pas tué

Liam, je n'aurais pas supprimé les autres... Mais si je n'avais pas tué Liam, je ne serais jamais tombée sous l'emprise de Reuben.

— Qu'est-ce qui vous fait dire ça ?

— Je n'aurais pas eu autant besoin d'attention et d'affection. J'étais bourrée de culpabilité, car je considérais déjà la mort d'Annabel comme une punition divine.

Soudain, elle se leva pour mettre fin à l'entretien.

— Merci pour tout ce que vous avez fait pour moi, monsieur Smythe, dit-elle en lui tendant la main. Et vous avez fait beaucoup, même si vous n'en avez pas conscience.

Steven lui serra la main. Il la trouva aussi altière qu'une duchesse remerciant ses domestiques.

— N'ayez plus de cauchemars à mon sujet. Consacrez-vous à votre femme et à votre famille.

Steven resta sans voix devant autant de dignité.

— Je vous souhaite bonne chance, parvint-il à articuler.

— J'ai écrit une lettre à Beth, lança-t-elle en sortant une enveloppe de la poche de son pantalon. Vous voulez bien la lui donner de ma part ?

Steven acquiesça.

— Prenez soin de vous, Susan. Quoi qu'il arrive, je penserai à vous. C'est plus fort que moi.

— N'envoyez personne de votre cabinet, conclut-elle avant de faire signe à la gardienne postée à l'extérieur qu'elle voulait sortir. Je désire un avocat n'ayant aucun lien avec vous.

Beth venait de rentrer chez elle quand la sonnette de la porte d'entrée retentit.

Elle décrocha le combiné de l'interphone.

— C'est Steven. Je viens juste déposer une lettre de Susan. Il faut que je file, je suis en retard, mais j'ai pensé que vous aimeriez l'avoir tout de suite.

Beth descendit les marches quatre à quatre, en espérant le rattraper. Il était déjà reparti. Elle se baissa pour prendre l'enveloppe sur le paillasson et l'ouvrit tout en remontant l'escalier.

Chère Beth,

Tu liras peut-être cette lettre avant que M. Smythe t'informe que je l'ai renvoyé. Mais cela n'a pas vraiment d'importance, car je sais que tu comprendras pourquoi, même si lui a du mal à l'accepter.

Je ne veux plus jamais te revoir. S'il te plaît, ne viens pas au procès et n'essaie pas de me rendre visite ou même de m'écrire. Cela ne nous ferait aucun bien.

Beth rentra dans son appartement et alla s'asseoir dans le salon pour poursuivre sa lecture.

Je chérirai toujours ce que nous avons partagé dans notre enfance. Je désire que ces bons souvenirs restent intacts. Peux-tu le comprendre ? C'était un tour cruel du destin de nous réunir dans de telles circonstances. Toi si brillante, et moi pratiquement à la rue. Mais je crois qu'il y a une raison derrière toute chose ; dans notre cas, ces retrouvailles m'ont permis de prendre conscience de mes actes, et elles t'ont obligée à affronter ton passé.

J'ai raconté à ton policier que tu avais été violée. Peut-être l'as-tu appris. Je l'ai fait pour le blesser et l'humilier, et j'y ai pris plaisir.

Je sais que ça va t'étonner, tout comme mes aveux concernant les autres meurtres. Tu ne m'as jamais crue capable d'autant de cruauté et d'esprit de vengeance. Mais je suis comme ça.

Je suis incapable de dire avec précision à quel moment j'ai changé. La transformation s'est sans doute opérée sur plusieurs années. Je me souviens d'en avoir voulu énormément à mon père et à mon frère. J'étais tendue comme un ressort. Je t'ai parlé du chantage affectif mais il n'y avait pas que ça. J'avais peur d'eux, surtout de Martin. Quand mon père lui a tout légué, je ne l'ai pas supporté. Sans la présence de Liam, je suis persuadée que c'est Martin que j'aurais tué : le ressort était déjà sur le point de se casser à cette époque-là.

Si seulement j'avais tué Martin ! J'aurais débarrassé le monde d'un être cruel et malfaisant. Je serais allée me rendre directement à la police, j'aurais été punie, et justice aurait été faite.

Mais j'ai tué l'homme que j'aimais. Et plus tard j'ai perdu Annabel, ce qui m'a complètement anéantie. Ensuite, Reuben est entré dans ma vie, et j'ai pensé que l'on me donnait l'occasion de me racheter.

En écrivant cette lettre dans ma cellule, je n'arrive pas à expliquer pourquoi j'ai ressenti le besoin de tuer Reuben et Zoé. Mais la colère éprouvée envers Martin et mon père, la perte d'Annabel et le meurtre de Liam se mêlaient à l'humiliation et à la souffrance que ces deux-là me faisaient endurer. Je devais leur montrer qu'ils ne pouvaient pas me traiter de la sorte en toute impunité.

Si leur meurtre m'a hantée, je ne me suis jamais sentie coupable. J'ai même éprouvé une grande allégresse. J'étais toute-puissante : pour la première fois de ma vie, j'étais maîtresse d'une situation.

De retour à Bristol, j'ai cru que je conserverais cette force nouvellement acquise. Je m'imaginais trouvant un bon emploi et une maison agréable. Mais mes vêtements étaient miteux, j'étais fauchée, et tout me rappelait Annabel.

J'étais dans un cercle vicieux. Sans vêtements soignés, je ne pouvais décrocher un emploi convenable ; et sans travail, je n'avais pas d'argent pour en acheter. Ma paie de femme de ménage couvrait à peine le loyer et la nourriture. Il n'y avait pas d'issue.

Si je n'avais pas aperçu le Dr Wetherall avec cette garce blonde, je m'en serais peut-être sortie. Mais les voir ensemble m'a rappelé qu'ils étaient responsables de la mort d'Annabel. Ils sont devenus mon centre d'intérêt. Les suivre m'a donné une nouvelle raison de vivre. Je savais tout de leur vie quotidienne. Après le travail, ils marchaient jusqu'au pub Adam et Ève pour boire un verre. Je m'asseyais dans un coin, dissimulée derrière un journal ; ils se dévoraient des yeux, ils ne m'ont donc jamais prêté attention. J'ai réfléchi à de nombreux moyens de les faire souffrir : informer leurs conjoints respectifs, peindre Adultères *sur la porte du centre médical ; j'ai même envisagé de tuer l'un de leurs enfants. Les gens pensaient que j'étais alcoolique, mais je n'étais accro qu'à une chose : la vengeance.*

Une partie de moi était effrayée par les sentiments que j'éprouvais. Je sais que j'avais perdu la tête, mais je n'avais personne à qui me confier. Le soir, lorsque j'allais nettoyer les bureaux, j'avais les clés et je ne rencontrais jamais personne. Tous les vendredis, on me laissait mes gages dans l'entrée. J'étais comme un petit animal nocturne menant une vie secrète. J'étais tellement seule ! Quand je prenais une bouteille de vin pour m'asseoir sur la place, j'espérais provoquer une réaction, qu'on m'arrêterait ou qu'on m'emmènerait dans un hôpital psychiatrique. Mais nul n'a jamais pris la peine de m'adresser la parole.

Quelques jours avant de les supprimer, je suis tombée malade. Je frissonnais dans le lit de cette chambre lugubre, sachant que si je mourais, des semaines s'écouleraient avant qu'on découvre mon corps. La prison m'a soudain semblé préférable à ce que je vivais, et j'ai abandonné toute idée de cacher les meurtres. Les tuer en public était plus simple et plus spectaculaire. Tout le monde saurait pourquoi je les avais supprimés, et je me fichais de ce qui m'arriverait par la suite.

Si on m'avait attribué un autre avocat, je n'aurais eu aucun remords. Mais tu es apparue – et avec toi les souvenirs, les sentiments, les espoirs et les rêves que j'avais eus un jour. Tu m'as fait réfléchir à ce que j'étais devenue. À cause de toi, M. Smythe s'est soucié de moi, et ensuite l'inspecteur principal Longhurst. Pendant des années, c'était ce que j'avais désiré, mais c'est arrivé trop tard : le mal était fait.

Malgré ce que tu penses, je suis dangereuse. J'ai besoin d'être mise sous les verrous. Oublie-moi, Beth. Continue ta vie, trouve le bonheur. Je serai heureuse si, dans ma cruauté, j'ai été le catalyseur qui t'a donné la force de te libérer de la souffrance de ton passé.

Tu te souviens de nos plaisanteries d'adolescentes quand nous avions peur de « faire tapisserie » ? En vérité, nous étions persuadées que ça ne nous arriverait jamais. J'imaginais qu'à seize ans je me transformerais miraculeusement en une beauté mince et délicate, et que les garçons se battraient pour sortir avec moi. Je voyais un mariage en longue robe blanche, avec toi comme témoin ; et plus tard, quand j'aurais été entourée d'une kyrielle d'enfants, tu serais venue nous rendre visite dans le rôle de la tante préférée.

Laquelle de nous deux a été la plus pitoyable ? Moi, qui me suis montrée trop faible pour m'affirmer, puis qui me suis transformée en tueuse ? Ou toi, belle et intelligente, traumatisée par le viol de trois brutes qui t'ont empêchée de trouver le bonheur et l'amour ?

Il est temps pour toi de ne plus faire tapisserie. Jette-toi dans la vie ! Fais-le pour moi, Beth.

Avec mon souvenir affectueux,

Susan

Beth s'était mise à pleurer bien avant d'avoir fini la lettre. Ensuite, elle gagna sa chambre, se jeta sur son lit et sanglota comme une adolescente.

Pour la plupart des gens, l'explication de Susan n'aurait pas été suffisante. À Beth, cette lettre donnait les réponses qu'elle avait cherchées. Et si leurs vies avaient été aux antipodes l'une de l'autre, le cœur en avait été similaire : Beth savait comment la solitude faisait tourner l'esprit à vide et vous empêchait de communiquer avec les autres, elle savait que la souffrance et l'humiliation avaient le pouvoir de pousser à bout.

Beth avait haï son père ; Susan, son frère. Des expériences traumatisantes les avaient marquées au fer rouge. Beth avait eu plus de chance, car sa profession l'avait rendue indépendante. Mais elle était liée à son passé comme Susan l'avait été à sa mère.

Une heure plus tard, elle pleurait encore quand la sonnette de la porte d'entrée retentit. Pensant que c'était Steven, elle se leva pour répondre.

C'était Roy.

Elle ne pouvait refuser de le recevoir. Peut-être avait-il un message urgent à lui transmettre ?

Pendant qu'il montait l'escalier, elle se passa de l'eau sur le visage, mais elle n'eut pas le temps d'effacer les traînées noires de son mascara, ni la rougeur de ses yeux.

Roy la regarda, puis l'enlaça dans le petit vestibule.

— Il fallait que je vienne, murmura-t-il dans ses cheveux. L'idée de passer un autre jour sans vous voir était insupportable !

— Je vous avais demandé de ne pas m'approcher jusqu'à ce que cette affaire soit terminée, hoqueta-t-elle en essayant de le repousser.

— Je sais, dit-il en resserrant son étreinte. Mais nous avons tous les deux besoin de réconfort.

Beth capitula. Elle n'avait plus assez d'énergie pour se disputer avec lui. Elle lui tendit la lettre de Susan pour qu'il comprenne son désarroi.

Elle l'observa pendant qu'il la lisait. Si elle surprenait la moindre trace d'expression sarcastique sur son visage ou s'il se permettait une seule remarque cinglante, elle le mettrait à la porte. À son grand étonnement, elle vit une larme couler sur sa joue.

Elle en fut attendrie ; cet homme rude ne devait pas pleurer souvent.

Il leva la tête, les yeux embués de larmes.

— Elle est très digne, remarqua-t-il d'une voix brisée par l'émotion. Elle ne s'apitoie pas sur elle-même, et ne désire pas s'accrocher à vous comme à une bouée de sauvetage.

— Vous n'avez rien de cynique à ajouter ?

Roy lui prit la main et la fit s'asseoir à côté de lui sur le canapé.

— Comment pourrais-je être cynique ? Elle est sincère. Elle vous a même écrit ce qu'elle m'avait révélé et dans quel but.

— Mais vous l'avez arrêtée. Vous avez assisté à la découverte des corps. Vous avez rencontré la mère de Zoé. Ce serait normal que vous la haïssiez !

— Je n'approuve pas ce qu'elle a fait, cependant cela ne m'empêche pas de reconnaître ses qualités. Elle aurait pu devenir quelqu'un de bien, si le sort ne s'était pas acharné sur elle.

— Quand vous a-t-elle parlé de moi ?

— Vendredi dernier. Nous avions interrompu l'interrogatoire ; lorsque nous l'avons repris dans l'après-midi, elle a souhaité faire des aveux complets.

— J'allais vous le révéler affirma Beth en se remettant à

pleurer. J'ai tellement honte que vous l'ayez appris de cette façon !

Roy la serra contre lui, et elle posa sa tête contre sa poitrine.

— Vous n'avez pas à avoir honte. J'ai toujours pensé que c'était quelque chose dans ce genre, murmura-t-il contre son front. Et si vous me le racontiez, maintenant ?

— Vous êtes épuisé, chuchota-t-elle pour se dérober.

— Vous avez gardé ce secret en vous si longtemps. Vous serez mieux après, l'encouragea-t-il gentiment.

Beth se lança dans le récit détaillé du traumatisme qu'elle avait subi, et elle sentit qu'enfin elle allait pouvoir tourner la page. La réaction indignée et la tendresse de Roy agissaient comme un baume sur ses blessures.

— Ce n'est pas étonnant que vous méprisiez votre père ! s'écria-t-il en tapant du poing sur l'accoudoir du canapé. Quel salaud ! S'il n'était pas aussi vieux, j'irais le voir dans sa maison de retraite pour lui donner une bonne raclée.

— Il n'a plus toute sa tête, à présent, déclara-t-elle avec un rire creux. Mais ce n'est pas tout, Roy : ce viol m'a rendue frigide.

Ces mots qu'elle n'avait jamais prononcés retentirent dans la pièce avec une densité incroyable. Elle ferma les yeux pour ne pas voir sa déception.

La main de Roy se posa sur sa joue, qu'il caressa, puis il l'embrassa tendrement.

— Eh bien, nous y travaillerons. En ce qui vous concerne, je suis très patient. Si nous ne pouvons vivre qu'une relation platonique, je m'en accommoderai plutôt que de vous perdre.

Roy rentra chez lui après avoir fait une omelette, et insisté pour que Beth prenne un bain et se couche de bonne heure. Elle voyait bien qu'il était épuisé, mais il avait traité cette fatigue à la légère, disant qu'il y était habitué.

Il ne lui avait pas suggéré de consulter un psychiatre, ainsi qu'elle l'avait redouté ; et il n'avait pas parlé des fouilles au pays de Galles, comme s'il avait décidé que séparer le passé du présent était la seule façon de construire l'avenir. En partant, il l'invita à venir le samedi à son cottage.

Beth se réveilla d'un rêve érotique dans lequel Roy lui faisait l'amour dans les bois.

Il était tellement intense et réaliste que tout son corps tremblait et qu'elle était couverte de sueur. Pour la première fois de sa vie, elle avait eu un orgasme. Elle referma les yeux pour se replonger dans cette sensation délicieuse, mais ce n'était plus pareil.

Incapable de se rendormir, elle alluma la lumière et regarda le réveil. Il était cinq heures.

Elle sut aussitôt ce qu'elle voulait faire. Si elle étouffait son impulsion, elle risquait de ne plus jamais la suivre. Elle bondit de son lit, enfila son manteau sur sa chemise de nuit, mit ses pantoufles, prit les clés de sa voiture et sortit.

En arrivant à l'entrée du village de Queen Charlton, elle se rendit compte qu'elle ne connaissait pas l'adresse de Roy. Elle s'arrêta à un croisement, hésitant sur la direction à prendre. Il faisait noir comme dans un four, il n'y avait pas de réverbères, et la plupart des cottages n'avaient pas de lumière à l'extérieur.

À sa droite, se trouvait l'église, et elle savait que la route continuant tout droit conduisait à Keynsham. Roy lui en aurait parlé s'il y avait habité. Il ne restait donc plus qu'un sentier sur sa gauche, dont un panneau indiquait que c'était un cul-de-sac.

Beth s'y engagea au pas, en regardant chaque cottage. Ils

étaient trop majestueux et ne correspondaient pas à la description que Roy lui avait faite du sien. Si on la voyait, on risquait de penser qu'elle était un cambrioleur et d'appeler le commissariat. Elle sourit en se figurant qu'on l'arrêtait alors qu'elle était en chemise de nuit et cherchait un policier.

À cet instant, elle aperçut la voiture de Roy, au bout du sentier, devant un cottage de belle allure. Elle se gara derrière, sortit et ferma la portière très doucement. Ensuite, sur la pointe des pieds, elle gagna la porte d'entrée.

Ses yeux s'étaient habitués à l'obscurité. Elle distingua la haie autour du jardin qui donnait sur des champs. C'était très calme comparé à l'endroit où elle vivait. Mais il faisait un froid glacial, et le vent s'introduisait sous son manteau et le long de ses jambes nues.

Ne voyant pas de sonnette, Beth frappa. La maison resta plongée dans l'obscurité, et elle commença à se dire qu'elle était folle. Elle frappa à nouveau, plus fort cette fois-ci ; comme elle n'obtenait toujours pas de réponse, elle fit le tour de la maison, en songeant que la chambre de Roy était sans doute orientée du côté de la campagne.

Une seule pièce avait des rideaux tirés au premier étage ; elle jeta une poignée de gravillons contre la fenêtre. Sans succès. Elle renouvela l'opération. En vain.

Elle allait retourner à sa voiture quand elle remarqua l'arbre, un pommier ou un cerisier d'après sa taille et sa forme. Il était éloigné de la fenêtre mais, en y grimpant, elle arriverait bien à secouer une branche contre la vitre.

Elle rit intérieurement. Enfant, elle était la meilleure de son village pour grimper aux arbres ; cependant elle n'avait pas tenté l'expérience depuis une trentaine d'années, et jamais dans le noir. Mais à présent elle était capable de tout : grimper, voler ou faire des claquettes devant sa porte. Elle se sentait enfin libre.

Il n'y avait aucune prise à la base du tronc. Elle repéra

la branche la plus basse, à une soixantaine de centimètres seulement au-dessus de sa tête. Elle sauta et l'attrapa. En se balançant d'une main sur l'autre, elle parvint au tronc. Son manteau la gênait, ses pantoufles tombèrent, et le vent cinglait ses jambes et ses fesses nues ; imaginer l'étonnement de Roy quand il se réveillerait pour la découvrir dans l'arbre lui insuffla cependant le courage de continuer. Elle prit appui sur le tronc et se hissa sur une grosse branche.

Elle appuya ensuite doucement sur une branche transversale pour voir si celle-ci supporterait son poids, puis elle s'y engagea en se tenant à celle du dessus. Elle progressa lentement, et fut bientôt assez près de la fenêtre pour cogner une petite branche contre la vitre.

— Roy, souffla-t-elle, Roy !

Elle était frigorifiée mais le ridicule de la situation la fit pouffer de rire. Elle imaginait des gros titres de journaux : UNE AVOCATE, LES FESSES À L'AIR, TENTE D'ENTRER PAR EFFRACTION CHEZ UN POLICIER...

Elle tira la branche en arrière avant de la laisser retomber lourdement contre le carreau. Cette fois, le bruit fut beaucoup plus fort, et un chien se mit à aboyer. Que ferait-elle si un voisin se présentait ?

Soudain, Roy tira les rideaux et regarda dehors.

Elle éclata de rire en voyant sa mine ahurie. Elle devait ressembler à une sorcière, perchée dans cet arbre, avec son visage blanc et ses cheveux noirs. Il ouvrit la fenêtre.

— Beth ? s'enquit-il comme s'il n'en croyait pas ses yeux.

— Oui, c'est moi, essayant d'entrer chez vous par effraction, chuchota-t-elle en gloussant.

— J'ai bien envie de vous laisser là-haut.

— Je crierai, et tous vos voisins accourront. Et, je vous avertis, je n'ai qu'une chemise de nuit sous ce manteau, rien d'autre.

Il disparut et, en un clin d'œil, se trouva sous l'arbre, en robe de chambre, les jambes nues.

— Comment êtes-vous arrivée à grimper ?

Beth descendit le long du tronc jusqu'à la première branche qui lui avait servi de prise. Elle s'assit dessus et lui tendit les bras.

— Attrapez-moi !

Ce qu'il fit sans effort, avant de la serrer contre lui.

— Quelle folie ! murmura-t-il. Pourquoi ne pas m'avoir téléphoné ?

Il la porta à l'intérieur du cottage comme si elle était aussi légère qu'une plume.

— Vous n'auriez pas fait ça, si je vous avais averti de mon arrivée.

— Vous mériteriez une bonne fessée ! s'écria-t-il d'un ton faussement sévère en la déposant près du radiateur, qu'il alluma aussitôt. La maison est glaciale car j'ai été absent. Je me suis mis au lit sitôt arrivé.

— Eh bien, si nous y allions tout de suite avant qu'il ne refroidisse ? suggéra Beth en se levant et en lui tendant la main.

Le visage de Roy se fendit d'un large sourire, et Beth fut contente qu'il ne lui demande pas si elle était sûre de le vouloir. Il saisit sa main, la porta à ses lèvres et l'embrassa.

— Veuillez me suivre, annonça-t-il en la conduisant vers l'escalier.

Une fois dans la chambre plongée dans l'obscurité, il enleva sa robe de chambre et Beth vit qu'il portait un caleçon. Puis il lui retira son manteau, la mit au lit et l'enveloppa dans l'édredon.

— Tu es gelée ! s'exclama-t-il quand il la prit dans ses bras. Je vais devoir pratiquer le bouche-à-bouche et te frictionner.

Elle n'eut ni peur ni appréhension, car sa façon à la fois douce et efficace de la masser pour la réchauffer lui correspondait tout à fait. Elle fondait sous ses baisers, et son corps s'emboîtait naturellement dans le sien.

Il attendit qu'elle presse sa poitrine contre son torse pour lui toucher les seins, et elle ressentit alors l'excitation qu'elle avait éprouvée à seize ans lorsqu'un garçon l'avait caressée dans un champ de blé.

Chacun de ses gestes était tendre et doux. Beth se laissa emporter dans un monde de sensations si nouvelles et si belles que le passé s'évanouit. C'était comme dans son rêve, mais en plus sensuel et plus enivrant. Elle désirait que ça ne s'arrête jamais. Elle n'arrivait pas à croire qu'elle avait enfin rencontré un homme capable de réveiller ses sens.

— Dis-moi ce que tu préfères, chuchota Roy.

— Impossible, tout est tellement merveilleux ! répondit-elle avec un soupir Mais montre-moi aussi comment te donner du plaisir.

— Je suis heureux de te faire du bien, répondit-il en léchant ses mamelons et en caressant son sexe avec ses doigts. Je t'aime, Beth, je veux te garder à mes côtés.

Roy continua à jouer avec son corps comme un artiste virtuose, et soudain, une vague de plaisir intense la submergea. Elle comprit qu'elle avait un orgasme.

Ensuite, il la pénétra et elle épousa son rythme en criant son nom et en le priant de la prendre plus fort. Elle n'avait jamais connu d'expérience aussi exquise.

La lumière grise de l'aube filtrait à travers les rideaux tandis qu'ils étaient allongés dans les bras l'un de l'autre, entre veille et sommeil.

— Il faut que j'aille travailler, fit Beth tristement.

— Non, répliqua-t-il. Dis que tu es malade et reste avec moi.

— Mais j'ai des rendez-vous et…

Roy lui scella la bouche par un baiser.

— Ce sont des voleurs et des voyous, ils peuvent attendre un jour de plus. Et tu ne peux pas rentrer chez toi en plein jour en chemise de nuit et pantoufles.

Beth n'y avait pas pensé.

— Qu'est-ce que je fais, alors ?

— Je vais téléphoner pour toi. Je mens très bien quand il le faut, assura-t-il en riant. Nous paresserons au lit jusqu'au déjeuner, après j'irai au supermarché acheter de quoi manger et des vêtements pour toi.

— Je sens que je couve une très grave maladie, déclara-t-elle en se pelotonnant dans le lit. J'ai l'impression que je mettrai des semaines à me rétablir.

— Et je crois que tu me l'as déjà refilée, renchérit-il en tirant l'édredon au-dessus de leurs têtes. On risque de ne plus jamais pouvoir sortir de ce lit.

Steven sourit en reposant le combiné du téléphone après avoir parlé à Roy. La prétendue crise de foie de Beth suite à un dîner chez lui ne tenait pas debout. Il devina qu'il s'agissait d'une maladie d'amour.

Il était content pour Beth. Il se réjouissait qu'une belle histoire naisse de cet effroyable gâchis avec Susan. Par ailleurs, sans elle, il n'aurait pas appris à connaître sa collègue, Anna continuerait à boire et leurs filles seraient malheureuses.

Il se leva pour aller informer son patron que Susan l'avait révoqué et que Beth était malade. Ça ne lui plairait pas, mais Steven s'en fichait. Une chose était sûre : en droit criminel, on ne manquait jamais de clients. Il espérait seulement que si une autre Susan se présentait, elle ne le bouleverserait pas autant.

21

— Qu'est-ce qui te fait sourire, Fellows ?

Susan regarda la gardienne qui lui ouvrait la porte. Bagnell, ou Baggy, comme l'appelaient les filles, était une bonne matonne. Elle n'était pas brutale, ni lesbienne. Elle venait souvent dans la cellule de Susan pour discuter avec elle. Elle aimait jardiner et s'occupait des serres de la prison.

— Je reviens d'un entretien avec mon avocat, répondit Susan. Mon procès aura lieu début juillet.

On était en avril. Susan avait déjà passé six mois en détention provisoire à Oakwood Park.

— Après, tu ne seras pas renvoyée ici, tu le sais ?

Grande et forte, Baggy avait des cheveux blonds aux boucles serrées et une tache de vin sur la joue. Susan la soupçonnait d'avoir choisi ce métier pour se cacher.

— Tu seras sans doute transférée à Durham. Ce n'est pas une partie de plaisir, j'y ai travaillé quelque temps.

— Je serai sage et on m'expédiera ailleurs, rétorqua Susan avec désinvolture.

Elle n'avait plus peur de la prison. Elle savait comment se comporter, à présent. Après son séjour en cellule d'isolement, on l'avait installée seule. La nouvelle s'était répandue qu'elle avait failli tuer Frankie, et les plaisanteries et la méchanceté avaient cessé comme par miracle. Puis Baggy l'avait embauchée pour travailler dans les serres, et passer deux heures par jour en plein air à s'occuper de plantes lui avait changé la vie. De plus, comme elle avait à présent des lunettes, elle pouvait lire.

— Tu es la seule femme que j'aie rencontrée qui n'a pas peur de passer en jugement, poursuivit Baggy avec une pointe d'admiration dans la voix.

— Pourquoi aurais-je peur puisque je connais déjà le verdict ? Je serai condamnée à perpétuité, il n'y a rien d'autre à ajouter.

— Ça ne t'angoisse pas ?

— Rien n'existe pour moi à l'extérieur, répliqua-t-elle avec un haussement d'épaules. Si on me libérait demain, je ne saurais pas où aller. Au moins, en prison, des gens se soucient de moi : je suis au chaud, on me nourrit et j'ai de la compagnie. Je me suis même habituée au bruit.

— Comment est ton nouvel avocat ? s'enquit Baggy en s'engageant dans le couloir avec Susan.

De nombreuses gardiennes aimaient Steven Smythe ; que Susan l'ait révoqué les intriguait. D'autant que celle-ci n'avait pas donné d'explication, et que Smythe prenait toujours la peine de leur demander de ses nouvelles quand il venait voir une cliente. Parfois, il apportait aussi des livres ou des bonbons pour elle.

— Franklin est O.K. Il n'est pas du style à te faire battre le cœur, ajouta Susan avec un petit rire en songeant à son nouvel avocat grassouillet, au visage jovial. Ce que j'apprécie, c'est qu'il me prend comme je suis.

— Dis-moi pourquoi tu n'as plus voulu de l'autre type. Smythe est pourtant sympa.

— Il est trop sympa, c'est son problème, déclara Susan avec un nouveau rire. Si je l'avais gardé, j'aurais fini dans un asile pour psychopathes.

Elles étaient arrivées devant sa cellule, et Susan y entra le sourire aux lèvres. Baggy lui apportait régulièrement des magazines sur le jardinage, et elle avait découpé des photos de fleurs qu'elle avait fixées au mur avec du dentifrice pour égayer la pièce. On lui avait raconté que dans certaines prisons, les condamnées à perpétuité pouvaient avoir une couette, une lampe de chevet et même un téléviseur. Du coup, elle se moquait de quitter Oakwood Park.

— Au début, je pensais que tu étais folle, reconnut Baggy. Pas à cause de ton comportement mais...

Elle s'arrêta net.

— À cause de ce que j'ai fait, c'est ça ? lui lança Susan. Non, je n'étais pas folle, mais poussée à bout. Si tu regardes bien, il y en a beaucoup comme moi, ici. Heureusement pour elles, elles ne sont pas allées aussi loin que moi.

— Dis-moi, tu regrettes maintenant ?

— Sincèrement ?

— Juste entre nous.

— Non, je ne regrette rien. Enfin si, pour le premier meurtre, qui était un accident. Mais je n'éprouve aucune culpabilité pour les quatre autres.

Baggy hocha la tête avec perplexité.

— Tu es bizarre. En tout cas, pour ton bien, je te conseille de mentir à ton procès... Maintenant, il faut que je t'enferme.

Susan s'assit sur son lit pendant que la porte se refermait. Oui, elle était bizarre, car en général les femmes ici mentaient sur les raisons de leur emprisonnement. Elles disaient « escroquerie » alors qu'il s'agissait de vol à la tire, ou elles racontaient qu'elles avaient attaqué un homme et qu'elles étaient là pour coups et blessures alors qu'elles avaient maltraité leur enfant. En ce qui la concernait, elle ne voyait pas pourquoi elle dissimulerait les faits : comme elle avait avoué, c'était réglé. Elle n'avait plus à se ronger les sangs en se demandant quand on l'arrêterait.

La plupart des détenues qu'elle avait connues étaient parties, y compris Frankie ; mais presque tous les jours, il en arrivait de nouvelles. Susan les entendait pleurer la nuit et elle compatissait, surtout pour les jeunes. À dix-huit ans, ce n'étaient encore que des enfants. Abandonnées, elles étaient passées de famille d'accueil en foyer pour enfants, et terminaient ici, décharnées par l'usage de stupéfiants. Souvent, elles savaient à peine lire et écrire ; certaines avaient un bébé qu'on leur avait enlevé, d'autres étaient enceintes. Susan s'apitoyait sur leur sort, mais elle ne parvenait pas à pleurer sur ses propres crimes.

À quoi bon éprouver des remords ? Elle essayait plutôt d'aider celles qui en avaient besoin. Écrire des lettres, les écouter parler de leurs angoisses, empêcher les autres de les brutaliser, ça c'était utile. Les remords n'allaient pas ressusciter les morts, cela ne changerait rien pour personne.

Susan se dirigea vers la fenêtre et monta sur les toilettes pour regarder à travers les barreaux. Sa cellule offrait une vue sur la cour. Il y avait un parterre tout au fond, avec des tulipes rouges et jaunes. Avant de partir, elle espéra voir en fleurs les pétunias et les impatiens qu'elle avait repiqués.

Est-ce que Beth s'était mise au jardinage ? Lors de sa précédente visite, M. Franklin lui avait donné un message de M. Smythe. Il écrivait que Beth passait tout son temps libre au cottage de son policier. Il pensait qu'ils ne tarderaient pas à se marier.

« Je l'espère pour toi, Beth. Sois heureuse, je le suis, maintenant », murmura Susan entre ses dents.

Elle ne se faisait pas d'illusions sur elle-même. Quand elle s'était retrouvée seule, à la mort de ses parents, elle aurait pu postuler pour un emploi dans un pensionnat ou étudier pour être infirmière. Mais, sans Liam, elle n'aurait jamais connu les joies de la maternité. Ces quatre années demeuraient les plus belles de sa vie. Elle avait connu le bonheur absolu et elle était satisfaite.

Ici, elle n'avait plus à lutter et plus d'angoisses. Elle aimait le rythme régulier de la prison et le sentiment de sécurité qui en découlait. En réfléchissant, elle se disait que c'était le manque d'une structure rigide dans sa vie qui l'avait déséquilibrée à la mort de ses parents.

Son futur lieu d'incarcération risquait d'être plus dur qu'Oakwood Park, mais elle connaissait toutes les ficelles maintenant, et savait comment s'y prendre pour être transférée dans une prison plus agréable. Rien ne serait jamais aussi horrible que d'habiter dans la chambre froide et humide de « Belle Vue ».

En mai, le cerisier dans lequel Beth avait grimpé était en fleur. Par un samedi après-midi chaud et ensoleillé, elle prenait le soleil avec Roy sur la pelouse. Allongés sur une couverture, ils parlaient de leur prochain mariage.

Roy était en short. Il avait essayé de persuader Beth d'enlever sa robe pour se mettre en bikini et elle avait refusé, gênée par la blancheur de sa peau. Mais elle s'était décidée à se rendre dans un solarium à l'heure du déjeuner, pour obtenir un léger hâle.

— Je ne me marierai pas en blanc, ce serait ridicule, protesta-t-elle.

— Pourquoi ? Parce que nous n'avons plus l'âge ?

Depuis cette nuit de février, ils passaient tous leurs loisirs ensemble. Le cottage de Roy était devenu peu à peu la demeure principale de Beth, elle n'occupait son appartement qu'occasionnellement, quand elle restait tard au bureau. Même lorsque Roy était de service de nuit ou qu'il s'absentait deux jours, elle préférait le calme du cottage. La vue sur les champs n'était peut-être pas aussi spectaculaire que celle de ses baies vitrées sur Bristol, mais à ses yeux elle était beaucoup plus attachante. Depuis quelques semaines ils envisageaient de se marier, et Beth était aussi emballée que Roy par cette perspective.

— Je crois que je trouve ça ridicule à cause de toute l'organisation que ça demande. C'est trop de travail.

— On n'a pas besoin d'en faire des tonnes. On peut faire ça à l'église du village avec ta famille, quelques membres de la mienne qui savent se tenir et des amis.

Beth éclata de rire. Roy se faisait toujours un peu de souci au sujet des siens, mais Beth aimait ses sœurs. Elles étaient naturelles et exubérantes, mais elles avaient bon cœur. Robert et Serena les apprécieraient aussi, car personne dans la famille n'avait hérité du snobisme de leur père.

Roy avait rencontré la famille de Beth en mars, et elle rayonnait encore au souvenir de ce week-end. Serena et Robert les avaient accueillis à bras ouverts, et Roy s'était très bien entendu avec eux. Voir Serena sourire tendrement en regardant Roy jouer au foot avec les fils de Robert et entendre ses deux nièces lui demander tout excitées si elles pourraient être demoiselles d'honneur avait suffi pour que Beth ne se sente plus comme une étrangère face à une famille heureuse. Désormais, elle en était partie prenante.

— Allez ! Dis oui, l'implora Roy en se penchant pour l'embrasser. Je veux être devant l'autel, et tu descendras l'allée en blanc avec un voile. Tes nièces porteront ta traîne. Pour moi, c'est une déclaration d'amour en public.

Des larmes picotèrent les yeux de Beth. Roy se montrait tellement sentimental, parfois ! Elle adorait ça, car c'était complètement nouveau pour elle mais parfois elle pensait ne pas mériter ce bonheur.

— Et si le pasteur refuse de nous marier ? N'oublie pas que tu es divorcé !

— C'est elle qui m'a quitté, lui rappela Roy. De plus, je lui en ai parlé et il est d'accord.

— Je vois ! s'exclama-t-elle en le renversant et en

s'asseyant à califourchon sur lui. Tu complotes déjà derrière mon dos. Qu'as-tu fait d'autre ?

— J'ai provisoirement arrêté la date : le premier dimanche du mois d'août, avoua-t-il d'un air faussement inquiet. Je dois le confirmer au pasteur ce soir, si tu n'y vois pas d'inconvénient.

— Et si je ne suis pas d'accord ? s'enquit-elle en lui tirant les oreilles.

— Il faudra que je te torture. Je t'attacherai au lit et je te tringlerai jusqu'à ce que tu acceptes.

— Me tringler ! s'écria-t-elle. Quelle expression !

Il ne répondit pas. Il la prit par la taille et la souleva dans les airs.

— Arrête, lança-t-elle. Je suis trop grande pour jouer à l'avion.

— Finalement, comme punition, tu resteras là-haut tout l'après-midi.

— O.K., je préfère que tu me tringles.

Il la déposa dans l'herbe et recommença à l'embrasser.

— Je t'aime, Beth. Faisons les choses convenablement. Après tout, c'est pour toujours, déclara-t-il avec tendresse.

Quelques minutes plus tard, elle se leva pour aller préparer du thé. En pénétrant dans la salle à manger, elle s'arrêta pour regarder la pièce, en songeant que quand ils seraient mariés ce serait sa maison.

Dans le passé, Roy lui avait laissé entendre que son cottage était une masure tombant en ruine. Mais rien n'était plus éloigné de la réalité : il avait abattu plusieurs cloisons de façon à créer une pièce spacieuse en forme de L, percée de nombreuses fenêtres. De belles poutres supportaient le plafond. Près de l'entrée, il avait aménagé un salon qui donnait sur la salle à manger conduisant à la cuisine. Il avait poncé et verni le plancher.

Lorsque Beth était venue la première fois, il y avait très peu de meubles – seulement un canapé blanc, un téléviseur et une table ancienne. Elle avait choisi le tissu pour les rideaux – un lainage blanc cassé, brodé de motifs vert pâle.

Depuis, ils avaient acheté un tapis indien qui s'accordait avec les rideaux, une table de salle à manger, des chaises, et ils venaient de terminer la cuisine en hêtre. Beth avait l'intention de vendre son appartement et la plupart de ses meubles, car ils étaient trop modernes pour le cottage. Mais ses peintures iraient parfaitement. Elle trouvait ça très significatif : c'était ce à quoi elle tenait le plus, et Roy les aimait autant qu'elle.

Parfois, elle avait envie de se pincer pour vérifier si elle ne rêvait pas. Elle avait trouvé l'amour, qu'elle croyait n'exister que dans les romans à l'eau de rose, découvert qu'elle était loin d'être frigide, et libéré la jeune fille pleine de vie qu'elle avait étouffée au plus profond d'elle-même.

Quelle merveille d'être de nouveau spontanée, d'envisager l'avenir avec optimisme, de s'intéresser aux autres et de ne plus être sur la défensive !

Lorsqu'elle se revoyait grimper dans le cerisier pour réveiller Roy, elle souriait intérieurement. Cela ne lui ressemblait tellement pas ! Quant aux journées qui avaient suivi... Ils étaient restés au lit la plupart du temps, à faire l'amour pendant des heures, à rire et à discuter. Et les vêtements affreux que Roy lui avait achetés au supermarché du coin ! Un pantalon en polyester trop court, un pull à rayures hideux, une culotte et un soutien-gorge rouge et noir assortis.

— C'est raté, avait déclaré Roy avec un sourire fendu jusqu'aux oreilles. Madame est faite pour le luxe.

En l'espace de quelques jours, Beth avait eu l'impression de changer de peau. Elle avait même peur de retourner chez elle, au cas où l'ancienne Beth réapparaîtrait. Mais elle n'aurait pas dû s'inquiéter. La nouvelle Beth avait été la plus forte : elle avait froncé le nez en redécouvrant le prétendu bon goût de la décoration tout en nuances crème, et elle était partie sur-le-champ acheter des coussins de couleurs vives pour égayer son salon. Puis elle avait téléphoné à sa sœur pour lui annoncer qu'elle était amoureuse.

Depuis, elle n'arrêtait pas. Les week-ends, elle jardinait. Le soir, quand Roy travaillait, elle décorait leur chambre. Il y avait les visites à sa mère et à ses sœurs, et elle aidait Roy à carreler la salle de bains. La solitude n'était plus qu'un lointain souvenir.

Beth avait compris que Roy s'était immergé dans son travail pour les mêmes raisons qu'elle : il s'agissait d'un substitut d'amour.

Mais à présent, pour tous les deux, le travail passait au second plan.

Susan était le seul sujet qui l'attristait. Beth était consciente de ne plus rien pouvoir faire pour elle. Susan ne voulait pas de son aide, de toute façon. Mais, malgré la monstruosité de ses crimes, elle éprouvait toujours de l'affection pour sa vieille amie, car c'était elle qui lui avait ouvert les portes du bonheur.

Steven et Beth lui avaient trouvé un excellent avocat. Beth avait rencontré Thomas Franklin à plusieurs reprises, et elle savait qu'il ferait du bon travail. Le procès se déroulerait début juillet ; comme Susan plaidait coupable, il serait bref.

Beth lui avait écrit une dernière lettre transmise par l'intermédiaire de Franklin. Elle lui déclarait qu'elle ne l'oublierait jamais, et que si elle avait besoin de quoi que ce soit elle ne devait pas hésiter à la contacter. Franklin lui avait raconté que Susan avait souri en la lisant et qu'elle lui avait demandé de dire à Beth : « Arrête de faire tapisserie. »

Pendant que l'eau bouillait pour le thé, Beth regarda par la fenêtre de la cuisine et soupira de joie. La cuisine donnait sur le jardin, enclos par une haie basse qui permettait de découvrir les champs s'étendant à perte de vue, et son orientation à l'ouest lui assurait le soleil l'après-midi. Comme il serait agréable, les soirs d'été, de dîner en le regardant se coucher ! Iris, la mère de Roy, avait déclaré qu'elle n'aimerait pas vivre ainsi en pleine campagne, un voleur pouvant facilement s'introduire à travers la haie pour les cambrioler. Mais Beth se sentait plus en sécurité là que dans son appartement au troisième étage pourvu de tous les systèmes de sécurité.

— Alors ce thé, jeune femme ? cria Roy de la porte d'entrée.

— Il arrive, monsieur. Pendant ce temps, appelle le pasteur pour l'informer que c'est bon pour le mois d'août.

Il bondit dans la pièce et la prit dans ses bras.

— Super ! s'exclama-t-il en la faisant tournoyer... Tu es sûre, hein ? s'enquit-il en s'arrêtant. Ce ne sera pas un peu tôt pour toi, après le procès de Susan ?

Son inquiétude la toucha profondément. Depuis qu'ils étaient amants, Roy avait évité de mentionner Susan. Mais il travaillait sur cette affaire d'arrache-pied, car il y avait encore beaucoup de détails à régler ; à l'évidence, il pensait constamment au procès et à l'effet qu'il aurait sur Beth.

— Je serai trop occupée par l'organisation du mariage pour y songer. Et, de toute façon, nous en connaissons le verdict.

Roy acquiesça gravement, puis sourit de façon malicieuse.

— N'oublie pas que toi aussi, tu vas t'en prendre pour perpète.

— Voilà une plaisanterie de très mauvais goût ! s'indigna-t-elle.

— Il vaut mieux en plaisanter. Je ne connais pas de

meilleure façon d'en parler. Nous ne pouvons rien changer, ni réparer le mal qui a été fait, Beth.

Il avait raison. Les personnes qu'elle connaissait et que leur métier mettait au contact d'événements tragiques – pompiers, policiers ou avocats – plaisantaient pour en atténuer le poids. Cela ne signifiait pas qu'elles s'en moquaient.

— Je te prierais de ne pas comparer le mariage à un emprisonnement !

— Au moins, c'est une prison ouverte, et le directeur t'aime, répondit-il en l'enlaçant.

— Roy ! se récria-t-elle en pouffant de rire. Tu es incurable !

— Ce mot est trop savant pour un gosse de banlieue. Qu'est-ce que ça veut dire ?

— Incorrigible. Et me voilà pieds et poings liés avec toi !

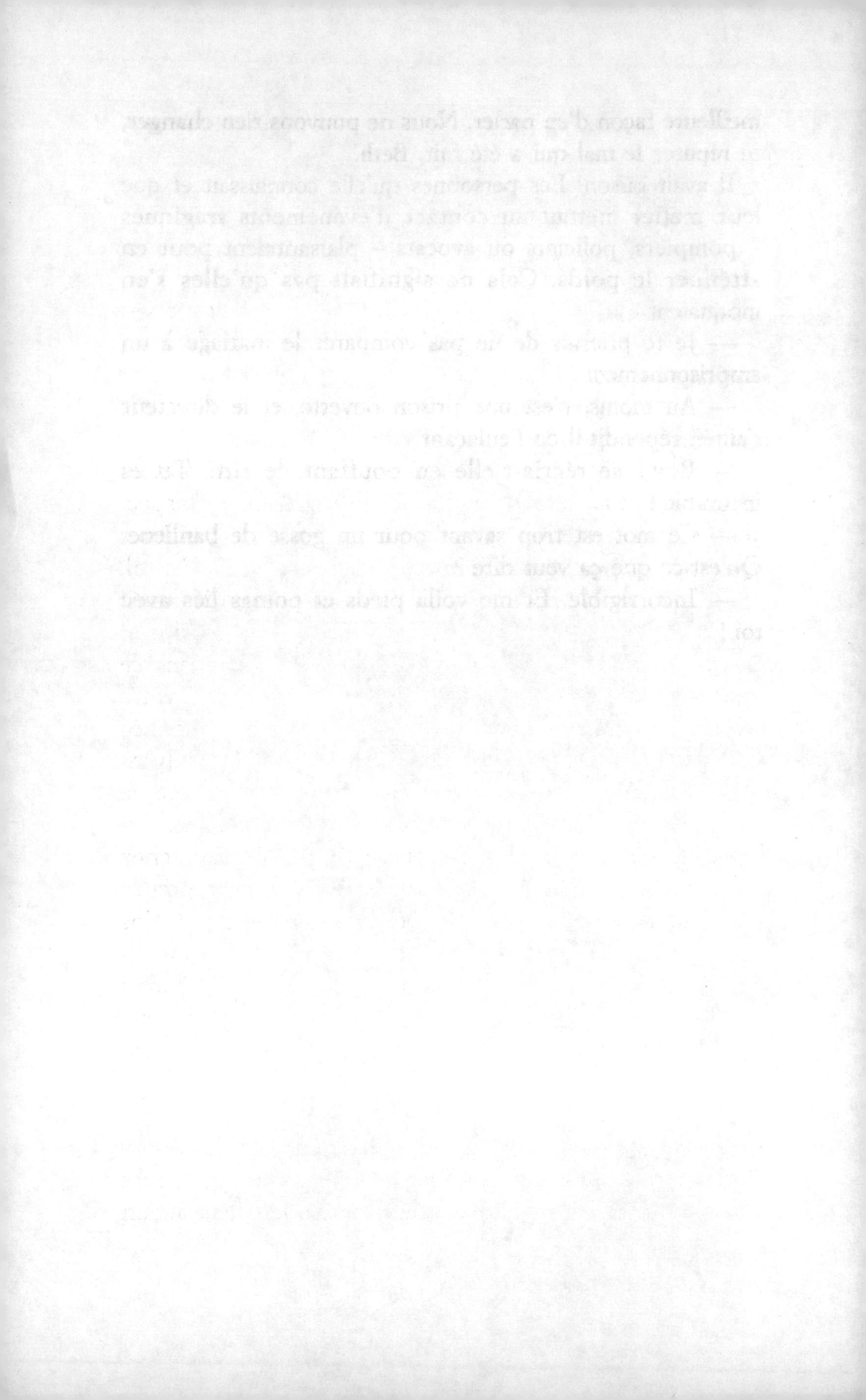

Remerciements

À deux hommes merveilleux, dont l'aide, le soutien et les encouragements m'ont permis d'écrire ce livre : l'inspecteur Jonathan Moore, qui m'a éclairée sur les procédures d'investigation ; et John Roberts, avocat pénaliste à Bristol, dont les connaissances juridiques m'ont été précieuses. Merci mille fois pour votre humour, votre simplicité et votre patience. Les erreurs qui ont pu se glisser dans ce récit sont de mon fait. En effet, comment acquérir votre expérience en si peu de temps ? Je ne serais pas étonnée que des lectrices tombent amoureuses de l'inspecteur principal Roy Longhurst car, pour camper son personnage, je me suis inspirée de la personnalité de ces deux anges.

À Harriet Evans, ma directrice de publication chez Penguin Books. Qu'une personne aussi jeune fasse preuve d'autant de sagesse et de diplomatie me dépasse ! Vos notes m'ont été d'un grand secours. Vous êtes intelligente, intuitive, douce, et c'est un plaisir de travailler avec vous. Merci aussi pour votre réconfort dans mes moments de doute et pour les nombreux fous rires que nous avons partagés.

Enfin, un grand merci aux laboratoires Spencer Dayman, à Bristol, pour m'avoir donné de si précieuses informations sur la méningite. Tandis que cette maladie demeure une menace sérieuse pour la société tout entière, leur action pour rassembler des fonds destinés à la recherche et au développement de vaccins contre la méningite et les affections qui lui sont associées est vitale.

Achevé d'imprimer sur les presses de

BUSSIÈRE

GROUPE CPI

à Saint-Amand-Montrond (Cher)
en avril 2006

Composition et mise en pages : FACOMPO, LISIEUX

N° d'édition : 4197. — N° d'impression : 061366/1.
Dépôt légal : avril 2006.

Imprimé en France